『教育労働者』という生き方

自分を守り子どもたちを守るために

岩山 治

花乱社

装丁　前原正広

はじめに

二〇二〇年二月初旬、全国的に記録的な暖冬が続いている。二〇二〇年二月一日付「読売新聞」によれば、「九州・山口で今季、『初雪』が観測されない異例の事態が続いている」という。九州・山口では今季、まだ雪を見ないのである。脊振山《せふりさん》（標高一〇五五メートル）さえ冠雪した姿を見せていない。俳句の世界では「春隣《はるとなり》」という冬の季語の季節である。しかし教育現場では、もう何年も前から厳寒の真冬日が続いている。

まず、全国の公立小・中学校で教員不足が続いているのみならず、来る新年度も大変らしいことが予測される。

二〇一九年一〇月二九日付「読売新聞」には「公立小中239人教員不足―九州・山口・沖縄　人材確保難しく―」という大きな見出しの記事が掲載されている。「学校現場では、教員不足が深刻化しているとされるが、文部科学省は詳細な全国調査をしておらず、実態はわかっていなかった」らしい。そこで「読売新聞」が、「9月、九州・山口・沖縄の各県と政令市（福岡市、北九州市、熊本市）の教育委員会に、教頭以下の正規教員と非常勤講師を含む非正規教員について、配置予定数から何人不足しているか尋ね、全12教委から回答を得た」そうである。その結果、昨年の五月一日時点では、たとえば福岡県の場合、福岡・北九州市の両政令市を含めて、小学校では三七人、中学校では九人が不足しているそうである。調査した九州・山口・沖縄全体では小学校一六六人、中学校七三人が不足しているという。「大分県内のある公立中学校が配った1学期の通知表では『技術・家庭』の家庭科の欄に斜線が引かれていた」という。体調を崩して退職した家庭科の教員の代わりが見つからなかったそうである。この「大分県では14年度に5倍だった小中学校教員の志願倍率は2・8倍」に急減している。「不足教員が『ゼロ』と回答した長崎県も5月以降、欠員が一時出ており、担当者は『学校を通じて多数の教員経験者の情報を集め、声をかけて何とか確保している』と打ち明けた」という。

二〇二〇年一月三一日付「読売新聞」の「社説」は、「教員の採用」について、全国的な問題として「公立小学校教員の採用倍率が減少傾向にある。２０１９年度の採用では2・8倍となり、過去最低だった。中学校教員の5・7倍、高校教員の6・9倍と比べても低さが際立っている」というのである。さらに続けて「気がかりなのは、倍率が2倍を切った教育委員会が12道県市あったことだ。最も低いところは1・2倍にとどまった」と危機感を表明している。

実はこのようなことは、すでにひと昔前から、関係者の間では危惧されていた事態なのである。この原因の一つとして前出の「読売新聞」の「社説」は、「長時間労働のイメージが強い学校の職場環境が影響している」、「教員は授業以外にも学校行事の準備や職員会議、保護者への対応などで忙しい。／特に小学校の教員はクラス担任がほぼすべての教科を教えるため、負担感が大きい」と指摘している。日本の教員の長時間労働問題は今や国内だけではなく、世界に知られることになってしまったらしい。

二〇一九年六月二〇日付「読売新聞」は、一面トップで「日本の教員　勤務時間最長―ＯＥＣＤ調査　事務や部活負担―」という大見出しの記事を掲載した。すなわち、

「経済協力開発機構（ＯＥＣＤ）は、19日、日本の小中学校教員の勤務時間が加盟国・地域（48か国・地

域の中学校と15か国・地域の小学校――引用者挿入）の中で最も長いとする調査結果を発表した。小学校が週54・4時間、中学校は週56・0時間で、教育委員会の報告書作りといった事務作業や、部活動が負担になっていた。授業での情報通信技術（ＩＣＴ）の活用を巡る課題も浮かび、文部科学省は『深刻に受けとめている』としている」

という内容である。その記事によれば、小学校・中学校とも、日本が最も勤務時間が長く、小学校の第二位はイングランド（英）の48・3時間、中学校の第二位はカザフスタンの48・8時間である。加盟国・地域で最も勤務時間が短いのは、小学校ではトルコの31・7時間、中学校ではジョージアの25・3時間。日本の中学校教員はジョージアの教員の二倍以上働いているらしい。

以上は学校内における勤務状況の調査結果であろうが、日本の教員の仕事はこれで終わりではない。家庭に持ち帰って仕事をするのである。特に自分の子どもがまだ幼い「お母さん（お父さん）先生」の場合は、保育園などに預けているわが子を引き取らなければならないから、学校に遅くまで残るわけにはいかない。したがって家庭に持ち帰って仕事をすることも多くなる。わが子に夕食を食べさせ、風呂にいれるなどして寝かせつけた後から持ち帰った仕事を始めるのだ。それらの仕事を終えて、自分が寝るのは午前○時を過ぎるのが普通なのである。

日本の教員の仕事はまだある。私も体験したことであるが、中学校の（高校も）部活動顧問は勤務時間外の仕事の方がはるかに多い。部活動には運動部と文化部があるが、私は文化部の顧問を経験していないので本書では運動部の部活動に絞って論じる。公式試合、練習試合を問わず対外試合は休日に行われることが多く、その代休はない。

日本の教師の仕事はまだある。私も経験したが、保護者から「うちの子が家出した」という連絡が入れば、心当たりを教職員総出で捜す。当然、夜のことが多い。こんなことは頻繁ではないが、教職員を一〇年も務めれば二度や三度は経験する。私は、一九七〇年代後半から一九九〇年代にかけて、何度か福岡市の繁華街で「家出した」生徒を捜した経験があるが、今はどうだろうか？

「教員志望者減少」という現象の原因は、教職員の多忙化だけではない。それは教職という職業の〝特殊性〟と関係する。教師の仕事（教育実践）の対象は、機械や原料などの無機物ではなく、人間の子どもである。生きた身体・感情を持ち、成長するのである。教師の主観からすると、自分の働きによって子どもたちが、自分の考えているように変化・成長するように見える。ここにほとんど全ての教師たちが落ち込んでしまう落とし穴がある。うまくいけば（そのように見えることがある）自信過剰に陥って自分を買いかぶる。自分の思い（理想）とは異なる結果が出ると、自分の責任だと感じてしまう。自分は無能力だと受けとめてしまう。

二〇〇六年五月三一日、東京・新宿区内の小学校新任女教師が、「学級崩壊」を苦にして自殺を図り、翌日亡くなった。享年二三歳。教壇に立ってわずか二か月で自殺してしまったのである。残されたノートの最後に、

「無責任な私をお許し下さい。全て私の無能さが原因です。家族のみんな、ごめんなさい」

と書かれていたという。これは

「もっと休ませてくれ！　もっと給料を上げてくれ！」

という労働条件に関する悩みでも要求でもない。教師の仕事の質（内容）にかかわる問題である。あえて

言わせていただく。こんな「無駄な死」、そして「悔しい死」は金輪際無くさなければならない。これこそが、私が書き残そうとしているこの書の最大の目的であり、願いである。

子どもたちも追い詰められている。

二〇一九年一〇月一八日付「読売新聞」には「いじめ最多54万件―小中校昨年度 自殺300人突破―」という大見出しの記事が掲載された。

「全国の小中高などが2018年度に認知したいじめは、前年度比12万9555件（31％）増の54万3933件と過去最多だったことが、文部科学省が公表した『問題行動・不登校調査』で分かった。いじめ防止対策推進法に定める『重大事態』も同128件（27％）増の602件と最も多かった」、「学校が把握した18年度の自殺者は332人（同82人増）で、9人（中学3、高校6）はいじめを苦に自殺した」という内容である。

また、二〇一九年一〇月二六日付「読売新聞」には「小中学生の不登校 14％増―低学年化、本人に聞き取り調査へ―」という見出しの記事が掲載された。

「文科省の調査では、18年度に病気や経済的理由を除いて年30日以上、小中学校を欠席した児童生徒は16万4528人。前年度比2万4997人増加し、統計を取り始めた1998年度以降で最も多くなった。小学生は4万4841人（前年度比9809人増）、中学生は11万9687人（同1万6688人増）で、全ての学年で増加している」、「不登校の理由は『家庭の状況』が37・6％で最も多く、『いじめを除く友人関係』（27・8％）、『学業の不振』（21・6％）などが続き、『いじめ』は0・6％にとどまっている」が、「同調査での不登校の理由は、各学校が本人に聞かないまま判断しているケースも多いため、教育関係者からは

『実態との乖離《かいり》がある』との指摘もある」という。

教師のみならず、子どもたちも、「学校が把握した」だけでも一八年度には「332人が自殺」するほどに追い込まれている。学校での学習や登校が辛くなった子どもたちは、かつては喫煙やシンナーの吸引に走った。二〇一九年九月三〇日付「読売新聞」によれば、今や大麻が中・高生にも広がり始めているという。教育現場の子どもたちに「教育を困難にする」あるいは教師を「悩ませる」大きな変化が起こっていることは間違いないであろう。


「教員志望者減少」という現象の原因はまだある。教育現場における教職員同士の関係の変化である。二〇一九年一〇月五日付「読売新聞」には「教諭4人 後輩いじめ―神戸の小学校 暴行や嫌がらせ―」という見出しの、信じられないような記事が掲載された。

「神戸市立東須磨小学校の教諭4人が、後輩の教諭に暴行や嫌がらせなどのいじめを繰り返していたことが4日、明らかになった。校長は市教委にいじめを報告しておらず、被害教諭は精神的に不安定になって仕事を休んでいる」

という記事である。いじめの内容がまた陰湿である。

「加害教諭は30～40歳代の男性3人と女性1人。昨年以降、20歳代の男性教諭に対し、日常的に『ボケ』『カス』などの暴言を浴びせたほか、足を踏みつけたり、用紙の芯で尻が腫れ上がるほど強くたたいたりしていた。また、①LINE《ライン》で別の女性教員へわいせつな内容のメッセージを送信させる②男性教諭の車の上に乗ったり、車内に飲み物をこぼしたりする③飲酒や送迎を強要する――などの行為も繰り返していた。／男性教諭は『目や体に激辛ラーメンやカレーを塗られた』とも訴えている」

というのである。しかも「いじめ行為の様子が撮影されていた」ともいう。絶句するではないか！　これが三〇～四〇歳代の小学校教諭の言動だというのである。しかも一度っきりのことではない、繰り返し行われていたというのである！　信じられないが、現実のことらしい。この現実をしっかりと受けとめなければならない。

教職員の不祥事に関する新聞報道はまだまだ続く。二〇一九年一〇月七日付「読売新聞」（夕刊）には

「教諭4人　2学期出勤せず―奈良の小学校　同僚トラブル原因か―」

という記事が掲載された。

また二〇一九年一二月二五日付「読売新聞」には「わいせつ教員　最多282人―公立校　パワハラなどは32人―」という記事が掲載された。文科省の発表によると、「わいせつ行為などでの免職は163人、停職は57人、残り62人は減給処分以下だった。処分を受けた教員は前年度よりも72人増えた」という。文科省の担当者は「処分されたのは氷山の一角だろう。処分まで至らなかったケースもあるはず」と言っているそうである。教育現場で何が起こっているのであろうか？　このような教育現場の現実を毎日のように突きつけられれば「教員志願者が減少」するのも止むを得ないと思ってしまう。

文部科学省も手をこまねいているわけではないらしい。不祥事を起こした教職員に対する処分のみならず、「教員の働き方改革」などさまざまな改革に乗り出しているようだ。

二〇一九年七月六日付「読売新聞」（夕刊）によると、「文科省は学校週5日制が完全実施された2002年、教員が夏休みにまとまった休日を取る方法はやめ、研修や教材・授業研究などに充てることを通知で求めていた」が、二〇一九年六月二八日付で「過度な教員研修や部活動の指導、授業を避け、一定期間

教員らが出勤しない『学校閉庁日』を設けるなど『まとまった休日を確保することが、教職の魅力を高めるためにも必要』とした」そうである。

また二〇一九年一二月一二日付「読売新聞」には「『学校運営に地域参加』急増」という見出しの「コミュニティ・スクール（ＣＳ）」の導入に関する記事が掲載されている。つまり「政府は２０２２年度までに、全公立学校にＣＳを導入し、全小学校区に地域学校協働本部を設置することを目指している」という。ＣＳとは、「２０１７年に地方教育行政法が改正され、ＣＳ設置が教育委員会の努力義務となってから急増している」組織である。「地域住民や保護者らでつくる学校運営協議会が、①校長や教委に、学校運営への意見を述べる②教委に教職員の任用について意見を述べる——といった役割を担い、学校運営に地域のニーズや意見を反映させている」のだそうである。要するに教育委員会および教職員を地域で監視する仕組みらしい。

さらに二〇一九年一二月一三日付「読売新聞」によれば、中央教育審議会は「教科毎に専門の教員が教える『教科担任制』を２０２２年度をめどに、小学５、６年生に導入すべきだ」とする方針を打ち出したという。

このような文科省の対応は妥当なのだろうか？　妥当ではないからこそ教育現場は著しく歪んできているのではないか？　しかも「大学入学共通テストでの英語民間試験」をめぐって「身の丈」発言をするなど、経済格差が受験生（況《いわん》や子ども全体）にも及んでいることなどには無頓着な萩生田光一文部科学大臣を筆頭に、「宇宙航空研究開発機構（ＪＡＸＡ《ジャクサ》）の業務で便宜を図る見返りに受けたとして収賄罪」で有罪判決を受けた文科省前国際統括官、このほか「文科省の科学技術・学術政策局長」も「受託収賄容疑で逮捕、同罪で起訴」された。このような「相次ぐ官僚の逮捕を受けて文科省次官が引責辞任する」など混乱続きの文科省では、教育現場の「真冬日の連続」のような沈滞・逼塞感を打開できるはずもなさそうである。

以上長々と見てきたように、今日の教育現場と教育行政は、逃げ場のない真っ暗な密室に閉じ込められたような状態である。それはすでに呼吸ができないほどの逼塞感を伴っている。このようになる直前に多くの「若年退職者」は教育現場から逃げ出し、新たな若者は「教師志望」を忌避し始めた。教育現場は今後さらに生き辛くなるのだろうか？　放っておけばそうなるであろう。

しかし教師たちが一皮むければ必ず道は拓ける！

教師のみなさん、そして教職志望の若者よ、諦めるな！　私の教職体験からしても、道は必ず拓ける。教師自身が拓くのである。

私は、三十数年ぶりに、『教育を追う ③問われる教師像』の「福岡市から」の部分を読み返した。そこでは四〇年以上も前に、数人の福岡市立中学校教師がとりくんだ教育実践が紹介されている。ほとんど私がよく存じ上げている教師たちである。そのなかには数年間同じ中学校に勤めた教師の名前もある。いずれも子どもたちを愛し、真剣に不眠不休で子どもたちととりくんだ「同和」教育実践の紹介である。その情熱はすばらしいと思う。しかし私にはこのようにすばらしい教師たちにさえ根本的な不満があった。

彼らのほとんどは、日教組運動あるいは教育労働者の労働運動には必ずしも熱心ではないのである。確かにそのうちの何人かは、福教組本部や支部役員（執行委員）を務めてはいる。しかし彼らは、そのときだけ日教組運動に義務的に参加しただけである。組合役員の任期が終了した後、一組合員として彼らが日教組や福教組の反戦・平和集会や春闘集会などに参加している姿はほとんど見かけなかった。今日のような呼吸が止まりそうな教育現場になっているにもかかわらず、私の知る限り、この打開のための発言や活動を行っている様子もない。彼らの子どもたちへのすばらしい愛情と情熱は、何らかの欠陥あるいは問題点を孕んでいるのではないだろうか？　この問題究明とその打開が、道を拓く一つの鍵になると思うのである。

その鍵になると思うので紹介しておこう。最近私は、佐藤優著『いま生きる「資本論」』という文庫本を読んだ。この著者は不思議な経歴の持ち主である。一九六〇年生まれであり、まずキリスト教の神学者である。同志社大学大学院神学研究科修了後には外務省に入省した国家公務員、つまり外務官僚である。外国の大使館に勤めたり、本省の国際情報局に勤務している。二〇〇二年に背任と偽計業務妨害容疑で逮捕され、東京拘置所に五一二日間勾留された。そして執行猶予付きだが有罪判決を受けた前科一犯である。外務官僚の職を失い、今はカール・マルクスの『資本論』を研究しているという。私はこの著者はどんな立場の人だろうかと受けとめきれずにいる。このような著者が先に示した著書のなかで、マルクスのあの難解な『資本論』を読む目的や理由を次のように述べている。

「われわれの目的は『資本論』の内在的論理をつかむこと」

「人生で得するために、あるいは人生を楽にするために『資本論』を読む」

「資本主義社会は、競争の中に入ってしまうと、基本的に一人しか満足できない仕組みになっている」

つまり、資本主義社会では多くの人が「楽しくない」のだ。

「『資本論』を読んでいけば、『そうか、そうなっているんだ』と状況（競争の渦——引用者挿入）に巻き込まれずに客観視できるようになる。自分の置かれた立場を、距離と余裕をもってみることができる」

ようになると言うのである。この著者の『資本論』の読み方に全面的に賛同するわけにはいかないが、ここで紹介した限りではとりあえず参考にしてもよいのではないかと思う。

私が以下本文で述べる内容を読んでいただいて、この著者が言うように「自分が置かれている立場を、距離と余裕をもって」つかみとることができれば、少なくとも自分の教育実践（教育活動）について責任を感じたり、能力の不足に悩んだりすることはなくなるであろう。なぜなら、教師にはそんな責任もなければ、能力不足を批判される理由も根拠もないことに気づくだろうからである。

なぜこのように言えるのか、その根拠を早く知ろうと思えば、第四・五部を先に読んでいただきたい。さらに急ぐ人は、第五部の「第二章　近代公教育とは何か？」および「第三章　教師は労働者である」から読んでいただきたい。これまで「自分の置かれている立場」を誤解していた自分に気づくだろうからである。そうなれば新たな道が拓けるはずである。前半の第二・三部などは、日々の教育実践で参考になるのであれば幸いである。

誤解を恐れるのであえて一言しておきたい。私は決して「理想の教師像」、「あるべき教育」を求めようとしているわけではない。また自分が従事している近代公教育を通じて「理想の社会」を創造したり、その担い手を育成しようと呼びかけているわけでもない。むしろそのような考えや態度を唾棄《だき》してきたのである。そんなことが近代公教育を通じて可能であるなどとは、全く思っていないからである。今日の教育現場の息が詰まりそうな逼塞状態の根拠を明らかにし、この「教育困難時代」、「真冬日のような教育現場」をいかに生き抜くかを、私自身の教職体験をも素材として探究しようとしているのである。

以下、本文で述べることとは、私の三八年間の公立中学校教諭としての体験を総合的に振り返りながら近代公教育の本質に迫ろうとするものである。具体的な教育実践の次元に関することは部分的ではあれ、私家版として別にまとめた。ご購読下さる方は、巻末に掲げられた著者紹介欄の部分を参考に、本書の出版元までご連絡を！

なお、私が現職であった二〇〇〇年までの教育現場や教育行政が、今日大きく変化していることは承知しているつもりである。それでも根本的な部分では大差ないと認識している。なぜなら近代公教育の範囲内だからである。その点をご了承願いたい。

二〇二〇年二月四日

岩山　治

「教育労働者」という生き方❖目次

第一部　追いつめられ、追い出される教職員

第一章▼〈死〉と隣り合わせの教職員

二〇〇七年度、福岡市では少なくとも四人の教師と二人の技術吏員が「病死」した。「少なくとも」と言うのは、私が把握し得た人数に過ぎないからである。現職の教師が交通事故や不慮の事故で亡くなることはこれまでにもあった。もちろん病死もあったと思われる。

しかし福岡市で、一年間に四人もの教師が「病死」したという例を現職時代の私は知らない。しかもそのうちの三人の死は異常と言わざるを得ない。

その端的な事例はAさんの場合である。Aさんは、四一歳の中学校男性教諭。教師として脂ののりきった年代である。

一一月、A教諭は同僚とともに、生徒たちの登校状況を観察したり、指導するために校外の街角まで「登校指導」（どの学校でもこんなことを始めたのは一九八〇年代ごろから。それ以前の教職員にはこんな業務はなかった）に出た。それも終わり、校庭まで帰り着いた地点で突然倒れ、救急車で運ばれたが、そのまま命を落とした。同僚たちは、救急車が到着するまでの間、AEDを使うなどして救命活動を行ったが空しかった。検視の結果は心筋梗塞ということであった。勤務中の「病死」である。私の知る限りこのようなことはかつてなかった。

Bさんは、五一歳の中学校男性教諭。教師としては円熟期に達した年代である。

「孤独死」であった。当時B教諭は独り暮らしであった。しかも「冬休み」中であったため、発見が遅れ、死後数日経っていたらしい。三学期始業式の日であるにもかかわらず、無断欠勤で、電話にも出ないので同僚が訪問して発見した。検視の結果は心筋梗塞。

Cさんは、五〇歳の小学校の男性教諭。円熟期に入ったところである。一月、急病のため緊急入院。同僚がお見舞いに行く暇もなく急逝したという。

Dさんは、五九歳の、定年退職を目前にした小学校女性教諭。しばらく病気休暇をとっていたが、復職して間もないころの逝去であった。

以上のように、D教諭以外は、それまで元気だったにもかかわらず突然亡くなっている。D教諭にしても定年退職を目前にしていたのであり、もっとじっくりと療養することが許されなかったのであろうか？　まだまだ若いこの教師たちを死に追いやったものは何か？　その根拠を探り出すのは容易ではない。たとえ「過労死」であったとしてもそれを証明するのは難しい。しかし、いずれも異常な死であることだけは確かである。この教師たちはまだまだ死ぬような年齢ではないこともまた確かである。

これだけではない。教員の病気休職者が急増している。二〇〇八年一二月二六日付「読売新聞」の報道によれば、公立学校教員の病気休職者は二〇〇〇年ごろから急増し始めている。特に、うつ病などの「心の病」の増加が著しい。二〇〇七年度について言えば、病気休職者の総数は、全教員の〇・八八％にあたる八〇六九人、そのうち「心の病」が原因だったのは四九九五人。実に病気休職者総数の六割を占めた。

このような調査を始めた一九七九年度と比較すると、病気休職者の総数は約二倍強、そのうち「心の病」が原因の休職者は、約八倍に急増しているのである。「心の病」を訴える教員の数は、一般企業の二・五倍だという。公立学校の教員総数は、少子化の傾向とそれ以上の教職員定数の削減（小泉政権による「構造改革」）のなかでむしろ減少しているにもかかわらず、である。福岡市でもこの傾向はほぼ同じである。まさに教職員たちは〈死〉と隣り合わせで日々の教育活動に従事しているのである。

二〇一〇年七月二〇日付「朝日新聞」によれば、全国の公立小・中・高校と特別支援学校で在職中に死亡した教員は、二〇〇五年度から〇九年度までの五年間で三一〇〇人に達する、という。毎年六〇〇人を超える教員が死亡しているという計算になる。ほかの業種の資料を持ち合わせていないので比較することはできないが、少なくとも現業（危険を伴う職種もあるので）を除いた公務員でこれほどの死者を出している職種があるのだろうか？

このような公立学校の教職員の現状について文科省は、

①部活動の指導や報告書の作成に追われて多忙。

②教員の立場が昔ほど強くなくなった。

③同僚との人間関係の希薄さ。

などがその原因だと分析しているらしい。文科省の教職員に対する管理強化や定員削減などの管理政策、教職員バッシングなどの結果であるにもかかわらず、なんと他人事のような「分析」をしているのであろうか。

第二章▼「若年退職者」の急増

「若年退職者」というのは、「定年」（六〇歳）を待たずに退職する人のことである。これまでもそのような人がいなかったわけではない。結婚やよほどの家庭の事情などでやむを得ず退職していたのである。しかしその人数は決して多くはなかった。多くの教職員は教職に就いた時点では、その仕事を「定年」まで全うすることを決意していたはずである。また事実、私が現職であった二〇〇〇年ごろまでは、すでに述べたようなやむを得ない理由以外で教職の途中で退職するなどということはほとんどなかった。年度末人事異動のときに、若年退職者がいると、「えっ、あの人がなぜ？」というように、教職員間で話題になるほどであった。

ところが最近は、「定年」退職者よりも若年退職者の方が、はるかに多いのである。正確な数字ではないが、福岡市では、二〇〇六年度末や〇七年度末の退職者総数の実に六割から七割が若年退職者だったのである。五〇歳代になると、「定年」まで数年を残して退職してしまうのである。これは異常だと言わなければならない。

夫婦ともに公立学校の教員の場合であれば、退職金は二人合わせて五〇〇〇万円くらいにはなる。年金も夫婦で月四〇万円は超える。贅沢を言わなければ、それなりの老後が保障されている。「定年」までに数年を残して退職する場合、その背景にこのような保障のあることが、その条件になっていることは確かであろう。しかしこの条件は、一〇年、二〇年前の方が有利だったのである。退職金も今より多かったただけでなく、年金も退職直後から支給されていた。にもかかわらず当時、若年退職者は非常に稀であった。

今日では、二〇年前（私が退職した二〇〇〇年ごろ）に比べて、退職金は少なくとも一割減、年金は六五歳にならないと支給されない。しかも今や金利ゼロで、退職金を預金してもほとんど利子はつかない。このように、若年退職者がほとんどいなかった二〇年前と比べると、今日は退職後の保障が著しく低下したのである。したがって今日、若年退職者が増加傾向にある理由は、退職後の保障とは別だと考えなければならない。


二〇一〇年七月二〇日付「朝日新聞」によれば、公立の小・中・高校と特別支援学校で「中途退職する教員が毎年一万二〇〇〇人を超え、この五年間で六万七〇〇〇人に及ぶ」ことがわかったという。この点について久冨善之・一橋大名誉教授（教育社会学）は、「『子どもや保護者らとの関係に悩み、事務作業なども増える中で〈やめたい〉という気持に傾くのではないか。成果主義による教員評価の導入なども背景にある』とみている」そうである。

地域別では関西や首都圏の退職率が高く、人口の少ない地域は低いという傾向らしい。〇九年度で、「福岡市は一・四八％、北九州市は一・八五％、政令市を除く福岡県は〇・九七％」だったという。政令市の方が、若年退職者の比率が高いのである。

文科省の調査で、公立小・中学校の教員で、

「勤務時間以外でする仕事が多い」

という回答が九割を超え、一般企業の二倍。

「気持が沈んで憂鬱」

という教員は二七・五％で、一般企業の約三倍に上る。若年退職者にその理由を尋ねると、

「もう疲れました。体が動かなくなる前に、第二の人生を楽しみたい」

「これからの教育に喜びを見出せそうにない」

などという答えが返ってくる。現在の教育現場は、文科省も認めるほどとにかく多忙なのである。勤務

時間終了と同時に帰途につく教職員は全国的に見てもほとんどいないであろう。

午後七時、八時の退勤はごく普通であり、午後九時、一〇時まで学校内で仕事をしている教職員は結構多い。仕事をしていて帰宅が午前〇時を過ぎる教職員も稀にはいるという。子育て中の「お母さん（お父さん）先生」は、このようにはできないので、仕事を持ち帰ることになる。わが子の世話をして、寝かせた後に仕事をするのである。「過労死」や病気休職者が倍増するのは当たり前なのである。教育現場がこのように多忙になったのは、二〇〇〇年度ごろからである。二〇〇二年度から本格実施された「改訂学習指導要領」が前倒しされて実施されてからである。

また、誰もがそうであると思うが、特に教職員の場合、自分が納得し、意義を見出し、喜びを感じる仕事の場合、もちろん限度があるが、多少無理だと思われる仕事であっても熱中するものである。そして充実感・達成感を感じてそれほど疲れを感じることもなく、多忙とも思わないであろう。教職員が最も疲れやストレスを感じるのは、自らの教育哲学あるいは理想・教育的良心を否定しなければ、実践できないような教育活動を強制されることではないだろうか？

二〇〇一、二年度から改訂された「学習指導要領」が本格実施されたことにより、教師たちは今まで経験したことのない「総合的な学習の時間」の指導、「君が代が歌えるように指導する」ことなどが「義務」化された。また、「日本国憲法」に基づいた「教育基本法」が、二〇〇六年に「国を愛する心」を涵養する教育を根幹とする内容に改定され、これまでの「戦後民主教育」が完全に否定された。また、「教職員評価制度」の導入により、自分の納得できない「年間教育目標」などを強制されることに絶望したのではないだろうか？　さらにこのようなことから教職員間の人間関係が、ズタズタに切り裂かれたからではないだろうか？　若年退職者の多くは、教育現場のこのような状況の進行に耐えきれなくなったのではないだろうか？

ことばを換えて言えば、若年退職者たちは、自らの教育哲学や教育的良心を否定され、教育現場から追い出されたと言うべきではないのか！

第三章▼新規採用者の早期退職

四月、公立学校教諭として正規に採用された若き教師たちのなかから、一年未満で退職する人たちが出ている。子どもたちとの出会いや彼／彼女らなりの教育にかける「理想・情熱」の実現に燃えていたはずの若き教師たちが、なぜ早々と教育現場を去ってしまったのか？　二〇〇七年度、福岡市では少なくとも私の知る限り、三人の新規採用教師が一年未満で退職してしまった。

二〇〇六年五月三一日、東京・新宿区内の小学校新任女性教諭が、教壇に立ってわずか二か月で自殺した。享年二三歳だったというニュースについては、「はじめに」ですでに述べた。ノートの最後に、

「無責任な私をお許し下さい。全て私の無能さが原因です。家族のみんな、ごめんなさい」

と書かれてあったという。以上のことは当時も報道されたが、二〇一〇年二月二八日付「読売新聞」の「教育ルネサンス」欄で改めて採りあげられた。

この女性教諭に「全ての責任」があるはずはない。この女性教諭がもっと視野を広げて、社会全体の動きのなかで学校教育を、あるいは現在強引に進められている「教育改革」のなかの教育現場を捉えさえすれば、容易に開き直ることができたはずである。

「無責任な私をお許し下さい」

という最後の言葉が痛ましくも悔しい。

最近になって、なぜこのような痛ましいことが引き起こされるのか？　その原因はさまざまであり、即断するわけにはいかないだろう。しかしいくつかの原因を推測することができる。

その第一は、子どもたちの変容である。この点については瀧井宏臣著『こどもたちのライフハザード』に詳しい。ご一読をお勧めする。

今や子どもたちも疲れ果てている。正常に育てられてこなかったのだ。「遊びが消失」し、子どもたちは遊び場さえ奪われたのだ。友達との付き合い方も育っていない。

食の乱れ、朝食抜きなどでアレルギー体質になった子どもたち、テレビゲーム漬けで夜更かしをして、午前中はぼんやりして、授業中に正常な反応ができない子どもたち。米《こめ》のテレビＣＭにまで「早寝・早起き・朝ごはん」と出てくるほどである。

「学級崩壊」や「授業崩壊」などは、教師の質とは関係なく全国至る所に蔓延している。二〇〇八年度に行われた全国一斉体力テスト（小五・中二対象）の結果を見ても、子どもたちの体力減退はあきらかである。このような子どもたちに、どのように対応すればよいのか？　ベテラン教職員ほど困惑しているとも言われている。言うまでもないことであるが、これは教職員の問題でもなければ、学校だけの問題でもない。にもかかわらずこれらの問題は、学校や教師の責任であるかのように吹聴《ふいちょう》されたり報道されたりする。もともと多くの教職員は、自らの指導によって子どもたちを善導できると考えており、うまくいかなければ自分の能力・責任に直結させて受けとめてしまう傾向がある。教師への精神的打撃は大きい。

第二は、保護者の変容である。今の小・中学生の保護者は、一九六〇年代後半から七〇年代の生まれ。つまり日本の高度経済成長の真っ只中に生まれている。当時、それまでの日本の大家族（祖父母・両親・子どもたちの家族など）制は急速に核家族（両親と子どもたちの家族）へと変貌した。その両親は共働きが多かった。つまり、今の保護者たちは親からしっかりと躾けられなかった世代なのである。小学生のころ、その多くが「カギっ子」と呼ばれた世代である。物質的には豊かだが、両親の愛情を充分には感じとることができなかった世代である。

と言っても、現在の六〇～七〇歳代の方々を非難しているわけではない。なにしろかく言う私もこの世代に属する。ましてや現在の保護者のみなさんを非難しているのでもないことは言うまでもない。当時（そして今なお）夫婦共稼ぎでなければ生活できないように仕組まれていたのだからである。このような点についてはもはや詳細を述べる必要がないほど日常茶飯事になっている、と言っても過言ではないであろう。

要するに今の保護者たちは、子どものころ躾けられずに、忙しく立ち働く両親の愛情の代わりにファーストフードを買う金銭やテレビなどで誤魔化されて育てられた世代なのである。したがって自分の子をも充分に躾けることができなかったであろう、と推測できる。

さらに社会全体が、このような状況を一層助長するように変質した。少子化が進み、一人っ子が多くなり、学習塾、お稽古ごと、テレビゲーム、携帯電話、スマホ、ファーストフード、コンビニ等々が普及。子どもたち同士の関係ができなくなったのである。

一時期、「モンスター・ペアレント」ということばが流布された。その社会的背景を問題にせずに、このように命名（規定）するのは無責任であるばかりではなく、事の本質を覆い隠すものだと言わねばならない。しかしこのような保護者に、多くの教職員が苦慮していることもまた事実である。すでに述べた若年退職者のなかには、このような保護者との対応に疲れた人もいるようだ。新規採用教職員の場合はなおさらであろう。しかしこれは教職員や学校だけの責任ではなく、また保護者の問題でもないことは明らかである。詳細な分析は後述する。

第三は、教職員間の人間関係の希薄化である。第二・三部で詳しく述べるが、私が現職のころ、特に一九六〇年代から一九七〇年代にかけて、教職員同士が昼休みはもとより、一〇分休みの間でも、お茶を飲みながらあるいは煙草を吹かしながらよく話をしたものである。ときには放課後、学校内の家庭科教室などで酒盛り（飲み会）をしていた。

これらは教職員の遊びのように受け取られてきたが、決してそういうことばかりではない。若い教職員たちは、このようなときに先輩教職員からさまざまな情報を聞き出したり、教育技術・教育哲学などを学んだものである。またこうすることによって相互理解も深まってきたのである。教職員は相互にそれぞれの家庭の事情までよく知っていた。したがって相互の助け合いも教育現場だけにとどまらず、家庭のことにまで及んでいた。

教育現場のこのような雰囲気が壊れ始めたのは、教職員が通勤にクルマを使用するようになったころであった。学校での飲み会が極端に減少し始めたのである。しかし当時は日教組がそれなりに強かったので、分会（日教組の、学校毎の最小単位）会議などで相互に抱えている問題を出し合い、協力して問題解決にとりくんでいた。

ところが二〇〇〇年代に入ると、日教組本部は変質著しく、現場教職員の味方ではなくなった。また、パソコンが普及するだけでなく、今やパソコンが操作できなければ教職員にはなれないという現状である。若年退職者の何割かは、パソコンに挑戦することを諦めた人もいるらしい。新規採用者の場合は、これはお手のものであろう。しかし休み時間であろうと、空き時間であろうと、教職員たちは同僚と話すこともなく、常にパソコンに向かって、キー・ボードを叩いているのである。

かつての教育現場を知る者からすれば、これは異様な職員室の雰囲気だと言わなければならない。これでは教職員間の相互理解など望むべくもない。誰が何を考えているのか？　何に悩んでいるのか？　どうしようとしているのか？　などが相互にわかり辛い。新規採用などの若い教職員たちが、教育活動上行き詰まって、先輩教職員たちに相談しようにも、話しかけるチャンスがない。もっとも今日の若い教職員たちは、先輩教職員に学ぶということもあまり考えていないと聞く。もしそれが事実ならば、その理由を聞きたい。

このように教職員間の人間関係の希薄な状況にさらに輪をかけたのが、「教職員評価制度」の導入である。教職員たちは、毎日の教育活動を管理職や保護者などに監視され、評価されるのだ。しかもその成績が賃金をはじめ、人事異動などの労働（勤務）条件に反映されるのである。教職員たちが疑心暗鬼になり、相互不信に陥ってしまうのは明らかではないか？　先輩教職員たちが気軽に若い教職員に声をかけることもなくなるのかも知れない。このような制度のなかで出世（管理職になることなど）を考えているベテラン教職員は、自分が体得している教育実践のノウハウを誰にも伝えなくなるだろう。教職員間の人間関係が完全に破壊されてしまうのだ。

教職員評価制度がこのような結果をもたらすことは、文科省は百も承知している。にもかかわらず、政府・文科省がこのような「教育改革」（の一環）を強行した狙いは、教職員の横のつながりを断ち切って、教育現場をタテ社会につくりかえるためである。上意下達の教育現場につくりかえようとしているのである。これはある意味で教育の自殺行為ではないのか？　そんなことは充分に知り尽くしている政府・文科省であるにもかかわらず、このような「教育改革」を強行する狙いは明らかではないか！

もちろんこのようななかでもこれに風穴を開けるべく日夜努力している教職員がいることもまた事実である。しかしその先頭に立つべき日教組本部の対応が完全に間違っている。政府・文科省の「教育改革」を容認するだけでなく、この方向に教職員が「意識改革」するよう号令しているのだからである。「いつか来た道」に向かいつつあることを改めて危惧せざるを得ない。

このように教職員間の関係はますます希薄になりつつある。若い教職員は、文科省や教育委員会・管理職の求める教師像に自らをはめ込まなければ、教職員として生き残れないのだ。この「鋳型《いがた》」に入ることのできない教職員は、教育現場から追い出されているのである。文字どおり追い出されるのであれば、問題の所在が明確になるのだが、自ら退職の道、あるいはすでに触れたような痛ましい自殺の道を選ぶ以外にないように追い詰められているのである。新規採用教職員だけでなく、「定年」前に退職する若年退職者のなかには、退職の道を選ばざるを得なかった人もいるのである。

教育は政治の一環である。しかも必要欠くべからざる重要な環の一つである。したがって常に教育内容や教職員管理は統制が強化される。どの方向で統制が強化されてきたかは歴史が教えてくれる。私たちはそれを充分知り尽くしているはずである。

痛ましい自殺が引き起こされる原因の第四は、管理職や上司（「中間管理職」と言うべき主幹教諭・指導教諭など）による「いじめ」とでも言うべきパワハラ、セクハラ、マタハラなどである。

新規採用者に対する「指導」という名のいじめは、教育現場に配属される前から開始される。教育委員会が管轄する教育センターなどで行われるのである。しかもそれは数回にわたる執拗なものである。その内容については、私は受けた経験がないので推測せざるを得ない。「国を愛する心」の涵養を加えるよう二〇〇六年に改定された「教育基本法」に基づいた新「学習指導要領」が、二〇〇九年度から順次実施に移されたことからしても、その徹底が最優先されるであろう。新規採用者を新「教育基本法」とそれに基づく新「学習指導要領」の示す「鋳型」に合うように矯正する「指導」である。したがって新規採用者にとっては、個人差はあるかも知れないが、これは自らを変えることを強制されることを意味する。しっかりした自分なりの「教育哲学」、「理想的な教育」像を持っている新規採用者ほど悩み、苦しむことになる。言い換えれば、こんな人がいるかどうかわからないが、教育について何も考えていない、教育について白紙状態の新規採用者は、教育委員会の「指導」を何の疑問も持たず吸収するので、悩みは少ないかも知れない。このような新人教職員は文科省や教育委員会には都合がよいのかも知れないが、気骨のある教職員とは言い難い。

一日教育現場に配属されると、今度は校長などの管理職や、「新しい職」と言われた「中間管理職」の「主幹教諭」、「指導教諭」などから具体的に細かい部分まで「矯正」される。善悪は別として、教職員の個性は破壊される。これを「いじめ」と呼ぶかどうかは人それぞれだが、新規採用者のなかには「いじめ」と受けとめる人がいるのは確かである。

私の知る限り、「校長あるいは教頭＝優れた教育者」とは限らない。誤解を恐れずに言えば、子どもたちを愛し、真に（出世のためにではなく）教育活動に熱心な教職員は管理職になろうとはしない。その理由は至極簡単である。校長（「新しい職」の副校長を含む）や教頭など管理職は、すでに教職員あるいは教育者ではなく管理者だからである。管理者は基本的に子どもたちの教育には携わらないからである。管理者は基本的に授業はしないのである（私が現職のころ、中学校では教頭が授業を担当していたが、それは週四、五時間程度であった）。

近代公教育の現場（学校）で、授業をしない職員を教育者とは言えないだろう。自らの教育哲学や教育の理想像を放棄し破壊しない限り管理職にはなれないのである。管理職はもとより「新しい職」と呼ばれてきた「主幹教諭」や「指導教諭」になりたがる教職員は、優れた教育者ではなく、出世主義者ではないのか？　もしそうではなく、教育の現状に疑問を持ち、自分が考えている「理想の教育」を実現するために管理職になろうとしているのであれば、それはあまりにも近代公教育の本質に無知だということであろう。近代公教育は、校長など管理職の考えで運営されているわけではないからである。このような「上司」に徹底的に「指導」される若き教職員たちは、少なくとも戦後の教職員のなかで最も不幸だと言わなければならない。

第四章▼「非正規」教職員の増加

二〇〇八年秋、アメリカ発の金融恐慌・世界同時不況の大激震に揺さぶられた日本の産業・経済界は、その損失を労働者に転嫁することによってのりきろうとした。最初にその矢面に立たされたのが「派遣労働者」や「非正規社員」たちであった。これは小泉「構造改革」の結果であったことは言うまでもない。実は、教育現場にも「非正規」教職員が多数いることは、教職員の「過酷な勤務実態」が問題視されている今日でさえあまり知られていない。産休代替・病休代替の教職員のことではない。このような教職員は以前から存在した。

「非正規」教職員とは、「定数内」でありながら「正規教職員」としては採用されなかった教職員のことである。福岡市の例であれば、「定数内講師」、「常勤講師」、「非常勤講師」などという身分の教師たちである。「非正規」だからといって教職員としての資質が劣っているわけではない。教員免許を取得し、「教員採用試験」に合格しているのである。

二〇一七年現在、福岡市立小・中・学校、特別支援学校に勤めている教職員の一〜二割はこのような教職員たちである。なかでも「定数内講師」などというのはあまりにも奇っ怪な身分ではないか？「定数内」であれば当然「正規」の教師＝教諭として採用すべきではないのか？　私が現職のころには、定数内であれば当然、正式に教諭として採用されていたのである。

特に勤務条件が劣悪なのは「非常勤講師」である。これは期限付き採用であり、時間給である。したがって夏休みのときなどは授業がないから無給である。期限が切れるといつまた採用されるかわからないという不安定な身分である。結婚適齢期なのにその展望が見出せないばかりか、生活そのものを維持することに不安を感じる毎日なのである。たまたま観ていたテレビ放送で、生活保護を受けながら勤めているという「非常勤講師」をとりあげた番組があったが、これほど生活が不安定ななかで教師が務まるのであろうか？

一九九〇年代までの教育現場には、「講師」という身分の教職員は非常に稀であった。産休代替か病休代替くらいで、そのような臨時の講師も、その経験を認められて次の年度には正式採用されることが多かった。私も就職初年度は、一か月遅れの採用で、「中学校助教諭（数学）免許状」を授与された身分であった。正式な「中学校教諭一級普通免許状（社会）」の教諭ではなかった。仮免許で数学を担当させられたのである。しかしその翌年には直ちに、教諭に正式採用された。

ところが現在は、すでに述べたように「定数内講師」や「常勤講師」・「非常勤講師」など講師身分の教職員が全体の一〜二割を占め、しかもその身分のまま五〜六年も据え置かれるという事態のようである。これは福岡市のみならず全国的な傾向なのである。なぜこのようになってしまったのか？

小泉政権（二〇〇一〜〇六年）は、「児童生徒数の減少以上の教職員削減」という方針を打ち出し実施した。そのため教育予算や地方交付税交付金が削られ、「地方財政の困窮」をさらに拡大し、その結果、教職員のための人件費削減→非正規教職員の増加というように教育現場、したがって子どもたちにしわ寄せされた。

このような状況が長く続けば、若者たちが教職員になることを敬遠するのではないかと心配する向きもあった。教職員たちが教育現場から追い出される前に、教育現場にやってこないのではないかというのである。今やこれが現実となっている。

以上、現在の教育現場、特に教職員の実態を素描してきたが、教職員にとっては明治以後最も過酷な状況ではないのかと思われる。このような厳しい現状に敢然と立ち向かって苦闘している教育労働者がいることを私は十二分に知っている。しかし問題はこのように過酷な教育現場の現状を、教育労働者の指導部である日教組や全教（全日本教職員組合）の指導部がどのように捉えているのか？　またこのようにみじめな状態に貶《おとし》められている教育労働者や子どもたちの現状をどのように受けとめ、たたかいぬこうとしているのか？　ということである。この現状に疲労困憊し、過労自殺する人までいるというのに、一般教職員の多くは、

「自分さえよければ……」

「自分の仕事を処理するのに精一杯で、他の人のことまで思いが及ばない」

「現状は肯定できないが、現実にはどうしようもない」

などと諦めてはいないか？「現状は肯定できない」と言いつつも「どうしようもない」というのは、消極的ではあっても現状肯定（容認）であることに気づくべきである。これでは何一つ現状を打開することにはならない。これら過酷な現状に立ち向かうことなしには現状を打開する道は開かれない。

「政権交代」と言われた民主党政権（二〇〇九～一二年）の誕生の折、日教組本部は、「与党になった」、「反対ではなく、民主党政権を支えるべきだ」と歓喜の声をあげた。こんな考えでは教育現場が抱えている問題は何一つ解決しない。なぜなら現状に否定感がないからである。

第二部　私の教職体験

第一章▼旧産炭地での教職体験

一　「集団就職」の衝撃

私は、私の体験的「公教育」論を述べようとしている。言うまでもないことだが、私がこの拙著のなかで「公教育」と言う場合、「近代公教育」のことである。日本においては、一八七二（明治五）年の「学制」発布以来今日までの学校教育のことである。「学制」発布から敗戦までの公教育と、「戦後民主教育」とは区別すべきだという意見のあることは承知しているが、私はその考えには与《くみ》しない。その理由は全体を読んでいただければ納得していただけると思う。

私の体験的「公教育」論を述べるにあたってまず、私自身が公教育の制度のなかでどのような教職生活を送ってきたか、その実態を簡潔に紹介しておく必要があろうと思う。

私が教職生活を送ったのは、一九六二（昭和三七）年五月から二〇〇〇（平成一二）年三月までのおよそ三八年間である。

閉山が始まった産炭地・筑豊地方の一角にある田川郡の赤池中学校で私は数学担当の助教諭という身分で教職生活の第一歩を踏み出した。

当時、田川地方は田川郡の八町一村と田川市で構成（二〇一九年現在、一市六町一村）されていた、南北に長いほぼ長方形の形をした盆地状の地形である。私が最初に赴任した赤池中学校は、福智山《ふくちやま》（標高九〇〇メートル）の麓を北上する彦山川が、遠賀川に合流する直方市に南接した田川地方で最も北部に位置する赤池町（現在は合併して福智町）の中学校であった。明治鉱業の赤池炭坑（明治赤池）があった。石炭発見の伝説が残る坊主ヶ谷という地名が残っている。

彦山川の東側、福智山の麓には、山紫水明の上野《あがの》峡があり、一九〇一（明治三四）年に再興された上野焼で有名である。また、曹洞宗の名刹・興国寺がある。一三五五（正平一〇）年ごろ無隠元晦が再興した宝覚寺は、天目寺さらに興国寺となり現在に至っている（『福岡県地名大辞典』より）。足利尊氏・直義兄弟が北畠顕家に破れて九州に西下したとき、一時身を潜めたお寺だと言われている。事実、後に足利直義から届いたという礼状が保管されている。この上野地区も赤池中学校の校区である。

当時私は、田川地方の最南端に位置する添田町に住んでいたので、通勤は列車とバスを乗り継ぎ往路だけで二時間近くかけて通った。しかも期限付きの助教諭として一か月遅れの五月に採用された私は、免許教科の社会科は担当させてもらえず、助教諭免許で数学を担当させられた。若かったから何とかやり遂げたが、いきなり専門外の教科を担当しなければならなかったことには、大いに失望と不安を抱いた一年間であった。大学時代の私の同級生らが四月に次々と正式採用される日々を、悔しい思いで過ごしていたことが忘れられない。

ここで思い当たることがある。

私が助教諭に採用される際、福岡県教育庁・田川教育事務所に呼ばれて教育課長の面接を受けたとき、その課長から「君の卒業論文は、マルクス・レーニン主義かね？」と言われたのである。私は学生時代、学生自治会（形式上は交友会だった）の執行委員を務め、六〇年安保闘争のときには、その一員として学生たちの先頭に立ち、連日のように集会やデモに参加していたのである。東京で開かれていた全学連大会に参加したこともある。どうやら私が正式採用されなかったのは、そのことが引っかかっていたようだ。私の卒業論文のテーマは、課長が言ったことは当たらずとも遠からずというところであった。

私は助教諭という身分ではあったが、初年度から日本教職員組合（日教組）に加入した。確かに先輩組合員の勧めもあったが、私自身、教職に就くと同時に日教組運動に参加することは当然だと考えていたから、何も迷うことはなかった。

私が教職の第一歩を踏み出した一九六二年は、六〇年の新安保条約発効を受けて、急速に反動化が始まった年であった。

国際的には、六一年九月のソ連核実験再開に対抗して、アメリカが六二年四月、クリスマス島で水爆実験を強行する一方、ベトナムへの軍事介入を強化するとともに、キューバに対する海上封鎖宣言を一方的に発表し、「キューバ危機」を引き起こしていた。

国内では、池田内閣（一九六〇～六四）のもと、「国防意識」を喚起し、「高度経済成長を支える人材育成」が声高に叫ばれていた。これに反対する日教組に対して、反日教組団体の統合をめざす「日本教師会」を結成（六三年二月）させるなど執拗な日教組切り崩し策動が繰り広げられていた。

そして翌一九六三年四月、私はようやく教諭として正式に採用され、一年生の学級担任になると同時に免許教科である社会科の教科担任になれた。また分掌では生徒会係となり、「生徒手帳」の改訂を行った。それは生徒会の在り方を変える試みであったが、少し走りすぎたという反省がある。

生徒たちとの交わりは充実していたように思う。放課後、生徒たちとよく歌を歌った。学生時代、友人に誘われて、当時流行《はや》っていた「うたごえ喫茶」に何度か行った折に覚えた中国やロシアの民謡などである。昼休みには生徒たちとよく遊んだ。生徒たちにせがまれて一泊の英彦山キャンプにも出かけた。門司や下関の歴史的建造物などを生徒たちと訪ねたこともあった。

しかし、斜陽の傾向を日々強めていた産炭地の悲惨さを真っ正面から見つめなければならなかった。

「集団就職」、「金の卵」と言っても、もはや若い教職員にとっては死語であろう。私自身が最初の「集団就職」世代に属する。

一九五〇年代後半以降、日本の産業界は、朝鮮戦争（一九五〇～五三年）の特需ブームに沸き、太平洋戦争（一九四一～四五年）で破壊され尽くした生産力を短期間に回復した。この勢いは一九六〇年代にかけて「高度経済成長」へとつながり、池田勇人首相の「所得倍増」論まで飛び出した。同僚のなかには「早く戦艦大和級になりたいね」などと言う人がいた。月給が早く「戦艦大和」（およそ七万トン）のように七万円台になればいいねえ、ということである。因みに私の助教諭としての初任給は一万四〇〇〇円、翌年教諭に採用されたときは一万七二〇〇円であった。当時、

嫁を貰おか　一三八〇〇円
ぜいたく云わなきゃ
ぜいたく云わなきゃ　食えるじゃないか

という歌詞の歌謡曲（フランク永井「一三八〇〇円」。この金額は当時の大学卒初任給の平均額らしい）が流行っていた。

朝鮮戦争特需に沸いていた日本の産業界、特に京浜・阪神・中京工業地帯の中小企業は極端な労働力不足に追い込まれていた。これを補い、支えたのが現在七〇歳から八〇歳に達した当時の中学校・高校の卒業生たちであった。その多くは、「エネルギー革命」の波に飲み込まれた旧産炭地やまだ貧しかった東北や南九州の農家の子どもたちであった。鹿児島県出身の演歌歌手・森進一さんは、そのような一人として上京したのだと聞いている。

旧産炭地を後にした彼らの多くは、家計を支える大黒柱である父の、閉山による失業、炭坑災害による事故死などで収入の途を断たれたがゆえに「集団就職」の道を選ばざるを得なかったのである。

私が初めて中学校教諭として担任した学級のなかには、建坪わずか三坪の「小屋」に親子三人で住んでいた生徒もいた。破れた畳が三枚敷かれただけの部屋が一つと、土間の台所、および半畳ほどの便所があるだけの「住居」なのである。広々と広がる田んぼの片隅にその「小屋」はぽつんと建っていた。かつては農具などを保管していた納屋ではないかと思われた。中国（当時、中華民国で、私たちは支那と呼んでいた）から帰還した私たち家族も杉皮葺きの、雨漏りのする六畳と四畳半のわずか二部屋に六人が生活するという体験をしたが、この生徒の住まいの貧しさには圧倒されてことばもなかった。しかしその男子生徒は、明るく、友達も多かったことに私は救われる思いがした。

私はわずか二年で、赤池中学校から津野中学校に異動させられた。私の居住している町の中学校だから通勤にも便利だろうというのが表向きの理由であった。したがって私が初めて学級担任として受け持った中学一年の生徒たちの進路は知らない。誰が「集団就職」したのかも知らない。

旧産炭地からの「集団就職」は私たちの世代（戦中生まれ）から始まった。私の中学生のころの同級生のなかには、当時「集団就職」したまま、東京・横浜・埼玉などに永住せざるを得なかった友人たちがいる。そのうちの何人かとは、年賀状程度だけれど今も文通が続いている。

さらに私は、最初の赤池中学校や三校目の鷹峰《たかみね》中学校では、若き中学校教諭として、自分が指導した生徒たちを「集団就職」させざるを得なかったという悔しい体験をした。川崎町の鷹峰中学校は、古河大峰炭坑や島巡《しまめぐり》炭坑のあった典型的な旧産炭地の学校である。私はこの学校に一九六八年度から八年間勤めた。

今から振り返ってみれば、この八年間は、私の教職生活三八年間のなかで最も多忙な時期であった。その社会的背景に「エネルギー革命」がある。エネルギー源が石炭から石油へ転換されたのである。日本最大の筑豊炭田から次々と炭坑が消えていったのである。炭坑夫たちとその家族は、次々に筑豊を後にした。筑豊の市町村は軒並み大幅な人口減に見舞われたのだ。小・中学生も激減した。人口減の要因の一つが「集団就職」であった。小・中学生の激減は、教職員の「過員」現象を生み出した。県教委は「過員」となった教職員を、人口増が著しい福岡市や北九州市へ「強制配転」することによって解決しようとした。これが私が多忙になった一つの原因である。この点に関する詳細は後述する。

「集団就職」する場合、形式上は職業安定所（今は一般に「ハローワーク」という）を通して就職先や労働条件などが決定するが、雇い主たちは、中学校卒業予定者の家をまわり、「支度金」を「手付け」として払い、自分の事業所への就職を約束させるのである。その内容は私たち教職員には一切教えられなかった。

そして卒業式が終わるとともに、校庭まで貸し切りバスを乗り入れ、「集団就職」生たちを「連れ去る」のである。「集団就職」生の両親はもとより、祖父母を含めて家族総出でそのバスを見送った。教師たちも全員で見送った。家族にとっては不安ばかりで、またいつ会えるのかさえわからない悲痛な別れであった。一般庶民が航空機を利用することなど考えられなかった時代であり、まだ新幹線も走ってはいなかったころのことである。山陽新幹線が博多まで延長されたのは一九七五年であった。一九六〇年代、九州から東京や大阪は、一度出てしまえば簡単には帰ってこられないほど遠かったのである。

「集団就職」生を乗せた四〇〜五〇人乗りの貸し切りバスは、最後に田川盆地を見渡すことができる烏尾峠《からすお》で一旦停車し、田川に別れを告げたという。そこからは懐かしい福岡県の最高峰で、日本三大修験場の一つである英彦山《ひこさん》（標高一二〇〇メートル）、炭坑節に歌われ、セメント産業に欠かせない香春岳《かわらだけ》（もともと標高五〇八メートルであったが、今は削られて見る影もない）、そして福智山地の最高峰である福智山（標高九〇〇メートル）など、それぞれの校歌にも歌い込まれた馴染み深い山々とともに田川盆地が一望できる。中学校を卒業したばかりのわずか一五歳の「集団就職」生たちは、どのような想いでこのパノラマに別れを告げたのであろうか？

教師としてこのような生徒たちを見送らなければならなかった私は、「女工哀史」と重なって、悔しさに歯ぎしりするばかりであった。生徒たちを奪い取られるように悲痛であった。教師の無力さを、教師になって数年しか経たない私は嫌というほど思い知らされた。このときの情景は、八〇歳に達した今でも悔しい思いとともに鮮やかに蘇る。このときの悔しさは、私の教師としての原点の一つである。

実は、私自身が高校卒業時に同じ道を選ばざるを得ない立場にいたのである。失業後定職に就けず、経済的に追い詰められていた父は、私に名古屋の軽金属会社へ就職するように言っていた。名古屋に叔母の家族が住んでいたからである。夜間（定時制）高校には通うことができるということであった。私は、家族のみんなに相談し、アルバイトで稼ぎ、家計には一切迷惑をかけないことを条件に断固として大学進学を選択した。

当時、私が受け持った生徒たちはすでに六〇歳代半ばに達している。今も東京や大阪などで健在だろうか？

二　宿直体験

私が教職に就いてから数年、当時は宿直という制度が残っていた。夜間において校地・校舎・施設・設備を管理し、緊急連絡に当たるため男性教職員が順番に学校に泊まり込む制度である。学校には、宿直室という六～八畳ほどの和室があり、寝具や冬の暖房器具（火鉢や石炭ストーブ）などが備えられていた。そして当時「小使いさん」と呼ばれていた初老の夫婦が学校に住み込んで、宿直する教職員の食事や風呂（五右衛門風呂であった）などの面倒をみてくれていた。

宿直勤務には「宿直手当」が出ていた。私の記憶では、私の月給が二万円程度だったころ、宿直一回につき六〇〇円の手当だった。私は、赤池中学校と津野中学校で六年間、宿直勤務を体験した。

宿直勤務は、家庭持ちの先輩教師には苦痛であったらしい。若くて独身であった私は、先輩教師たちに頼まれて、よく宿直勤務を交替していた。多いときにはひと月に二〇日以上も宿直を引き受けていたことがある。貧しかった私には、よい収入源ではあった。

一九六八年に宿直勤務が廃止されて久しい。今や宿直を体験した現職教職員は全くいない。それだけに私たち世代の体験は貴重であるように思う。とにかく二四時間学校にいるのである。私の場合それが何日も続くのである。

最初に赴任した赤池中学校のころは、すぐ隣が直方市で、同僚たちが飲みに行った後、家に帰らずに宿直室に転がり込んでくることもあった。話が弾んで面白かった。そんなときに、先輩教師から教育実践上のことや職員間のこと、日教組のことなどを教えられた。

「僻地校」に数えられていた津野中学校のことは後述するが、ここでの宿直体験はもっと貴重であったように思う。一日二四時間、しかも何日も連続して宿直勤務を務めるのは、「僻地校」であればあるほど退屈するのではないかと思われるかも知れないが、そんなことはなかった。すでに述べたように、主な仕事は、夜間二度ほど懐中電灯の明かりを頼りに、校舎内を巡回することと、緊急連絡を処理することである。火災のときには重要書類などを運び出すことが最大の任務であったが、私はそんな場面には一度も遭遇しなかった。したがって時間はたっぷりあるので仕事ははかどるし、本もよく読めた。

夜の校舎内は、昼間と違って、確かに薄気味悪さはあったが、慣れれば何ともなかった。かならず懐中電灯を二個もって校舎内を巡回した。一人で巡回するのだけれど、二人で回っているように見せかけるのである。先輩教師あるいは「小使いさん」に教えられた知恵である。しかし私はそんな用心をする必要もなかった。緊急連絡をしなければならないような事案もなかったように記憶している。一夜の宿直勤務が終われば、「宿直日誌」に記録する。「異状なし」とは書かない。「異状を認めず」と書く。異常があっても見落とすことがあるかも知れないからである。

日曜日や祝日など休日でも宿直・日直が義務づけられていた。休日の日直勤務は女性の教職員が担当していた。私はその日直も頼まれて交替することがあった。日曜日の日直と宿直を連続して勤めるときもあったのである。

日曜日の日宿直のときなど、学校の近くに住んでいる生徒たちが連れ立って宿直室に遊びに来ることもあった。遊びに来た生徒たちとは、歌を歌ったり、話に花を咲かせたりした。教科書を持って勉強に来る生徒もいた。生徒の帰りが多少遅くなっても帰り道を心配することなど一度もなかった。お互いに知り尽くしている人たちばかりであり、まだクルマも普及せず、交通事故の心配もなかった。

私はおとぎ話をしているのではない。六〇年ほど前の一九六〇年代前半の農山村の学校は、こんな牧歌的な雰囲気だったのである。今日のように平日の授業中に正門を閉じてしまわなければならないなどということは、全く考えられなかった。のみならず、朝の登校時に正門で、遅刻注意・服装注意・交通整理などの指導をする程度のことさえ行われていなかったのである。する必要がなかったのである。

現在、学校を取り巻く環境は、これまでの学校の歴史のなかで最悪なのである。なぜ、こんなことになったのか？　なぜ、日本人の質はこれほど退歩あるいは劣化してしまったのか？　を真剣に考えようではないか！

ある日曜日の朝七時ごろ、私はまだ夢のなかで微《まど》睡《ろ》んでいたが、宿直室のガラス窓をコツ、コツと叩く音に夢を破られた。驚いて眠い目をこすりながら窓を開けると、私が担任していたクラスの仲良し三人組の男子生徒である。にこにこしながら、

「先生！　ウナギが獲れたよ」

と私に、ウナギやフナ・ハヤなどのはいった魚籠《びく》を広げて見せるのである。そして「やる（あげる）」と言う。

学校の前には、幅二〇メートルほどの清流があった。行橋市で周防《すおう》灘に注ぐ今川の上流である。今は油木ダムの大きな湖になっている。その川で獲ったばかりだと言う。もちろんまだ生きていた。フナでさえまだ跳ねていた。釣ったのではなく、ウナギてぼ（ウナギを獲るために竹で編んだ筒状の仕掛け）や網を仕掛けておいたらしい。

私は予期せぬことに驚いて、どんなことばを〝仲良し三人組〟にかけたか覚えていない。ウナギだけを頂戴したように記憶している。何匹だったかも覚えていない。とにかく「小使いさん」に相談した。「小使いさん」は早速それを調理してくれて、その日は朝からうな丼であった。実は私は赤池中学校でも宿直の朝、うな丼を食べたことがある。そこの「小使いさん」自身が近くを流れる彦山川で捕らえたウナギを調理してくれたのである。

食事や風呂は「小使いさん」が世話してくれるので何も心配はなかったが、何日も連続して宿直勤務に就くときは、予め着替えを準備しておかなければならなかった。

なお、当時「小使いさん」と呼んでいたのでそのまま使用したが、現在、この制度はすでに残っていない。

三　「僻地校」での教職体験

田川地区での教職体験のなかで、四年間の「僻地校」勤務の体験がある。英彦山の北麓にある一学年二クラスという小規模な津野《つの》中学校である。かつては津野村であったが、私が勤めていたころは添田町に合併されていた。添田町大字津野である。

英彦山山地の鷹ノ巣山（標高九七九メートル）の北側斜面に源を発した今川が北上しながら削った、狭い峡谷にへばりつくように散在する集落の中心地にその中学校はあった。小学校と同じ敷地内に戦後建てられた。そのすぐ近くには町役場の支所もあった。

南には日本三大修験場である有名な英彦山の三つの峰（北岳・中岳・南岳）がその秀麗な姿を見せ、そのやや東には非常に珍しいメーサ状の鷹ノ巣山の三つの峰、さらに東には国天然記念物であるツクシシャクナゲの自生地として有名な犬ケ岳（標高一一三一メートル）が聳えている。国道496号線沿いに野峠《のとうげ》（標高七四〇メートル）を南に越えれば大分県である。

岩を削りながら北上する今川の清流は、北隣の赤村油須原《ゆすばる》に達するや、急に流れを東に変え、みやこ町（旧犀川・勝山・豊津町）を経由して、すでに述べたように行橋辺りで周防灘に達する二級河川である。流長三一・六キロメートル。日本武尊《やまとたけるのみこと》が九州征伐にやってきたとき、この今川が削った美しい峡谷を見て、「おお、吾《あ》がつ野！（おお、私の野だ！）」と叫んだことに赤津野という地名の由来があると言い伝えられているそうだ。ついでながらこのとき、日本武尊の前に鷹の羽が舞い落ち「瑞祥《ずいしょう》だ！」ということから、この地方を「鷹羽《たかは》」と呼び、後に「田川」になったと言われている。

今川と同じように、英彦山の北西斜面・添田町深倉峡《ふかくら》に源を発してほぼ北上し、直方付近で遠賀川に合流する彦山川とは、谷一つを隔てているのである。彦山川に沿う登山道が正面で、ＪＲ日田彦山線の彦山駅（添田町）はこの正面登山道の入口にあたる。しかし山容は見えないまま英彦山に近づく。

この正面の登山道に対して、今川が削った赤村および添田町津野地区の谷は、言わば英彦山への裏道である。津野地区には鉄道はない。バスが通っているだけであった。したがって観光客もほとんど通らない静かな峡谷である。

しかし英彦山や鷹ノ巣山などの秀麗な山容を眺めながら登るなら、津野の谷がふさわしい。英彦山神宮の入口までは乗用車で行ける。秋の紅葉の季節は正面登山道より、津野の谷から登る眺めの方がはるかに豪華である。ただし、このコースには店らしい店はなかった。今はどうだろうか？

津野中学校の校舎は、小学校と同じ敷地内に建てられていた。小学校は南向きの日当たりのよい校舎であるが、中学校は、戦後の新しい学校制度に基づいて発足した新制中学校だから、小学校より後から建てられたと推測される。したがって敷地の関係からか、西向きの校舎で、午後は西日が強かった。

玄関に見事な石楠花《しゃくなげ》が植えられていた。当時はまだ私の経験では、平野部では石楠花を見ることはなかったので、私には大変珍しかった。国語辞典には「シャクナゲ科の常緑灌木。山地に生じ、夏、薄紅色の美しい花を開く」などと紹介されている。犬ケ岳など英彦山山系に多いツクシシャクナゲは、鉢植えの盆栽のようなものではなく、大木の群落だそうである。私はその様子は、残念ながらまだ見たことがない。

児童・生徒数が少ないため、運動会は小学校と中学校が合同で行い、校区総出のお祭りであった。同じ田川地区の一画でありながら、石炭産業とは無縁な、農業と林業の山村であった。この学校に四年間勤める間に、私は多くのことを体験し学んだ。

まず、専門（免許）教科の社会科を含めて五教科の授業を体験した。「僻地校」ゆえに各教科に必要な教員が配属されるわけではないのである。その不足部分を仮免許の教員で補うのである。この学校の教職員で最も若かった私は、結果的に四年間で五教科の授業を体験した。免許教科の社会科以外に、国語・数学・理科・保健体育を担当したように記憶している。若かったからこそできたことではあるが、やらされる本人にとっては決して容易なことではないだけでなく、このようなことをやらせるべきではないと思う。

仮免許で授業を担当した教科のなかでは、授業前の準備が大変だったが、理科の授業が面白かった。特に化学系の授業のときは危険が伴うので緊張の連続であったが、塩化ナトリウムを生成する場合などは指導する側であるはずの私がその変化に感動する始末であった。慣れない手つきで、カエルの解剖もやった。私は自然科学系は決して得意ではなかった。地学系は、社会科の地理的分野と関係が深いので大学では必修であったから多少の知識はあったが、化学系と物理系は不得手であった。したがって教科書はもとより「指導書」もしっかり勉強した。

不得手中の不得手である保健体育科の授業は悩みの種であった。私はそれまでに何らかのスポーツを専門にやったことが全くなかった。それどころか、小学生のとき以来、運動会が何よりも嫌いであった。走れば常にビリから二番目。マット運動・機械体操はからっきしダメ。せいぜいみんなと同じくらいにやれるのはソフトボールくらい。子どものころから三角ベースの野球をやっていたからである。そんな私が保健体育科の授業を担当させられたのである。授業の最初に必ず準備体操としてやらせていたラジオ体操の指導だけで一時間が終わってしまったことが何度かあって、同僚から冷やかし半分に笑われたこともあった。

しかしこのような体験は、私にとって決して無意味ではなかった。それぞれの教科の教師たちの苦労を身をもって実感できたから、その後どの学校に異動しても、同僚との相互理解には大変役立ったように思う。

それぞれの教職員が「理想的な教育」を追究すれば、その営為は際限がない。いかに体得させるか、という点ではどの教科でも同じように大変だと思う。これはあくまでも私の体験からの独断であるが、中学校教諭のなかでは、数学担当教諭が一番楽であるように思う。教科書内容を理解させる程度であれば、準備らしい準備をする必要もあまりなく、授業の前半で説明し、後半は演習をさせればよいからである。

これに比べれば、理科、技術・家庭科担当の教諭は何倍も大変である。まずは準備が大変である。教師は前もって実験したり、完成品を作ったりしなければならない。そして授業では危険がつきまとう。実験の失敗は許されない。機具で生徒たちに怪我をさせてはならない。神経をすり減らすのである。

保健体育科担当教諭の場合は、若いころはまだいいが、五〇歳にも達すると、元気いっぱいに活動する中学生を指導するのは身体的に辛くなると思う。酷暑の夏や厳寒の真冬に運動場で何時間も指導するのは大変だ。

そのほかの教科の授業を担当する苦労はほぼ同じようなものではないかというのが、体験的・独断的な私の印象である。したがってこれらのすべてを一人の学級担任が担当する小学校教諭は、さらに「総合的な学習の時間」や「英語」が導入されてますます大変ではないかと思う。文科省は部分的な「教科担任制」も考えているそうだが、そんな問題であろうか？　子どもたちの負担も考慮すべきであろう。

先に述べたような仮免許の私の授業にも、生徒たちは黙ってついてきてくれた。私にとっては有り難かったが、「僻地校」の教育に関する政策はどう見てもその場しのぎ的だと言わなければならない。生徒たちおよび保護者のみなさんが純朴であることに行政は胡座《あぐら》をかいているのではないかとさえ思った。

校区内には十数カ所の集落があったが、最少の集落はわずか三世帯であり、最大の集落でも二〇世帯を少し超えるに過ぎない。当時、津野地区全体の人口は二〇〇〇人余という山村であった。とにかく生徒たちは純朴であった。定期の家庭訪問のときなど、一日に一つの集落にしか行けない場合も多かった。山と山に挟まれた狭い谷間にそれぞれの集落はある。このような集落のことを「枝村」と言うそうである。家庭訪問は一つの谷から隣の谷へ越えることができない。道路がないのである。

私が定期の家庭訪問に行くときには、それぞれの集落の生徒たちが、学年を問わず、場合によっては小学生も、後になり先になりしながら慣れない私を気遣って案内してくれるのである。と言っても大勢ではない。せいぜい四〜五人程度であったように記憶している。生徒たちには慣れた山道でも私には大変な家庭訪問であった。

　奥山という集落を訪問したときなど、途中にかなり落差のある滝が音を立てて落下していた。こんな滝の上流に集落があるなどとは想像もできない場所である。滝壺のところでは、ひと休みして冷たい水で顔を洗ったりもした。確かに滝の上流に集落があった。滝のあるところからしばらく急な坂道を登ると、山の中腹に驚くような開けた盆地があり、二〇軒余の農家が佇んでいる集落があった。決して広々としているわけではないが、田んぼも畑もあった。そこが奥山という集落であった。その入口には、平家の落人が拓いた盆地であることを示す大きな石碑が建っていた。それには「金子《かねこ》馬之丞《うまのじょう》元晴《もとはる》」と書かれていたように記憶している。一一八五年、壇ノ浦の戦いに敗れた平家一門に従っていた武士の一団がようやく見出して切り拓いた土地だったのであろう。いつごろから心安んじて生活できるようになったのであろうか？　この集落に住んでいる人たちの大部分は金子姓である。私が宿直していたとき、ウナギをくれた仲良し三人組は三人とも金子姓で、この集落の住人であった。

　生徒の家を訪ねると、一家総出で大歓迎である。座敷に迎えられて、新鮮な野菜のご馳走を振る舞われ恐縮するばかりであった。自家製の豆腐や蒟蒻《こんにゃく》の歯ごたえのある味は今も忘れられない。豆腐の歯ごたえなど奇妙に思われるかも知れないが、微妙な歯ごたえがあり、食べてみないとわからない。現在、スーパーマーケットなどで売られている豆腐とは微妙に異なる歯ごたえが感じられるのである。

　話が弾み、なかなか帰してくれない。ついには、「泊まれ」とさえ言い出すのである。そうもいかないので帰ることにすると、「何もないので」と言いながら、収穫してきたばかりの新鮮な野菜や米を「お土産だ」、「持って帰れ」と言うのである。

この奥山集落よりさらに奥地があった。行政区画は隣の赤村になるが、距離の関係で越境して津野中学校に通うことが認められていた集落である。集落と言ってもわずか三軒の家があるだけ。確か犢牛岳《こっといだけ》(標高六九一メートル)の中腹にある平山と呼ばれていた集落と記憶している。この集落の生徒宅を訪れたとき、曇りがちの天気であったが、私の足元を霧が流れていたのを忘れることができない。

私はこの学校にバスで片道四〇分ほどかけて通っていた。曲がりくねった戸立《とたて》峠(標高三一六メートル)をバスは喘ぎながら越えていた。エンストでバスがストップすると、乗客が降りてみんなで押したこともあった。山道に出ていた野ウサギが慌てて藪のなかに駆け込む姿を何度も目撃した。バスが添田の街中を離れて津野に向かう道に入ると、運転手や車掌をはじめ、乗客のほとんどが顔馴染みである。車内では和やかな話し声が絶えなかった。停留所ではないところでも、道端で手を挙げれば停車して乗せてくれた。

そんな山道なので、ひと冬に一度や二度は積雪のため、バスが運行止めになることがあった。そんなとき私たちバス通勤者数人は、「歩くか」と言って、やおら雪の戸立峠をめざして歩いた。ウイスキーのポケット瓶を予め用意している同僚もいた。雪は多いところでは膝くらいまであったが、寒いとも辛いとも思わなかった。むしろ谷の雪景色を愛でながら、雑談を交わす楽しいひとときであった。

一〇キロほどの山道を四時間ほどかけてようやく学校に着くのは昼ごろである。もちろん大幅な遅刻である。しかし校内は静まりかえっている。地元の教職員(校長も教頭も地元だった)たちがすでに生徒を帰し、遅れてやって来るバス通勤組の私たちを迎えてくれる。職員室の石炭ストーブには赤々と火が燃え、酒盛りの準備が整っている。酒の肴は塩鯨であったように記憶している。ストーブの上で焼くのである。山村なので生の魚はほとんど手に入らなかった。添田町の魚屋がたまに生の魚介類を三輪トラックに積んで売りに来ると、「無塩《ぶえん》もの」と呼ばれて大歓迎された。雪の日にそんな物はない。日ごろから蓄えておいた塩鯨を焼いているストーブを囲んで一～二時間酒盛りがあり、それでその日の勤務は終了。今では考えられない、なんとものんびりした雪の一日を経験したこともあった。その日は、山中でイノシシに追いかけられ、青い顔をして学校に飛び込んできた生徒もいたそうである。

そのころの生徒たちに二〇〇七年、同窓会で会うことができた。ウナギを獲ってきてくれた生徒も、自家製のおいしい豆腐やコンニャクをご馳走してくれた農家の生徒も参加するなど、懐かしい顔が一堂に会して杯を酌み交わし、大声で歌も歌った。すでに五〇歳半ばで、髪が私より薄くなった姿もあった。私よりやや遅れてやって来た女性二人がいた。私はその二人はすぐにわかった。ところがその二人は私を見て、

「えっ、こんな同級生がいたっけ？」

と一瞬怪訝な顔をした。そして次の瞬間ハッと気づいたらしく、

「あっ、先生だ！」

と驚きの声をあげた。まさか私が参加しているなどとは予想もしていなかったらしい。私を含めて、彼／彼女らは「僻地」の中学生に戻って楽しいひとときを過ごした。

参加できなかったかつての生徒たちの消息はあまりわからなかった。ただ一人の男子生徒だけは、一〇代の若さ（高校卒業直後）で、北九州市にある勤務先の事故で命を落としてしまっていた。彼は一人っ子だった。ご両親の落胆された姿がその生徒とともに思い出される。

最近、当時の生徒の一人から聞くところによると、一〇代の若さで他界した生徒以外にも、この同窓生のうちすでに三人が他界したという。

そんな当時の津野中学校は、小学校や町役場支所などとともに、今は今川の上流を塞き止めてつくった油木ダムによってできた湖の底である。それどころか最近のニュースによれば、ダム建設後にダム湖

の上流に新築された津野中学校さえも生徒数減少のため、同じ添田町立の英彦中学校とともに添田中学校に統合されて廃校になったという。寂れゆく津野地区の話を聞くのは寂しい限りである。

四　「同和」教育との出合い

田川地区で三校目の中学校も最初の赤池中学校と同じような産炭地・川崎町の鷹峰中学校であった。校区内に古河大峰炭鉱や中小の炭鉱が散在していた。この鷹峰中学校でも体験した生徒たちの「集団就職」のことは赤池中学校での体験とともにすでに述べた。

ここでは鷹峰中学校で初めて出合った「同和」教育について述べたいと思う。校区内に被差別部落(当時は「未解放部落」と呼んでいた)があり、私が担任したクラスにも何人か被差別部落の生徒がいた。そのときまでの私には、被差別部落に関する認識が全くなかったわけではない。しかしそれは社会科学的知識・認識に裏打ちされたものではなかった。

一九六五年、「同和対策審議会(同対審)答申」が出され、「近代社会における部落差別とは、ひとくちにいえば、市民的権利、自由の侵害にほかならない」ことが提示された。これに基づいて、政府および地方自治体がそれぞれに違いはあったが、「同和対策事業」にとりくみ始めた。その一つの核心をなすものが「同和」教育であった。

田川地区が福岡県内はもちろん、全国的にも関西に次ぐ「同和」教育の先進地であったことは事後的に認識した。先進的な教職員たちは、自ら被差別部落に入り、それまで教育面でも差別され、文字を奪われていた被差別部落の大人たちと「識字学級」にとりくんでいた。それまでの私は、文字が読めない・書けない苦しみなどを考えることはなかった。それは、新聞が読めない、手紙が書けないなどという生やさしい苦しみではない。役場・役所でさまざまな書類を読んだり、書いたりすることもできずに、さまざまな要請や届出ができないことはもちろん、バスにも列車（今なら電車）にも乗れないのである。行き先案内が読めないからである。だから少し遠い町まで買い物にさえ出かけられないのである。日常生活に重大な支障を来すのだ。

私はそんなことを認識してはいなかった自分を反省し、鷹峰中学校に勤務している間に「同和」問題・部落差別の問題について学び、わずか半年という短期間ではあったが、「同和」教育推進教員（同推）を務めた。

このような「同和」教育そのものには何ら異議はなかったが、これを日教組運動（教育労働者運動）の視点から捉え返したとき、何か割り切れないものを感じていた。当時、田川地区の「同和」教育を中心的に担っていた教職員は、同時にその地区の日教組運動の中心的な担い手でもあった。彼らは、「同和」教育の推進あるいは部落解放運動を日教組運動と結合させようとしていたが、私にはその活動は、日教組運動進展のためにそれらを利用しているようにしか見えなかった。

当時、産炭地・筑豊では炭坑の閉山が相次ぎ、児童・生徒数が激減し始めていた。その結果、県教委に言わせれば、教職員が「過員」になり始めていたのである。当時の文部省や県教委は、教職員定数はそのままにして、筑豊地区で炭坑の閉山によって「過員」となった教職員を、人口増加の著しい福岡市や北九州市に強制的に配転しようとしていた。福教組の、私の所属していた田川郡支部など筑豊地方の各支部では、「強制配転」される人数を少しでも減らそうと抵抗していた。その一つが「同和」教育推進教員や、閉山によって「荒れ」始めた児童・生徒を専門的に指導する補導教員を導入せよ、という要求であった。そのための要求実現集会や県教委あるいは市町村教委との交渉に被差別部落の人たち（部落解放同盟）を動員した。

このような運動は少なくとも次のような問題点を孕《はら》んでいたと思う。

第一に、日本独占資本の利益（利潤）追求から生じた「エネルギー革命」・日本産業界の重化学工業化による産炭地における教職員の「過員」現象を、「強制配転」で乗り切ろうとする政府・県教委の攻撃に対して、その攻撃に対決するのではなく、部落解放運動や「同和」教育の必要性あるいは生徒指導の観点から教職員の加配を要求するというように、闘争あるいは運動の性格を条件闘争に歪めてしまったという問題である。

第二に、運動をそのように歪めることによって、部落解放運動および被差別部落の人々を単なる動員要員として利用したという問題である。教職員の「強制配転」反対！ のたたかいであるにもかかわらず、「同対審答申」を持ち出し、「同和」教育の必要性を主張して各学校に「同和教育推進教員」(同推)の配置を要求したり、閉山に伴う地域の荒廃、児童・生徒の「非行」化傾向を強調して「補導教員」の加配を要求したりして、交渉や集会に部落解放同盟の支部を通じて被差別部落の人々をも動員するのである。部落解放同盟は部落解放をめざしてたたかっているのであって、被差別部落の人たちが「強制配転」されるのではないのである。

第三に、このような運動は教育労働者の運動である日教組運動の根幹を歪め、教育労働者の労働者性を自ら放棄するという問題でもある。

私は、このような運動に違和感を感じ、納得できなかった。このような問題は日教組本部の思想（方針）と運動に一貫していると思う。その結果が、労働組合とは言えない体たらくの日教組に変質させたと言えるであろう。今や、日教組本部は教職員の過労死や過労自殺を阻止するたたかいさえ組織化しないまでに変質してしまったのである。かつて部落解放運動や「同和」教育に熱心だった教職員の多くが、当局の「人権教育」政策に吸収され、本来の日教組運動から離脱していった事実や、日教組運動の指導者になって、日教組の組織や運動を文科省の「パートナー」へと変質させてしまった事実から、私の当時の危惧は決して的外れではなかったと思う。

第二章▼政令市・福岡での教職体験

一　当初馴染みにくかった福岡市の教職員たち

産炭地における教職員の「過員」解消のため、福岡県教育委員会によって北九州市・福岡市などへの配転が強行された。当時私は、福岡県教職員組合（福教組）田川郡支部（現在は田川市支部と統合されて田川支部となっている）の書記次長を務めていた。七〇年代半ばの二年間にわたって「強制配転」反対のたたかいは熾烈を極めた。私は、たたかいの山場の一週間、支部の事務所に籠りっきりで、その間は机に俯《うつぶ》せになって仮眠をとるだけで、寝具に包まれて眠ることはなかった。意識も半ば朦朧とする状態だった。情報の収集や組合員への指示・指導に当たったのである。

しかし福教組本部は、教職員不足で学級編成もできないような北九（北九州のこと）支部や福岡支部からの突き上げもあって、県教委による産炭地からの「強制配転」には明確に「反対」の態度はとらなかった。否！　むしろ「子どもたちの学習権の確立」という立場から、教職員の不足で子どもたちが「学習の場を奪われる」状況の解決を優先して、北九州市や福岡市への配転を受け入れるよう産炭地の組合員を説得する始末であった。このようにして「強制配転反対」闘争は敗北した。産炭地の教育事務所は、それに応じる教職員の募集を開始した。

一九七〇年代半ば、日教組本部はすでに「専門職に見合う賃金」を要求するなど、日教組運動を労働運動から「教育専門職」の運動へと変質させ始めていた。福教組本部は、そのような日教組のなかにあってなお、「左派」的な運動を展開していた。しかし炭坑労働者運動の伝統のある産炭地の日教組運動を担っていた私の立場からすれば、管理職選考試験反対闘争などで機動隊と対峙するなど一見「左翼」的にたたかっているように見える福教祖本部も、結局県教委に妥協しているようにしか見えなかった。

そんな福教組を強化するには、福岡支部を変えなければダメだと私は痛切に考え始めていた。福教組の定期大会などで、田川郡支部など弱小支部から修正案を出しても必ず「少数否決」になってしまうのである。その壁の多くは、福教組本部に付き従う福岡支部であった。田川郡支部は当時組合員七〇〇人程度の小規模な支部に過ぎなかった。これに比べて福岡支部は福教組全組合員の四分の一強を占める組合員三〇〇〇人を超える巨大な支部であった。同じ政令市である北九州市の北九支部と合わせれば、それだけで福教組組合員の半数に達するのである。圧倒的な最大支部である福岡支部を変えなければ早晩福教組は変質すると見た私は、自ら福岡市への異動（転出）を希望した。

「主任制反対」闘争の真っ只中、一九七六年四月、私は福岡市に異動した。まず福岡市教委や赴任校の校長に挨拶する前に、福教組福岡支部に挨拶に出かけた。そんな前例はないらしく、支部長は驚いていた。私は田川郡支部内での分会の慣習を実践したまでである。田川郡支部では、組合員（分会員）が他校に異動する場合、分会役員（分会長・副分会長・評議員など）が異動する分会員とともに、その分会員の異動先に赴き、そこの分会長に「よろしく」と挨拶するのである。学校から学校へ異動するというより、分会を異動するという捉え方である。それほど日教組組合員（分会員）としての立場・意識を重視していた。

福岡支部にはそのような慣習はなかったようなの

である。私の挨拶を受けて驚いた様子だった当時の福岡支部長は、福教組全体のなかでも名の知れた方で、私も異動する前からよく知っていた。その支部長とは以後さまざまな機会によく意見をたたかわせたが、決して相互に悪い印象ではなかったと信じている。その大先輩は、長寿を全うして二〇一五年一月に亡くなった。

日教組運動はどうかというと、さすがに福岡支部である。「主任制反対」闘争の集会などでは「全員動員」(一〇割動員)が指示されれば、一〇〇〇名程度の組合員が集まるのである。一〇〇〇人も集まればそれなりに見栄えがするのである。それでも全組合員の三分の一にも達してはいないのである。私が「定年」退職した後の、二一世紀に入ってからは、「全員動員」の集会に集まるのは五〇〇〜六〇〇人程度だという。

当時、田川郡支部では「全員動員」の指示が出れば、八割以上の組合員が万難を排して結集していた。それでも五〇〇〜六〇〇人程度にしかならない。これに比べれば、福岡支部では三割程度しか集まらないという何とも歯がゆい状態であった。そうであるにもかかわらず福岡支部の指導部は、福岡支部が福教組のなかで最も活動や運動が盛んな支部だと認識しており、組合員にもそのように教宣していた。それを聞く度に私は苦々しい思いを禁じ得なかった。

因みに「山越え」の組合員たちは、福教組や福岡支部が主催する集会などには積極的に参加していたのである。福岡支部の活動は、人数が多いからなんとか格好はついていたけれど、その活動を担っているのはわずか三割に過ぎなかったのである。

福岡市に異動したときの最初の赴任校は、なんと九州における部落解放運動の先駆者・松本治一郎の出身地にある福岡中学校であった。私は緊張した。田川でようやく「同和」教育や部落解放運動に接したばかりの私がついていけるのか、という不安からの緊張であった。しかしそれは不幸にも全くの杞憂《きゆう》であった。部落解放運動どころか、校内における

「同和」教育にすらまともにとりくんではいなかったのである。

福岡中学校は、福岡市内では時間距離的に産炭地に最も近い学校の一つであった。したがって、産炭地からの四年間という約束で赴任してきた（「強制配転」された）教職員が多数いた。私は、福岡県が用意していた教職員住宅に入居したが、産炭地から赴任してきた教職員の多くは、飯塚市や嘉穂郡あるいは直方市や鞍手郡などから、筑豊地方と福岡都市圏を画する筑紫山地の一部である三郡山系を越える国道２０１号線の八木山《やきやま》峠（標高二一八メートル）や県道福岡直方線の犬鳴《いぬなき》峠（標高三六七メートル）を、自家用車・国鉄（今のＪＲ）篠栗線・西鉄バスなどで越えて毎日通勤していた。管理職からは「山越え」と蔑まれていた。

福岡中学校で私は、同郷出身の女性教諭や「山越え」の教職員と手を携えて校内における「同和」教育にとりくみ始めたが、田川での乏しい体験しかなく暗中模索であった。それでも私は、松本治一郎の出身地にある福岡中学校で「同和」教育を始めた最初の教職員の一人なのである。これはそのことを誇っているのではない。松本治一郎の出身地でありながら、「同和」教育にとりくんでいなかったことに怒っているのである。

しかもこれと並行して私は、当時、たたかいの山場を迎えていた「主任制反対」闘争に、私のイニシアティブのもとに、分会をあげてとりくんだことも相俟って、管理職（校長・教頭）に睨まれる要因になった。当時の校長は職員会議で、「組合員教師はいらない、女教師はいらない、『山越え』教師はいらない」とうそぶいたのである。松本治一郎の出身地区で、公然とこんな「人権侵害」の発言をする校長や教頭がいることに唖然とした。

私自身の生徒指導上の誤り（体罰問題）もあって私は、わずか二年で、強制的に書かされた「自主的」な「異動希望」という名の下に福岡中学校を追い出されたのである。「出る杭は打たれる」という諺があるが、福岡市の教育界では、「出る杭は抜かれる」

のかな、とさえ思った。
そんなこんなで、私にとっては何が何だかわからないうちの、福岡市に異動した当初の激動の二年間であった。

その後、このときのことを振り返り、田川での経験を基準に、日教組運動をも含めた福岡市の教育界の状況に無知なまま突っ走った私自身の未熟さを反省した。その後徐々に気づいたことであるが、産炭地の教職員に比べて、福岡市の教職員はなかなか本音では語らないようだ。たとえば次のようなことがあった。

次の異動先である三宅中学校で私は、赴任直後に福岡市に異動してから初めて分会長に推薦された。これ自体異常なことである。私が前任校である福岡中学校で日教組運動に熱心だということが、すでに三宅中分会に伝わっていたことを示している。日教組運動に熱心な分会員が、分会を強化するにふさわしい実体として私を認めて分会長に推薦したのではないと思われるのである。

「組合好きが来たから、あいつに分会長をやらせろ！」

ということだったと思われる。しかしこれは事後的に気づいたことである。当初は、推薦されたからには分会長として頑張ろうと思った。そこで私は、

「分会員の自宅を家庭訪問しようかな？」

と呟いた。正式に分会会議で提案したわけではない。気合いが入りすぎて思わず呟《つぶや》いただけである。その呟きが近くにいた分会員に聞こえたらしい。即座に、

「それは止めた方がいい。プライベートなことを覗くと分会員に嫌われますよ」

と言われたのである。私の感覚は福岡支部の組合員とはずれていたのである。産炭地、少なくとも私の教職生活の出発点であった田川地区では、組合員同士相互にそれぞれの家庭の事情まで熟知した間柄ができていた。また、日常生活で、そのような情報交換が意識せずに行われていた。

「高齢のご両親を抱えて大変だ」

「息子さんが○○大学に合格したそうな」などということである。だから逆に、知られたくないことまで知られてしまうこともあった。

ところが福岡市の教職員間では、余程問題意識を持ってアンテナを高くしておかないと、同僚であっても、独身か家庭持ちか？　子どもはいるのか？　何人なのか？　さえわからないのである。職員室で、それぞれの家庭の話などプライベートな部分については まず話題にしない。

「学校で仕事をする限り、そんなことは関係ないではないか」

と思う方もいるかも知れない。確かにそうである。しかし職場内の人間関係を密にするにはそういうことも放置できないのではないか。そんなことを横に置いたままでは分会員の強固な団結はつくれない、と私は思ってきたのである。

したがって私はまず、自分の家庭の悩みなどを意識的に話し、何を考えているかわかりにくい同僚たちのあるがままの姿を理解することに努めた。そうしないと血の通った分会活動はできないと思ったからである。

また、もちろん個人差があるが、福岡市の教職員は、日教組組合員であるか否かにかかわらず自己主張だけは旺盛である。私には、「格好だけはつけるんだなあ」という印象であった。実践していることは（質）は大したことはないのに、それを針小棒大（量）に表現する。内容（質）はごく平凡なのに、表紙だけは色刷りの派手なもの（量）にする誇大広告のような印象であった。

部活動指導者の感覚も同じようなものである。たとえば、市の中学校体育連盟（中体連）大会のときなど、試合のみをすればよいのに、選手入場やブラスバンドの演奏などを取り入れて格好をつける。ユニフォームなども格好良くそろえる。今では当たり前のことかも知れないが、一九七〇年代半ばの旧産炭地の中学校では、ユニフォームをそろえるなどということはまだ実現されていなかった。私自身まだそのような指導には感覚的に慣れていなかった。

自校の運動場でやればよいのに、学校によっては、体育祭（会）などをわざわざ平和台陸上競技場でやる。そこにどんな目的があり、いかなる意義を見出しているのであろうか？　私には生徒たちのためというより、学校や教職員・保護者の見栄から、あるいは市教委の「要請」という名の命令に阿《おもね》っているかのように思えた。

その典型であるような教職員（組合員）が福岡支部を牛耳《ぎゅうじ》っているのである。謙虚さや誠実さなどは微塵も感じられない負けず嫌いの目立ちたがりばかりである。組合員を指導するほどの世界観も人間性も持ち合わせていないのに「指導者」らしく振る舞うのである。そこにさまざまな無理が生じる。わからないことであれば、「わかりません」と言えばよいのである。どう返答すればよいのか、あるいはどういう方針を提示すればよいのか、わからないときには「困っている。知恵を貸してほしい」と言えばよいのである。しかしそうは言わず、問題をずらしたり、誤魔化したり、場合によっては組合員を恫喝《どうかつ》したりするのである。この点、自民党系の政治家と同じである。こんな支部執行部役員が指導している労働組合が力強く成長するはずがない。身に覚えのあるかつての福岡支部の指導者たちは名乗り出て自己批判すべきではないのか！　福岡支部を、さらには日教組を建て直す唯一の道はこれしかないのだ。

私が感動するほど純朴ですばらしい教師であったのに、こんな指導者の多い支部の執行委員になったがゆえに、どうしようもないほど官僚化してダメになった人は枚挙に暇《いとま》がない。日教組本部（その背後の当時の日本社会党）の運動（活動）方針や考え方は全て正しいと受け止め、この方針に従って実践することを強制されるためにその人の人間性が破壊されてしまうのだろう。そんな福岡支部にとどまることができず、去っていったかつての真面目な支部役員がいたほどである。ご本人はその自覚があるはずである。悔しいではないか！

確かに日教組組合員には少ないが、非組合員のなかには、自己主張をするためにさまざまな教育論文の募集に応募する者がいる。その内容は当然にも文部省（文科省）や教育委員会の政策に沿ったものである。それが入選でもすると校長は、まるで自分の力量が評価されたかのように喜色満面で、職員朝礼などで披露する。このとき私が我慢ならなかったのは、組合員もこれに拍手を送ることである。この感覚は何なのだろうか？　組合員としての誇りや節度はないのであろうか？　思わず、

「やめろ！　いいかげんにしろ」

と叫びたくなったのも一再ではなかった。

今から振り返ってみると、私が福岡市に異動してから教育現場で親しく付き合うようになった教職員の多くは、福岡市外の出身者である。もちろん私は相手の出身地を選んで付き合ったわけではない。退職して二〇年近くにもなる今日から振り返ってみると、結果的にそうなっているということである。

最近、半田隆夫・堂前亮平編著の『福岡県謎解き散歩』という書物を読んだ。その冒頭に「福岡県の県民性」という項目があって、福岡県を四地域に分けた一つの福岡地域の人情・気質について、

「博多は商人の街・もてなしの街である。そのためか福岡地域の人々は、新しいものを取り入れる力にたけており、進歩的で、おしゃれな人が多い。（中略）商人気質で、人付き合いがうまくおおらかで開放的、悪く言えば打算的・個人主義的傾向が強いのだという」

と記している。そして私の出身地である筑豊地域の人情・気質については、

「この地域の風土と人情を象徴する『川筋気質』という言葉がある。これは、竹を割ったような性格であることをいい、きっぷのよさや信用が尊ばれて、強気で義理人情に厚い気質が育った。これは女性も同じで、彼女らは男性と同じように炭坑で働き、会社から直接給金をもらう、強くたくましい女性たち

であった。現在でもその気風は残っている」と記している。私には納得できる見解である。

この書物には筑豊地域の人情・気質の欠点は述べていないが、男性に限って言えば、見かけによらず、小心で、甘えん坊だと私は思っている。このようなことについては、五木寛之著『青春の門（筑豊篇）』に描かれている。私は、筑豊の「川筋気質」から福岡・博多の「商人気質」を見ていたのかも知れない。

私は、ある意味でこのような福岡市の教職員に学ぶ必要があることも痛感した。謙虚であることは美徳であり、義理人情に厚いことはよいことかもしれないが、それだけでは日教組運動のなかで影響力は拡大できないと気づかされたのである。日教組運動のとりくみであれ、教育実践であれ、掛け値なしの優れた実践は、何の遠慮もなしにアピールすべきだということである。もちろん、こんなことは技術的なこと(量)に過ぎない。その質の違いを明らかにし、その神髄（質）をこそ拡大することが重要である。

誤解を恐れるので、あえて付け加えておきたい。私は、福岡市の教職員に比べて、田川地区の教職員を肯定的に捉えているわけではない。単にその違いを明らかにし、私自身がその違いに当初戸惑ったということである。個人差があることは当然だが、総体的に見ると、福岡市の教職員は自己意識が強く、田川地区の教職員は自己意識や主体性に乏しく、指導者に従順に従う。指導者がしっかりしているときは日教組運動も隆盛だが、指導者が躓《つまず》くとすべてダメになるようだ。今の田川支部の悲惨な姿がそれを示している。かつて田川地区は日本社会党の独擅《どくせん》場《じょう》であった。しかし日本社会党が消えてからは各種選挙で、「革新」系は敗北の連続のようである。もっともこれは全国的な傾向のようであるが……。

危険の多い炭鉱労働に従事し、指導者の指示に従いつつ相互に助け合わなければ生きていけなかった産炭地の労働者と、熾烈な競争に明け暮れる商業都市福岡・博多の商人たちの違いかも知れない。私のように外部の田舎から福岡市に転入した者にとって、このような福岡市の教職員を理解するにはかなりの時間を要したということである。一筋縄ではいかないのである。下手をすると揚げ足を取られる。何をやるにも内容は空疎なのに、政治技術だけには長じている。家庭内では妻に暴力を振るう教師が、「同和」教育の権威であるかのように振る舞う。また、浮気ばかりする教師が、教育委員会のなかで大きな顔をしているとさえ言われている。このようなことは割と広い範囲に知れ渡っているにもかかわらず、福岡市の一般日教組組合員を含めた教職員は「プライベートなこと」としてほとんど問題視しないのである。

こんな福岡市での教職員との交わりのなかで、爽やかな思い出がある。三宅中学校での体験である。同僚の先輩に登山家がいた。そんなことはおくびにも出さなかったが、その道ではそれなりに名の通った登山家だったそうである。福教組福岡支部の執行部三役でもあった。この先輩教師はすでに故人だと聞いた。福岡市の出身であるかどうかは聞かないままであった。

その先輩の発案で、自然に親しむ修学旅行を実施したことがある。一九八〇年のことだ。福岡市立中学校の修学旅行は当時二年生の秋の段階で、二泊三日で実施されていた。安芸の宮島や広島への修学旅行が大半であったと思う。平和教育を加味した従来の修学旅行である。そんななかで私たちは、登山家の先輩教師の提案を検討して、「荒れに荒れ」ていた生徒たちに、自然に親しみ、自然と格闘する修学旅行を体験させるべく実施に踏み切ったのである。

目的地は九州中央部、なかでも阿蘇である。修学旅行の第二日目に、阿蘇の北側にある仙酔峡から徒歩で緩やかな登り坂になっている瀬の本高原を登り始め、高岳（標高一五九二メートル）と根子岳（標高一四三三メートル）の間にある日ノ尾峠を越えて南阿蘇に出るコースであった。正確には覚えていないが、一〇キロを超える道のりであったと思う。若干の変更はあったようだが、このコースの修学旅行はこの後も二、三年続いたようだった。以下述べるのは、その三回ほどの修学旅行のことが、私の記憶の曖昧さもあって、入り交じっていることをご了承願いたい。

途中、牛や馬が放牧されたなかを、馬糞や牛糞を踏みつけながら一歩一歩進むのである。初めは「気持ち悪い」、「怖い」などと言っていた女子生徒もやがて慣れてきた。

春のうちに地元の農家に作付けをお願いしていた大根の収穫やサツマイモ掘りなども経験させた。午前九時ごろから午後五時ごろまでの行程である。

疲れた体に鞭打って日ノ尾峠を越えた。秋の陽が傾き始めたころ、宿舎である麓の南阿蘇国民休暇村が見えた。教師の一人が指さしながら、「あれが今夜の宿舎だ」とみんなに知らせたとき、生徒たちの喜びは爆発した。予測もしていなかったことで驚いたが、生徒たちは緩やかな下り坂をみんなで走り始めたのである。

生徒たちは、修学旅行とは似ても似つかない、ハイキングに出かけるような服装である。このコースの修学旅行に出かけた最初の生徒たち、つまり一九八〇年のときの生徒たちは、上下緑色のジャージ（年度によって色は赤・紺に変わる）を着用し、リュックに水筒である。それに揃いの体操帽と運動靴である。修学旅行の計画を聞いた最初の生徒たちには大変不評であった。

「イモジャージーで芋掘りか」

「俺たちが悪《わる》やけん、先生たちはこげんこつばするんや（反省の弁ではない）」

「高校に進学したとき、ほかの中学校から来た奴に話ができん」

などと反発する生徒もいた。

しかし私たち教職員は、自然に接する機会を失い始めている生徒たちに、少しでも自然に接する機会を用意すべく、保護者の了解を得ながら実施に踏み切った。一九八四年に実施したとき、旅行委員の生徒たちと一緒に作成した修学旅行の栞《しおり》である「'84

旅　志高湖・阿蘇・高千穂」の冒頭には「'84旅の意義」（あえて「修学旅行」とは書いていないことに留意）というタイトルで次のように生徒たちに呼びかけている。少し長くなるが、私たち当時の教職員の思いを残すためにそのまま記す。

修学旅行は、物見遊山ではない。〝旅に出る〟ということは、昔から洋の東西を問わず、〝人生修業〟を意味した。それは未知の土地を訪ね、その風物・文化・そして自然に接し、見聞をひろめ、おのれをみがくということであった。

日向《ひゅうが》の歌人・若山牧水は、こよなく旅を愛して、

幾山河　越えさりゆかばさびしさの
終《は》てなむくにぞ　今日も旅ゆく

とうたい、俳聖・松尾芭蕉は、その著『奥の細道』の冒頭で、

「月日は百代の過客にして行き交う年もまた旅人なり」

と、すぎゆく年月を旅人にたとえて、その〝旅〟のなかで生涯を終えた。

この先人たちの〝旅〟へのおもいには、遠くおよばないかもしれないけれど、わたしたちの修学旅行もまた九州の屋根の自然と、そこで生きる人々の生活にふれて、日頃は忘れがちな〝自然と人間（人生）〟について考えてみようではないか。決して派手ではないけれど、五年後、一〇年後になっても、ほのぼのとしたおもいがこみあげてくるような、そんなわたしたちの修学旅行にしようではないか。旅が終わったら、ひとまわりも、ふたまわりも大きく成長した自分を発見できるような、そんなわたしたちの修学旅行にしようではないか。

（実物は横書き）

世界最大の阿蘇カルデラの雄大さは生徒たちを魅了した。スーパーマーケットで葉を切り落とした大根や調理した大根しか知らない多くの生徒たちにと

って、畑に栽培され、キラキラと輝く葉の繁っている大根を見るのは初めてであったらしい。大根が生きていることを実感したらしいのである。「まるで動物みたい！」とその感動を語った女子生徒がいた。大根を引き抜くとき、経験がないため、力いっぱい引き抜いて尻餅をついた生徒が何人もいた。生徒たちにとってはよい経験であったはずである。

もちろん、この修学旅行の実施とそこでの経験によって、生徒たちの「荒れ」が直ちになくなったわけではない。この当時の生徒たちの「荒れ」は、三宅中学校特有のことではなく、全国的な趨勢だったのであり、その政治的・社会的・経済的背景はそんなことでなくなるはずもない深刻な事態であったことは、当時から私たち教職員は自覚していた。生徒たちが一〇年、二〇年後にこの修学旅行の意義に気づいてもらえれば充分だったのである。そんな修学旅行を体験した当時の生徒たちも、はや五〇歳を超えた。今はこのときの修学旅行をどう思っているのであろうか？　彼／彼女らの子どもたちが早くも中学生や高校生になっているはずである。

生徒たちの感想もさることながら、私たち教職員が、このような修学旅行を計画し実施したのは、当時の文部省が「自然教室」の実施計画を打ち出す以前のことであった。この事実こそ意義があると思うのである。文部省(文科省)のように政治的判断からの計画・実施ではなく、純粋に教育現場からの自主的・自発的・主体的発想からの計画・実践だからである。文部省はもとより教育委員会の指示でもなければ、管理職の指示でもないのである。

今日、児童・生徒を自然に親しませる教育が満開である。「自然教室」のみならず、「総合的な学習の時間」(二〇〇二年度から本格実施)でも「自然体験」が組み込まれている。しかしこれらは全て上からの指示に従っているに過ぎない。したがって文科省・教育委員会の意図によって内容の大枠は決められている。「自然教室」では「朝の集い」で「国旗掲揚」が義務づけられている学校もあると聞く。「遠泳」や

「カッター漕ぎ」が導入されている学校もあるらしい。身体と精神を鍛えようということらしい。しかし児童・生徒の体力や運動能力は依然として低いのが現実である。当然である。子どもたちから「遊ぶ場所／遊ぶ時間／遊ぶ仲間」を奪っている現実には何ら切り込んではいないからである。このようなことを一度や二度やることによって効果が出るはずがない。しかも上からの指示で義務的に実施するのだからなおさらである。

しかし私たちが自主的・主体的に計画・実施した修学旅行は、二泊三日と費用の上限（金額は失念した）という制限以外は全く私たち教職員が生徒および保護者の了解を得て立案・実施したのである。管理職・市教委の許可を得たことは言うまでもない。このときの同僚たちは、文部省や教育委員会の指示にのみ従うことを潔しとはしていなかったのである。自らの教育哲学・人生観・社会観による教育をこそ大切にしていたのである。だから私にとっては爽やかな思い出になっていると思うのである。

二　日教組「教研活動」との出合い

一九七〇年代、日教組本部は明らかにその運動の舵を右に切り始めていた。「高度経済成長」にかげりが見え始めたことにも規定されて賃金闘争における「人事院勧告（人勧）完全実施」要求の成果が上がりにくくなり、労働者としての賃金闘争ではなく、「ものとり主義」的に「教育専門職にふさわしい賃金を！」と要求し始めたのである。日教組本部自ら「教師の倫理綱領」第八項に定めた「教師は労働者である」ことを実質的に放棄したのである。日教組本部は、日教組運動の中心軸を、賃金闘争や反動的教育政策反対闘争あるいは反合理化闘争などから教研（教育研究）活動へと移し始めていたのである。

私はこのようなときに田川地区から福岡市に異動したのである。

私はそれまで日教組教研活動には消極的、否！

否定的であった。教育研究は、文部省（当時）や教育委員会が奨励するものであって、日教組がとりくむものではないと考えていたのである。田川郡支部でも日教組本部あるいは福教組本部との関係で、建前上、教研集会を開いてはいたがかなり形式的であり、いい加減であった。いわゆる〝帳面消し〟というような状況であった。まだ反動的な教育政策に反対するたたかいができていた田川郡支部では、教研活動の必要性を感じていなかったのである。

そんななかで私は、日教組「教研活動」の反労働者的性格を暴露することにとりくんでいた。日教組運動の変質をもたらすことを懸念していたのである。日教組組合員は、教育労働者としての労働者性をこそ磨き上げるべきであり、「教師＝専門職」論は、教育労働者の労働者性を希薄化する、あるいは摩耗させる危険な考え方であることを訴えていたのである。少なくとも、一九七〇年代までは曲がりなりにも、日教組組合員の間には、日教組「倫理綱領」第八項の「教師は労働者である」という規定は生きていたのである。しかし現在、「教師は労働者である」と言われて、どの程度の教職員が、それを自分のこととして受けとめ「その通りだ」と認めるであろうか？

だから当時私は、田川郡支部の書記次長を務めながらも、教研活動には真面目にとりくまないだけではなく、むしろその「破壊」を提起していたのである。ところが日教組運動の主軸は「教研活動」に移りつつあった。一九七〇年代半ばには、賃金闘争、反合理化闘争などの組合運動と教研活動は日教組運動の二本柱、あるいは日教組組織というクルマの両輪（運動）と言われ始めていたのである。

しかし福教組福岡支部の組合員の多くは、必ずしも教研活動にも熱心ではなかった。私が福岡市に異動したころは、市教委公認の教育研究集会であった。つまり平日の午後に、福教組福岡支部の教研集会が行われていたのである。教育研究集会であるから、市教委が公認し、平日の午後に行われても何ら不都合はない。したがって基本的にはすべての組合員は渋々参加していたのである。しかしやがて福岡市教委は、福教組福岡支部攻撃の一環としてこれを認めなくなった。福岡支部としては大した反対闘争を組織することもなく、土曜日の午後に教研集会を開くことにした。組合員の参加は一挙に半減したのである。

私はこのような福岡支部組合員の反応と対応には怒りさえ感じた。教育的な良心あるいは組合員としての誇りがあるわけではなく、自分の利害だけで行動しているように思えたのである。

「良き組合員は良き教師」

「良き教師は良き組合員」

と言われていた。そこには日教組の組合員としての自信と誇りがあった。にもかかわらず、自分の利害だけで動いているように見える福岡支部の組合員に私はなかなか馴染めなかったのである。

そうであるからこそ私は、教研活動を軸にした日教組運動へ推移しつつあったなかで奮闘しなければならない、と改めて決意した。やがて私は、これまで否定的であった教研活動に積極的に参加し、盛り上げようととりくんだのである。そのきっかけになったのが「平和教育」との出合いであった。

三　「平和教育」との出合い

私は、一九三九（昭和一四）年生まれである。ヒットラー率いるナチスドイツが電撃的にポーランドに侵入し、第二次世界大戦が勃発した年である。外蒙古人民共和国（現・モンゴル国）と満州（中国東北部）の国境ノモンハンで、旧日本軍が、外蒙古と相互援助条約を結ぶソ連軍と衝突し大敗北を被った年でもある。ノモンハン事件である。ついでながら最近、大相撲の横綱・白鵬の大活躍で、「不滅」の六九連勝を達成した双葉山が脚光を浴びたが、その双葉山が六九連勝を達成し、その記録が安藝ノ海によって六九で断たれた年でもある。

断片的であり、かすかでしかないが、私は戦時中の体験を記憶している最後の世代であろう。

中支（中国・華中）で、父が勤めていた三井系の炭坑で、強制的に働かされていた中国人労働者の悲惨な生活の記憶。出征兵士を送った記憶。一九四四年秋、仕事のある父一人を残し、祖父や母たちとふるさとの田川に帰還したときのこと。帰郷後に体験した食糧難や防空壕の記憶。北九州工業地帯を空襲するために北上するB29爆撃機の不気味な爆音や警戒警報・空襲警報のサイレンの音の恐怖などは今も忘れられない。

私が福岡市に異動した一九七〇年代後半、日教組の教研活動には、教科別の分科会（ただし「道徳」分科会はない）と特別分科会とがあった。私は、教科別分科会にはその必要性も魅力も感じていなかった。というより、すでに述べたようにこんな研究は当局のやることであり、日教組のとりくむものではない、と思っていた。

したがって私は、私の所属する分科会を決めるときには、迷うことなく特別分科会に注目した。特別分科会は当時「平和教育」、「人権と民族」、「職場の民主化」という、文部省は決して設けない、日教組の独自性が刻印された分科会だと私は認識していたからである。ただし、「人権と民族」分科会の内容は、日教組組織と運動の変質によって、当局の「人権教育」と癒着するようなものになっていた。私は、私自身の戦争体験と最も日教組らしいテーマだと感じたことから「平和教育」分科会を選んだ。

当時、福岡支部の教研活動は、支部組織そのものが、東部・中部・西部に分かれていることに合わせて三つの集会に分かれていた。私はそのうちの中部に属していた。それでも当初は、支部教研集会などには、義務的に参加していただけである。どう考えても教研活動に意義を見出し得なかったのである。

その転機は一九七九年（第二九次）支部教研集会のときにやって来た。中部平和教育分科会の推進委員に推薦されたのである。それまでは日本共産党系の組合員であり、被爆者でもあった組合員が、たった一人で推進委員を引き受け、熱心にとりくんでいた。しかしその内容は、被爆体験や福岡大空襲の「被害体験」などの掘り起こしと、それを素材にした「平和教育」の実践報告が中心であった。「語り部」＝証言者としての「平和教育」である。私はこれ自体貴重で重要なとりくみであることを認識しながらも、それだけに終始する分科会活動に不満を抱いていた。現在的な戦争や平和に関する課題に踏み込まないからである。

当時、国際的には、イラン革命、中越戦争、ソ連軍のアフガニスタン侵攻、イラン＝イラク戦争など米ソおよび中ソの対立が激化し、世界各地で戦火が燃え広がっていた。

国内においては、第二次石油危機（一九七九年）が始まり、八〇年には、海上自衛隊が日米合同の環太平洋合同演習（リムパック）にはじめて参加するなど「軍事大国」への歩みを速めていた。日本共産党系の組合員では、中ソ対立やソ連軍のアフガニスタン侵攻のような動きには対応できなかったのかも知れない。

その日本共産党系の組合員とは論争したことはよく覚えているが、どんな内容の論争をしたかについてはもはや記憶していない。おそらく以上のようなことを主張し、「現在的な課題にもとりくむべきではないか」ということを提起したと思う。その結果かどうかはわからないが、翌年には彼は、推進委員を辞退する以前に平和教育分科会には参加しなくなった。したがって必然的に私は福岡支部中部・平和教育分科会の責任者になっていた。つまり、当初私は主体的・積極的に平和教育分科会の運営にとりくんだわけではないということである。このような成り行きから責任者としてとりくまざるを得なくなったということである。

これを機に私は腹をくくった。迷わず「語り部」＝証言者としての平和教育を受け継ぎつつも「戦争や平和に関する現在的課題」を教材化する平和教育へと舵を切った。このような平和授業を通じて子どもたちの変革をめざすことはもちろんであるが、私はこのとりくみを通じて組合員ひいてはすべての教職員を反戦・平和運動の担い手へと高めること（質的向上）を第一義的な目標にした。

　このとりくみは、少なくとも当時としては意義があったのではないかと思う。それまで、中部・平和教育分科会で四〇～五〇人程度だった（それでも盛んな分科会の一つであった）分科会員（参加者）が年ごとに増加して、一五〇人に達した年度もあった。それだけではなく、そのなかから「組合活動家」が生まれ育ち、福岡支部はもとより、福教組全体の運動および組織の強化に現在もとりくんでいる。

　事後的にわかったことであり、私が承知している限りでは当時、全国的にも「戦争と平和に関する現在的な課題」を教材化する平和教育を実践しているところはなかったようである。つまり、日教組本部をはじめ、このとりくみを通じて教職員を反戦・平和運動の担い手に高めよう（質的向上）と考えた日教組組合員はいなかったようである。相も変わらず、日本共産党系組合員がイニシアティブをにぎった「語り部」＝証言者としての教育実践あるいは地域の戦争体験・被爆体験などの掘り起こし（量的拡大）が日教組・平和教育の主流であったようである。一九九〇年代以降、日教組本部は「平和教育」を桎梏《しっこく》と捉え、組合員を欺しながら排除しようとしているのだから、当時すでに「平和教育」に真剣にとりくんでいなかったのかもしれない。

　現在の教研活動は衰退の一途をたどっているという。福岡支部の場合、少なくとも私が現職のころまでは東部・中部・西部に分かれて教研集会が開かれていたが、二〇一〇年代の現在、支部を一つにまとめないと、ほとんどの分科会が成り立たないのだという。盛んであった平和教育分科会でさえ、東部・中部・西部をまとめても参加者は五〇人に満たないそうだ。

　二〇〇一～〇二年の「新学習指導要領」の本格実施が一つの分岐点になったことは確かなことであろう。しかしそれだけではない。日教組本部が「参加・提言・改革」路線に転換したのは一九九〇年であり、これに基づいて日教組本部は、自らを教育に関する文部省（文科省）の「パートナー」と位置づけた。このとき以来、その方向性は緻密化され、純化され続けてきた。

日教組本部は、一九九二年、日教組大会において実質的にスト権を放棄し、一九九五年の日教組大会では、スト権を含め、「日の丸・君が代」強制反対闘争、官製研修反対闘争など五項目にわたる闘争を「棚上げ」＝放棄してしまったのである。

それだけではない。日教組本部は、「教え子を再び戦場に送るな！」という「不滅のスローガン」や「教師の倫理綱領」のなかの「教師は労働者である」と自ら白覚した第八項、さらには日教組教研の「平和教育」分科会などを桎梏と感じ始めてすでに久しい。これらを実質的に排除してきているのである。日教組教研運動も、政府の「教育改革」を教育現場から支える研究・実践へと変質させられてきている。

このようなかで、教研活動、特に「平和教育」が衰退しつつあるのは当然であろう。日教組本部自身が『もうひとつの「平和教育」』というタイトルの書籍を出版して「反戦・平和」から目をそらせ、貧困や飢餓・難民、校内暴力・「いじめ」などに平和教育の焦点をずらすよう指導し始めたのは一九九六年であった。これは「自由主義史観研究会」の主張を肯定的にとりいれるような「反戦・平和の平和教育」を破壊する反動的なものであった。

このようなことが全国教研集会で良心的な組合員から指摘され批判されると、日教組本部は一時的にこの主張を引っ込めたが、さらに二〇〇一年には『これが平和教育だ！』を発行し、「国際理解教育」・「環境教育」などを取り込んで、「反戦・平和の平和教育」の焦点をずらしたり薄めたりしようと謀っている。

「国際理解」も「環境教育」も重要な課題である。しかしこれらの課題は、第二次世界大戦（特に太平洋戦争）に反対し得なかった、否！　それ以上に、教え子を戦場に積極的に送り出した反省の上にとりくみ始めた平和教育に直結するものではないことは明らかではないか！　これらの課題は、平和教育の課題とは区別して真剣にとりくむべきである。にもかかわらずこのような課題を平和教育に押し込むことによって、これまでの「反戦・平和の平和教育」を変質させ破壊しようとしている。それはなぜか？日教組本部自身が自ら「たたかう日教組」のイメージを叩き壊して、文科省の「パートナー」になりきった証しなのである。

しかしこんな現状に抗してたたかい抜いている良心的な組合員がなお健在であることもまた確かな事実である。

四　オキナワ・沖縄との出合い

一九八〇年代初頭、福教組福岡支部（福岡市教組）の青年部のなかで、海勢頭《うみせど》豊作詞・作曲の「喜瀬武原」（キセンバル）という歌が静かなブームになっていた。日教組・九州ブロックの青年部がとりくんでいた「平和友好祭」や「青年教師の集い」などが沖縄で開催されたことがきっかけであったようだ。

オキナワの喜瀬武原には在沖米軍基地であるキャンプ・ハンセンが置かれ、毎日のように実弾射撃訓練が行われていた。それは、沖縄の人々の生活道路（沖縄本島の東側と西側とを結ぶ）である県道１０４号線越しに、恩納岳《おんなだけ》（標高三六三メートル）・ブート岳（標高二三五メートル）を標的に一〇五ミリや一五五ミリの砲弾を撃ち込む演習なのである。

沖縄の人々は、生活道路を奪われ、心のふるさとを奪われるだけでなく、毎日危険と隣り合わせだった。流れ弾が基地外に飛び出す、あちこちで山火事が起こる、弾薬を運ぶヘリコプターがひっきりなしに上空を飛び交う、などという危険な状況の毎日なのである。米軍のその実弾演習をやめさせるために命を懸けて反基地闘争に立ち上がった沖縄の人々の思いを歌に託した、その悲しみと怒りとが、しみじみと聴く人の胸を打つ歌詞であり、曲である。せめてその歌詞だけでも紹介しよう。

喜瀬武原

海勢頭　豊　作詞・作曲

喜瀬武原　陽は落ちて
月が昇る頃
君はどこにいるのか
姿もみせず
風が泣いている
山が泣いている
みんなが泣いている
母が泣いている
喜瀬武原　水清き
花のふるさとに

嵐がやってくる
夜明けにやってくる
風が呼んでいる
山が呼んでいる
みんなが呼んでいる
母が呼んでいる
闘い疲れて　ふるさとの山に
君はどこにいるのか
姿もみせず
喜瀬武原　空高く
のろしよ燃え上がれ
平和の祈りこめて
のろしよ燃え上がれ

歌が聞こえるよ
はるかな喜瀬武原
みんなの歌声は
はるかな喜瀬武原

闘い疲れて　家路をたどりゃ
友の歌声が心に残る

一九八〇年代に入ると本土では、早くも反戦・反基地闘争は衰退の一途を辿っていた。私はこの状況をなんとかしなければと思い始めていた。

一九八三年、その歌に導かれるように、私ははじめて沖縄を訪れた。沖縄戦の南部戦跡はもとより、中部の在沖米軍基地に強烈な衝撃を受けた。ガマや壕のなかで戦争の実相を目の当たりにして、地上戦の悲惨さを実感するとともに、「基地のなかに沖縄がある」ことを肌で確認した。書物や資料などからの受け売りの「平和教育」の限界を思い知らされるとともに、「反戦・反基地」の思いを確固たるものにした。

私は福教組福岡支部の仲間たちに、ぜひオキナワと沖縄を体験してほしいと痛切に感じた。私があえて沖縄を漢字とカタカナで表記した意図を受けとめていただきたい。オキナワと沖縄を訪れれば、教育観・人生観が変わるはずだと思った。

この願いがようやく叶えられたのは、一九八七年夏であった。その前年、福岡支部西部の仲間たちが実現したことに力を得て踏み切ったのである。福岡支部教宣部と支部教研・平和教育分科会（東部・中部・西部が合同で）が主催する「オキナワの過去と現在に学ぶ平和の旅」がそれである。このとき以来このとりくみは引き継がれ、少なくとも二〇一九年現在で第三一回を数える。

私が沖縄やオキナワから学んだことは数限りない。万死に一生を得て生き残ったひめゆり学徒隊など「従軍看護婦」として地上戦を体験したみなさんの、「私は軍国少女でした」という悲痛な慚愧《ざんき》のことば。

そして自らの女学校生徒・師範学校学生時代を痛苦に思い出しながら「知らないということは犯罪です」という悔しさを絞り出すことば。さらに当時の恩師への忸怩《じくじ》たる思いと戦後教師として生きた己への戒めのことばである「教えないということはさらに大きな犯罪です」という証言などは、教育現場に身を置く者としては、決しておろそかにはできないことばの数々である。

また、わずか一四歳で鉄血勤皇隊の陸軍二等兵として従軍した方が、今なお当時と同じように背筋をピンと伸ばし、ビシッと敬礼してみせた姿。それは軍隊経験のない私が決して真似のできない姿であり、当時の「皇民化教育」、「軍国主義教育」の罪深さを垣間見た思いであった。

そして今なお三〇〇〇～八〇〇〇柱とも言われる沖縄戦の犠牲者がその遺骨を収集されることもなく眠る沖縄。ひと足踏み出すことさえ躊躇せざるを得ないような沖縄の地。私の足の下には今なお犠牲者の遺骨が眠っているかも知れないのだ。沖縄の地に立ったとき、自ずから厳粛にならざるを得ない。

「基地のなかに沖縄がある」ことによって、オキナワの人々は、米軍機の墜落や流れ弾・山火事、さらには米兵によるさまざまな蛮行に日々晒されている。「沖縄には戦後がない」と言うオキナワの人々のことばは限りなく重い。在日米軍基地の七四％が集中しているオキナワ。しかし県民所得は全国の最下位。失業率も最悪である。「（政府が言うように）基地によって経済的に潤うのなら、沖縄は全国で一番豊かなはずだ」という辺野古《へのこ》（普天間基地の代替予定地）の人々の怒りが心に突き刺さる。

しかも、複雑な問題がまとわりついてオキナワの人々を苦しめている。在沖米軍基地で働いたり、米兵相手の商売で生活している人々も多いのだ。特に米軍基地で働いている基地労働者たちは、沖縄に米軍基地が存在することには絶対反対であるにもかかわらず、耕作地などを米軍基地にとられるなど、基地で働くことによってのみ生活が維持できているという矛盾。その矛盾は、実は全ての労働者の真実・現実の姿を端的に現しているのではないのか！　全ての労働者にとって、在沖米軍基地をはじめ在日米軍基地で働く基地労働者の苦しみは他人事ではない。沖縄戦の実相、在沖米軍の実態、そのなかで生きる沖縄とオキナワの人々に触れる度に、自分自身の反戦・平和のたたかいや「平和教育」が問われていることも痛感してきた。

一九八八年には、福岡教育文化研究所（福岡教文研）主催の「沖縄戦に学ぶ展示会」を福岡市で実現させた。それは単に、太平洋戦争末期の沖縄戦を過去の出来事として展示するのではなく、現在の「在沖米軍基地」、「在日米軍基地」そして世界の「戦争と平和の問題」を考える展示会として開催したつもりである。沖縄県外で沖縄戦の実相を在沖米軍基地の実態を通して現在の「戦争と平和の問題」を考えるように意図して展示した展示会は、おそらく最初にして最後ではないだろうか？

「平和教育」の実践については、私家版で出版した『今こそ「反戦平和教育」を！』にまとめた。沖縄とオキナワに関する実践もそのなかに収めた。

五　「学級通信」・「学年通信」の継続的発行

「定年」退職して間もなく二〇年という今日から振り返ってみると、私の教職生活の第三期は、結果的に、「学級通信」、「学年通信」を発行し続けた一面を持つ十数年であったようだ。城西中学校、長丘中学校、舞鶴中学校の三校における実践である。一九八七年四月（城西中学校）以来、「定年」退職（舞鶴中学校）した二〇〇〇年三月までに「学級通信」もしくは「学年通信」を発行し続け、結果的に二〇〇〇号に達していた。平均すると、一年間に一六〇号発行したことになる。夏休みや冬休みの長期休暇および日曜・祝日など（隔週「学校五日制」の土曜日を含む）の休日を除いた学業日の三日間に二号強発行したことになるようだ。特に最後の舞鶴中学校では、ほぼ毎日「学年通信」を発行した。しかしそれは初めからそのようにしようと計画したわけでもなければ、そのような目標を立てたわけでもない。あくまでも結果的にそうなっていたというに過ぎない。

そもそも私は、「学級通信」や「学年通信」を発行することおよびその実践者に嫌悪感を抱いていた。私の同僚であった教職員にもいたが、主として人伝に聞いたところによると、そのようなことを盛んに実践する教職員は、ある特定党派系の教職員が多かったのである。そのような教職員は、国政選挙や地方議会議員選挙などの折に、「票集め」の手段として、つまり保護者を取り込む手段として、「学級通信」や「学年通信」をこまめに発行しているのだと聞いていたからである。

当時の私の「予断と偏見」によれば、「学級通信」や「学年通信」を発行し続けるということは、そのようなこと以外のなにものでもなく、私にとっては嫌悪の対象だったのである。

そんな私に大きな転機が訪れたのは一九八七年のことであった。その年私は、実に一〇年ぶりに一年生の学級担任を務めて戸惑っていた。私は福教組の支部執行委員や分会長を務めたことが多く、三八年間の教職生活のなかで、わずか半分くらいしか学級担任を務めてはいない。

今では考えられないことらしいが、私が現職のころは、福教組各支部の執行委員や分会長を務めれば、仕事を軽減する目的で、学級担任をはずす(副任にする)ことはもとより、授業時間数も配慮する習わしだった。管理職もこれを承認あるいは黙認していたのである。しかも私は、教職生活の半分にしかならない学級担任の経験のなかでも一年生の学級担任を務めたのは、この年を含めてわずか四回程度しかない。これに比べれば三年生の学級担任の経験の方がはるかに多い。その数少ない一年生の学級担任を一〇年ぶりに務めたのである。

生徒たちの中学校生活はわずか三年間に過ぎないが、成長著しいこの三年間の隔たりは大きい。多くの中学校教師が経験するように、卒業生を送り出した後、三週間もしないうちに、学級担任として新入生を迎えるのである。新入生を迎える感覚を取り戻すのに苦労するのである。「おいつ、なんばしよっとか？　さっさとやってしまわんか！」で三年生には通用する。三年生の生徒たちには何ら違和感はない。しかし新入生に同じ口調で言うと、それだけで「中学校は怖いところや」、「中学校の先生は怖い」という印象を与えてしまう。

それまで副任も含めてほとんど三年生担当だった私は、この年、一〇年ぶりに新入生の学級担任になったのである。戸惑うこと甚だしかった。しかし新入生の言動は私には非常に新鮮だった。生徒たちの一挙手一投足が感動的であった。

予防接種で泣き出す女の子がいたり、教室の窓から虫が飛び込んできたと言っては「キャーッ」と声をあげる。かと思うと大げんかをして男の子を泣かしてしまう女の子がいる。その年から導入された家庭科の男女共学で、男子生徒が割烹着姿で、女子生徒のイニシアティブのもと、甲斐甲斐しく調理に挑戦する姿が何とも愛らしく私には感動的だった。私はこの感動を保護者のみなさんに伝えたいと思った。これが義務的でも、横道にそれた目的からでもなく、私がごく自然に「学級通信」を発行し始めたきっかけであった。私の「予断と偏見」だったかも知れないが、そこには特定党派系の教職員のような「邪念」は全くない、と自ら納得できたからであった。

しかし今から振り返ってみると、男女の生徒が共に調理実習にとりくむ姿が珍しかったのは、私をはじめ当時の中学校の教職員のみで、生徒たちは小学校で経験済みであり、保護者もそのことは先刻ご承知であったはずである。なにしろ中学校で初めて技術・家庭科が男女共学になった年だったのである。男子は技術科学習、女子は家庭科学習の時代は、この年に終わったのである。

言うまでもなく、この後十数年間も「学級通信」や「学年通信」を発行し続けることができたのは、生徒たちや保護者のみなさんはもちろん、同僚教職員、見知らぬ方々の理解や協力・激励に支えられたからであった。

教職生活最後のこの十数年間にわたる「学級通信」・「学年通信」の継続的発行の過程は、私にとって、それまでの私自身の教職生活を総括する一面でもあった。それは反省の連続であり、その結果教師としての幅を広げる機会にもなり、私なりの教師としての成熟過程でもあったように思う。

この実践は、私家版として『生徒たちを愛して元気にしなやかに』にまとめた。

第三章▼教職生活余談

一　疑問だらけだった部活動の指導

教職生活三八年間に、断続的に顧問を務めてきた部活動のことについて述べておきたい。最初にお断りしておくが、部活動には運動部と文化部があるが、私が述べようとしているのは運動部の部活動のことである。文化部についても基本的に同じだと思うが、私は文化部の顧問の経験はないので運動部の部活動について述べる。そして顧問になった以上、運動部でも文化部でも、教職員は誰でも基本的に熱心に指導する。少数ではあるが、専門的な知識・技能を修めている専門家は熱心を超えて部活動の指導に熱中する。私が以下述べようとしているのは専門家ではなく、私のような専門的な知識も技能もない教職員の運動部顧問としての悩みと部活動そのものの在り方に関する疑問である。

私は、免許教科（社会科）以外特に得意なものはない。したがって特定の部活動の顧問となって、専門的に指導した経験はなく、いろいろな部活動の顧問を要請されることになるのである。私の場合、思い出してみると、相撲部、剣道部、陸上部、女子テニス部、卓球部などの顧問を務めたような気がする。いずれにも専門的な知識も技能もない。身長は一六〇センチにも満たず、体重は五〇キロ前後の私が、相撲部の顧問を務めるなど笑い話を通り越して悲劇である。

しかし中学校の部活動指導というのは、程度の差はあるが、私だけのことではなく、どの中学校の顧問も似たりよったりなのである。当たり前である。教員免許状や教員採用条件には部活動指導は入っていなかったのである。高校や大学時代に野球やバレーボール、バスケットボールなどの運動（スポーツ）に専門的にとりくんできた専門家が顧問になっていることの方が稀なのである。そんな専門家が顧問になっているのは、福岡市の中学校では、一校に二、三人程度であろう。こんな専門家の顧問の場合、自分の専門的な知識・技能に自信を持って部活動の指導に熱中している人もいるが、私のような専門家ではない顧問は、気構えは熱心でも、その指導には悩みと苦労を抱えているのである。

まず、生徒たちに技術指導ができない。指導できない顧問などそれだけで苦痛である。「指導できるように研修すればよいではないか？」と言われるかも知れない。確かにそのように努力した教職員もいる。しかし部活動指導というのは、教職員の仕事ではないのである。義務ではないのである。部活動指導をしないからと言って、免職になるわけでも処罰されるわけでもないのである。したがって部活動の指導ができるよう研修しようとしても、その手当が付くわけではなく、そんな時間も与えられるわけではない。

部活動の顧問になるということは、何よりも自分の時間を犠牲にするということである。平日は、教科指導（授業を行う）、諸会議への出席、事務的処理（採点など成績処理・報告書の作成など）を行った後、日の暮れるまで（照明のある体育館ではもっと遅くまで）部活動の指導をするのである。学校によって若干の違いはあるかも知れないが、部活動の時間は決められている。それでも秋になると、生徒たちが帰るのは日暮れ後になっていた。

早朝練習（生徒たちは朝練《あされん》と言っていた）をすることもある。土曜・日曜・祝日に練習する場合もある。夏休みなど長期休暇のときも、基本的に休まない顧問がいた。このような場合、顧問本人だけでなく、その家族も犠牲になる。その結果、離婚した部活動顧問、過労死した部活動顧問もいたのである。このような重大な問題で責任を取る人はいるのか？　最近「働き方改革」にとりくんで、改善されているかのように言われるが、私には小手先の「改善」に過ぎないように見える。ただしこの点については別に論じなければならない。

私は部活動指導で自分の時間を犠牲にすることはほとんどなかった。分会長や評議員を兼ねることが多かったので、勤務時間終了後、福教組支部の会議に出かけることが多かった。それだけでなく、自分に必要な時間は自分の判断で確保すべきだと思っていたのである。私は職員会議などで部活動顧問の複数制を要求した。私が部員の練習につけないときはもう一人の顧問についてもらった。最悪の場合は練習を中止した。そうしなければ責任が持てないと思っていた。私は決して献身的な部活動顧問ではなかった。したがって私は、生徒や保護者にとって決して「よい部活動顧問」ではなかったはずである。

私が現職のころ（二〇〇〇年まで）、部活動顧問はその学校の教職員でなければならないと定められていた。顧問がいなければ、公式の試合には参加できないのみならず、そもそも「部」をつくることも認められないのである。したがって、指導ができる教職員がいるか否か以前に、生徒および保護者は顧問を獲得しようと教職員に働きかける。つまり専門的な知識や技能のあるなしを問わず、教職員は生徒や保護者に顧問になることを頼み込まれるのである。これを断るには余程の意志あるいは勇気と理由がなければならない。一般的には教職員は、このような生徒や保護者の要求にはなかなか抗しきれない。

管理職が教職員に部活動指導を命令したり、要請したりすることはなかった。管理職にそんな権限はなかったからである。むしろ管理職は、教職員には部活動指導の義務はないことを保護者に徹底すべきであり、部活動指導を務めている教職員もそのことを管理職に強く要求すべきであった。しかし、二〇一一年度から本格実施された新「学習指導要領」では、再び部活動について言及している（詳細は後述）。二〇一九年の現在、管理職は部活動についてどのような態度をとっているのであろうか？　教職員の「働き方改革」とも関係しているのでこの点は別に論じたい。

いずれにしろ部活動の顧問はその学校の教職員でなければならないから、指導のできない名ばかりの私のような顧問でも必要なのである。そんな顧問は、顧問会議に出席したり、他校との連絡調整に当たるなど対外的な関係の案件を処理する。さらには部内のもめ事の解決など、部員の生活指導や保護者との連絡あるいは試合のときの引率などを担当することになる。公式試合のときには、受付や審判などの任務がある。私のように専門的な知識技能のない顧問は、審判などはできないから、出場する選手や応援の生徒など参加している生徒の世話や指導などに当たった。

さらに部活動指導には問題がある。公式試合であれ、練習試合であれ、試合場に移動する場合、顧問が自分のクルマに生徒を乗せて運転する場合がある。保護者が自分のクルマを提供し運転してくれることもある。これは現実に行われていた。事故を起こしたら誰が責任を負うのか？　実際二〇〇九年六月には、大分県で高校野球部顧問が運転するバスが横転し、生徒一人が死亡したではないか！　中学校でも自分の運転するクルマで部員を試合場まで送る顧問は多い。なぜ、中学校や高校の顧問＝教職員はこんなことをしなければならないのか？

中学校の部活動指導は基本的に無報酬である。幾ばくかの手当が支給されていたようにも思うが、それを目当てに顧問になる教職員は私の知る限り皆無であった。手当を上げるべきだなどと言っているのではない。手当の問題ではない、と言っているのである。この点についても「働き方改革」との関係で別に論じなければならない。

部活動そのものについて納得できないことがまだ

ある。私が福岡市に異動してきた一九七〇年代後半のころまでは、公式試合と言えば、中学校体育連盟（中体連）主催の「夏の大会」だけであったように記憶している。福岡市の例で言えば、区大会・市大会に勝てば県大会・九州大会そして全国大会へと勝ち進む。全国大会にまで勝ち進めば、夏休みの大半がこれに消える。しかしこんな中学校は福岡市内にも数えるほどしかない。私のような素人顧問が「指導」する部活動は、例外もたまにはあるが、市大会出場が精一杯である。ほとんど七月中に「夏の大会」は終わる。三年生の部員はこの時点で部活動を卒業し、高校受験などの勉強に切り替える。後は残った一・二年生の部員が、翌年の「夏の大会」をめざして練習を始める。しかし公式試合はほぼ一年後である。一般にはのんびりした練習だった。その間、生徒や顧問は命の洗濯をし、二学期に向けて活力を蓄えていた。

　ところがいつのころからか、これに新人戦という公式試合が加わった。三年生の部員が部活動を卒業した後、残った一・二年生部員だけの試合である。部員である生徒からも顧問からも夏休みが消えた。しかも最近では、競技の種目によって差があるのかも知れないが、これにスポーツ用具の販売店などの肝いりで、盛んに試合が行われるそうである。生徒や保護者の要請によるものや、顧問同士の話し合いで行われる練習試合も含めれば、今や生徒も顧問も一年中試合をしている状況のようである。

　そもそもなぜ、中学校や高校の教職員は部活動の指導を半ば強制されるのか？　現実はすでに述べたように、少なくとも中学校ではその大部分は、生徒や保護者に要請されるからである。教職員のなかには専門家がいて、部活動指導にのめり込む人もいるようだが、ほとんどの教職員はこれを断り切れないのである。

　文科省や教育委員会などは、部活動は、「教育的効果が期待できる」からだと言う。私はそれは否定しない。しかしそのことと、その任務を一日の教育実践という仕事を終えた教職員に半ば強制することとは別問題であろう。「学校教育の一環として部活動を行うことが望ましい」のであれば、勤務時間内に収めるべきであり、それが不可能ならば、顧問のみを専門的に受け持つ指導者（技術指導だけの外部コーチではない）を用意すべきである。この方が明らかに教育効果は上がると思う。あるいは部活動を完全に社会教育に移行させてはどうか？

ところが文科省は、一九九八〜九九年に改訂された「学習指導要領」では、一旦部活に関する言及を消したにもかかわらず、二〇〇八〜〇九年の改訂でこれを復活させた。すなわち部活動は、

「スポーツや文化および科学等に親しませ、学習意欲の向上や責任感、連帯感の涵養等に資するものであり、**学校教育の一環として、教育課程との関連が図られるように留意する**」（太字は引用者）

としたのである。そして、教員の休日の部活指導に支払う手当を一日当たり一二〇〇円から二四〇〇円に引き上げたという。

これまでに私が指摘したことからおわかりいただけると思うが、部活動指導の問題はこのような問題ではないのである。二〇一九年六月二〇日付「読売新聞」には、

「日本の小中学校の教員は世界一多忙――。経済協力開発機構（ＯＥＣＤ）が19日発表した調査結果からは、そんな実態が浮かび上がった」

と報じられている。その記事に添えられた「一週間あたりの中学校での課外活動（部活など）の時間」というグラフによれば、日本の中学校はダントツで七時間超である。第二位のアメリカが三時間に満たない。四八か国・地域の平均はほぼ二時間である。

休日は言うまでもなく、勤務時間外の部活動指導も教職員にさせるべきではないのである。日本の教職員は部活動指導以外でも勤務時間外に働いている。その現状は、すでに、「はじめに」や第一部で述べたように過労死・過労自殺を引き起こすまでの極限状態なのである。

新「学習指導要領」のように部活動について言及

するということは、そんな状態の小・中学校教職員をさらに鞭打つことになるのではないか！

日教組本部は、一週間に一度は「定時退校の日」を確保しよう！　などと分会の組合員に呼びかけている。これでは教育現場における長時間労働や部活動指導の過酷な現実の責任を分会の組合員におっかぶせているということではないか！　このようなわかりにくい、消極的な形で文科省の政策を下から支えるようにしているのではないか？　ことばを換えれば、日教組本部は、この問題について文科省とたたかうことを放棄しているのではないのか？

二〇一〇年一〇月二日付「読売新聞」の「教育ルネサンス」№１３３１に登場する、中学校吹奏楽部顧問の女性顧問（五一歳）は音楽科の教諭である。吹奏楽部を指導するにふさわしい専門家なのである。吹奏楽に関する知識も技能も兼ね備えているはずである。つまり、中学校の部活動顧問としては恵まれている方なのである。その女性顧問でさえも「『疲れた』と愚痴ることもある」という。この女性顧問の夫は、中学校の野球部顧問であったがすでに故人だそうだ。記事からは具体的なことはわからないが、現職のときに亡くなったのではないだろうか？　無理を重ねていたのではないだろうか？

そんななかで「部活は、教員の勤務が多忙になる中でも、その献身的な活動によって成り立っている」と新聞記事は指摘している。専門の女性教諭にして「愚痴ることもある」のが現状なのである。専門外の部活動顧問の身体的・精神的苦悩は、専門家である顧問の比ではないのだ。

中学校の部活動とその指導に関する問題については、ここではこれ以上触れない。私が現職の折に部活動指導をした経験および最近の新聞記事などから疑問に感じてきたことを述べたまでである。

二　「継続は力なり」、されど……

教職員の間で、よく「継続は力なり」と言われる。特に校長などが全校生徒を前に「訓示」するときなどによく使う「諺《ことわざ》」のようなものである。あれこれに中途半端にとりくみ、中途半端で曖昧な結果しか生み出さないのに比べれば、一つのことに集中し、継続することは、それだけで何らかの明確な結果を生み出すことが多い。そういう意味で確かに「継続は力なり」と言える。

私は現職のころ、「平和教育」は約二〇年、「学級通信」や「学年通信」は十数年にわたって、平均すると学業日の三日に二号のペースで発行し続けた。その過程で私はさまざまなことを学び、それを素材にこのような自らの教職体験を具体的に振り返ることができている。

しかし、折井英治編『暮らしの中のことわざ辞典』には、「継続は力なり」という諺は収録されていない。こんな諺は普遍的なものではないのかも知れない。

確かに何でも継続すればよいというものではないだろう。当然この場合、その質（内容）が問題となる。私たちは物事の量だけを見て質を問うことを忘れていることが多いと思わないか？「継続は力なり」というとき、「継続」は時間や日数など「量」である。何（内容＝質）を継続するのかを問うていないのである。「量のない質はない」と同時に「質のない量もない」のではないか？

粟田賢三・古在由重編『岩波哲学小辞典』によれば、量とは「〈どれだけ〉という問いに対応する事物の在り方」であり、「事物の数、時間・空間的な広がり、重さ、程度、早さなどは量的規定であるが、これらの規定では事物の質の規定は度外視され、等質的なものとみなされている」という。他方、質とは、「〈どのような〉という問いに対応する事物の在り方」であり、「ある物事がその事物として規定される規定性が質である。いいかえれば、質は事物の存在形態をそういうものとしてあらしめる規定性で、事物からその質を取り去れば、その事物がその事物であることをやめるような規定性である」そうである。そして「質と量とは不可分に統一されており、それは質量と呼ばれている」という。したがって、「継続」とは時間であり、量である。それは継続する事物の「質と統一されており」、質を問わなければ何もないことを意味する。

同じことかどうか自信は持てないが、「形式のない内容はない」が、同時に「内容のない形式もない」と思う。

また、同辞典によれば、「一般に、形式とは多様な要素を統一的な連関、構造に結びつけるものをいい、内容は形式によって結びつけられる要素の総体をいう。形式と内容は、矛盾し対立するとともに不可分で、ただ抽象的に区別されるだけ」であり、「唯物弁証法では、この相互関係で内容を決定的なものと考える」のだそうである。「継続」を形式とすれば、「何を」にあたる部分が内容になるのではないか？

したがって、物事を捉えたり考えたりする場合、量と質、形式と内容の両面をしっかりと組み立てなければならないと思う。「継続」すればするほど、自分にとっても他者にとってもマイナスになることがあるはずである。

校長や多くの教職員が「継続は力なり」と、児童・生徒に「お説教＝訓示」するとき、当然、マイナスになることをイメージしているはずはない。しかし私たちが生きかつ生活しているこの社会には、善悪の判断が難しいことが多い。特に政治の場面がそうであろう。だから私は、単純に「継続は力なり」とは言わない。その質や内容を統一した上で初めてこのように言えるのだと思う。現職のころ私は校長や多くの教職員が安易に「継続は力なり」という話をして児童・生徒を叱咤激励するのを見聞きしたので、あえて一言付け加えておきたい。

その上で私は、何かを「継続」する場合の意義を確認するいくつかのポイントがあることを、三八年間の教職体験のなかで学んだ。それを提起しておきたい。

その第一のポイントは、言うまでもなく、自分にとっても他者にとっても有意義なとりくみの継続でなければならない、ということである。そのような質や内容を備えたものでなければならない、ということである。ここで言う「他者」とは、一般的に自分以外のすべての人々と捉えてもよいが、私はもっと具体的に教育現場を想定して、同僚、児童生徒、保護者など教育関係者を指している。あえて言えば、私とは基本的に対立してきた管理職や教育委員会も含めてもよいが、彼らは私が「継続」的に実践してきた「平和教育」や私の考えに基づく「学級通信」や「学年通信」の発行などには賛同しないであろう。このように事物の「質」・「内容」の善悪は、人により、立場によって異なる。だから「量」だけで評価してはならないと言わなければならないのである。

第二のポイントは、その事物を「継続」することにより、自分自身が成長するとりくみでなければならない、ということである。もちろん「成長」も、「量」だけでなく同時にその「質」を問わなければならない。そのとりくみを「継続」することにより、自分や他者を高めるような新たな発見があったり、したがって感動が伴ったりしているということである。そうでないことに気づいた場合、つまり、自分の実践に疑問を持ったり、否定感が伴った場合には、勇気を持って全体的に点検（反省）し、必要な場合には直ちに方針転換すべきである。どうすればよいかわからないときには、とりあえずその実践を中止すべきである。これが第三のポイントである。

以上、具体例を示さずに述べたのでわかりにくいかも知れないが、具体例を示してもわかりにくいのである。むしろ具体例を示すと反発が返ってくることが多いと思われる。自分自身の日々のあらゆる実践、自分自身の人生観・社会観を振り返ってみていただきたい。

第三部　私の体験的「教師」論

私の三八年間にわたる公立中学校における教職生活は、第二部で簡単に述べたように、次の三期に分けることができそうである。

第一期（一九六二〜七五年度）

田川郡における産炭地や「僻地校」など三校——赤池中学校、津野中学校、鷹峰中学校での教職体験。経済の高度成長期における「集団就職」生を送り出し、教師の無力さを思い知らされた。教師としての私にとっての原点の一つになった体験。また、「僻地校」での純朴な生徒たちとの交わり。構える必要のない交わり。しかし、「僻地」の人々の純朴さに胡座《あぐら》をかいたような政府や教育委員会の「僻地校」政策の貧しさ・傲慢さに怒りを覚えた、教師としての私にとってもう一つの原点になった体験。そして「同和」教育との出合い。

とにかく教師としては未熟なときであり、教職生活のなかで最も多忙な時期であったこともあって、生徒や保護者のみなさん、同僚のみなさんに大変迷惑をかけた時期でもあった。特に生徒のみなさんには、今なお申し訳なく思っている。

第二期（一九七六〜八六年度）

福岡市に異動した最初の福岡中学校、三宅中学校での体験。田川郡とははるかに異なる教育環境に戸惑い、生徒指導や日教組運動で何度か失敗も経験した。生徒たちはもとより、保護者も同僚教職員も、ひと言で言えば、いい意味でも悪い意味でも「都会人」であった。世間慣れしているというか、功利的というか、なかなか本音を語らない。日教組運動でもその傾向は強かった。特に福岡中学校の二年間にはそのことを痛切に感じた。「郷に入れば郷に従え（郷に入っては郷に従う）」という古人の教えを心に刻み込んだ。

しかし「転んでもただは起きぬ」私である。いい薬、あるいは教訓として生かしてきたつもりである。こんな教育環境であることを認識するまでに多くの時間を要し、そのなかで教職員として、また日教組組合員として己を抹殺せずに生き抜くことは、苦痛と憤激を伴いながらも、したたかに生き抜いた。

第三期（一九八七～九九年度）

三宅中学校に勤めていたころの「平和教育」、特にオキナワと沖縄との出合い、そして結果的に「学級通信」・「学年通信」の継続的発行の出発点となった城西中学校、長丘中学校、そして最後の舞鶴中学校での体験。ようやく私は、福岡市の教育現場のなかで私の独自性を発揮する場を見つけるとともに、生徒たちはもとより、保護者のみなさんや同僚教職員たちと心を通わすことができるようになった。

しかしこのことは、すでに述べたように、同時に第二期の私に反省を迫るものであった。第二期の私は、遠慮がちにではあれ、田川での体験を基準に考え、実践していたことが反省させられた。もちろん、単に「郷に従う」つもりはなかった。「郷に従い」つつもその問題点をも克服しようと努めてきたつもりである。この過程で私は、私なりの「教師」像とでも言うべきものを体得したように思う。それは退職後の今もなお道半ばであり、その生き方はこれからも貫き続ける覚悟である。

以上のような三八年間の教職生活のなかから、私なりにつかみとった体験的「教師」論、あるいは「近代公教育」論をまとめてみたいと思う。これらはあくまでもトータルなものであって、教科指導、生徒指導、学級経営、進路指導などの分野に踏み込むものではない。これらの各論については私の能力が及ぶ限り別にまとめようと思う。すでにまとめたものは巻末に紹介している。参照していただきたい。

まずはすでに「はじめに」や第一部などで述べたような、厳しい教育現場の現状のなかにあって、これに立ち向かう教職員、特に教師の生き方について、私の体験を振り返りつつ、トータルに考えてみたい、ということである。

言うまでもないことであるが、以下に述べることは、退職して間もなく二〇年になる現在から、現職のころの私自身を振り返って言えることである。現職のころは日々の仕事に振り回されて、自分を振り返ることなどはなかなかできない。現職のころに気づくことはそれほど多くはないのが現実であった。

現職のころ、私は多くの失敗や過ちを犯してきた。特にすでに紹介した私の教職生活の第二期（一九七六〜八六年度）は、思い出すのも辛い失敗や過ちの連続であった。当時の私は「体罰教師」でもあった。私は福岡市に異動してきてからの数年間である。私は福岡市の生徒たちを、田川郡の純朴な生徒たちと単純に比較して生意気だ、横着だと感じ、その違いを「都会っ子だからだ」と安易に決めつけていた。当時急速に変化しつつあった政治・経済・社会情勢との関係で生徒たちや保護者を認識することができず、都会人の一般的傾向として捉えてしまうという誤りを犯していた。それは生徒や保護者に対する認識だけではなく、同僚に対する認識も同じだったと思う。

一九八〇年代には、すでに経済の高度成長期は終わり、社会は急速に余裕をなくし始めていた。学校教育も、決して単純ではないが、戦前へ回帰しようとしているのではないかと思われるような様相を呈し始めていた。労働運動も中曽根康弘内閣（一九八二〜八七年）の下で、「戦後政治の総決算」が叫ばれ、「戦後民主主義」の活気も急速に失われつつあった。「戦後民主教育」が創り出したようなさまざまな制度や慣習が年々切り崩されつつあった。「総評型労働運動」の終焉であり、日教組運動の右旋回の一層の加速であった。

そして一九九〇年代後半。日本のバブル経済が弾け、中国の経済的・軍事的台頭に直面した日本独占資本と政府は、「二一世紀への生き残り」をかけて、新自由主義を根幹とし、弱肉強食を是とする競争主義をあらゆる分野に導入した。学校教育においても「個性重視の原則」が叫ばれ、学校間、児童・生徒間、教職員間そして保護者間の競争が扇動され始めた。金子みすゞの「みんな違って、みんないい」が政治的に悪用されたのはこのころである。多くの教職員は言うまでもなく、多くの国民までが、これには引きずり回された。否！　引きずり回されていると認識さえせずに、今なお引きずり回されている。

「みんな違って、みんないい」はそれほどすばらしいこと、ステキなことなのか？　これが「民主主義」、「民主政治」だと思っているのではないか？　金子みすゞと政府の考えは同じなのか？

他方、「愛国心」教育の地ならしのため、卒業式や入学式などの学校行事では「日の丸」掲揚、「君が代」斉唱が強制され、「道徳教育の必要性・充実」が強調された。

このような政府による学校教育への管理統制が強化されるなか、日教組本部は一九九〇年、それまでの文部省との対決を軸とする運動路線を「参加・提言・改革」路線へと転換させた。一九九五年にはこれに基づいて、「日の丸・君が代」強制反対闘争や官製研修反対闘争など五項目にわたる闘争を「棚上げ」＝放棄した。

この結果が、私が「はじめに」や第一部に述べたような教育現場の現状なのである。このまま放置すればなお一層悪化し、気づいたときには手遅れになることは明らかである。

以上述べたような右旋回の著しかった二〇世紀末までの教育現場を、中学校教諭として、あるいは日教組組合員として生き抜いた私の教職生活から、どのような教訓が導き出せるのかわからないが、最後まで読んでいただいて、若き教職員のみなさんや教職志望の若者が何かをつかんでいただければ幸いである。

第一章▼生徒たちとの関係で

教師にとって、子どもたちとの関係づくりが最も重要であることは言うまでもない。この関係をうまくつくりあげていくことを基礎にして、教科指導や生徒指導などあらゆる教育場面で、教師の力に見合う成果（後述するように多くの制約がある）を期待することができるのだと思う。この関係がうまくつくれないと、教科内容に関する力量が充分であっても、それらを生徒たちに受け渡すことはできない。生徒指導においても、生徒たちの信頼を得ることができず、指導はうまくいかない。

とにかく教師にとって、子どもたちとの関係づくりは、教育の前提であろう。私もこの点については、学級担任のときも副任のときも常に配慮し、努力してきたつもりである。その体験から私が重要だと思ったことなどを提起しておきたい。

すでに述べたように私は、中学校の社会科担当教諭を務めてきたのであって、私の教職体験から得た教訓が、小学校や高校の教育にどれだけ参考になるのかはわからない。参考になる点を生かしていただければそれ以上のことは望まない。

子どもたちのことば、そして思いをまず受け入れること

私の教職生活第一期（田川時代）では、生徒たちが素直であったからあまり気にはしていなかったのだが、福岡市に異動して間もないころ（第二期）から、生徒たちとの関係づくりが必ずしもうまくいっ

ていないことに気づいた。当初は〈都会っ子〉だからだと思った。しかしそれだけではないことにも気づいたが、原因はなかなかつかめなかった。

一九七〇年代末から一九八〇年代になると、「学校の荒れ」が全国的な傾向として表面化し始めた。それまでの常識が生徒たちの一部には通用しなくなったのである。私もなぜ生徒たちの一部には「日本語が通じないのか」と悩んだこともあった。また、あくまでも感覚的なことに過ぎなかったが、それまでの中学生に比べて年々生徒たちが幼くなってきているように感じ始めていた。

商店からの連絡で、万引きをした生徒を引き取りに行くと、特に悪いことをしたとも思っておらず、少々注意しても何とも感じないような反応しか返ってこないようなことが何度もあった。その生徒の家庭が経済的に困っている様子もないのである。注意すれば特に反抗するわけでもなく、「わかりました。もうやりません」と言うのだが、しばらくするとまたやるのである。もちろん、教師側が何を言っても全く受け付けないケースも何度もあった。

そんなころに出合った一冊の書物があった。当時、慶応大学医学部助教授であった小此木啓吾の著した『モラトリアム人間の時代』である。

「モラトリアム」とは、もともと経済学上のことばで、「一般には、天災や戦争などの非常時に国が銀行に対して一定期間預金者への預金払い戻し義務を猶予すること」（『朝日現代用語　知恵蔵』）である。小此木啓吾によれば、このことばを心理学にとりいれて、アメリカの精神分析学者エリク・H・エリクソンが青年期を「心理社会的モラトリアム」の年代と定義したのが最初だそうである。小此木啓吾によれば、「青年期は、修業、研修中の身の上であるから、社会の側が社会的な責任や決済を猶予する年代である、という意味」だそうである。しかしこれは「古典的なモラトリアム人間」であって、今日のそれではない。今日の「モラトリアム人間」とは、おとなになることを猶予してほしいと願っているおとな、おとなになりたがらない青年《おとな》、というような意味である。

この書物と同じようなテーマに挑んでいる書物で、男性を採りあげた『ピーター・パン・シンドローム』、女性を対象に分析した『シンデレラ・コンプレックス』も読んでみた。『ピーター・パン・シンドローム』の「まえがき」のなかで、訳者の小此木啓吾は

「ピーター・パンは、永遠の少年である。大人社会への仲間入りを断り、夢の国『ないない島』で暮らす。『ないない島』は家庭や学校では味わえないスリルと遊びでいっぱいだ。魔法の粉を振りかけて現実を忘れ、いたずらに明け暮れるうちに、どんどん年を取っていく。しかしピーター・パンは大人になりたくない。だから大人たちは、彼を〈おとな・こども〉と呼ぶ。つまり、ピーター・パン・シンドローム（PPS）とは、こういった〈おとな・こども〉の心の症候群である」

と述べている。この書の著者、ダン・カイリーは、この〈おとな・こども〉(man・child) の青年を

「ペラペラおしゃべりする割に内容のある話は少しもしない」

「愛されて当然とは思っても、自分の方から他人を愛そうとはしない」

「年齢から言ったら一人前の男なのに、行動を見るかぎり子どもという男」

「一見、プライドが高く大胆な男に見えるのだが、素顔の彼はもろく傷つきやすく、臆病者」

などと描写し、

「これから先あらゆる点からみて、さらに事態は悪化する」

と警告していた。この警告は、不幸にも今日一〇〇％以上的中していると言わざるを得ない。

わが国の青年たちに、このような傾向が現れ始めたのは、どうやら一九七〇年代後半ごろかららしい。つまり「高度経済成長」期に生まれ育った世代からである。「不道徳のすすめ」や「使い捨て」がもてはやされた時期に合致する。

このような傾向の青年たちが生み出されたのは、彼ら個人に原因があるわけではない。今やこれは明らかに一つの社会現象だと言わなければならない。わが国では、このころの青年男女が、中学生や高校生の父親・母親になっている。早く結婚した人にはもう孫がいるかも知れない。「無感動・無関心・不作法」など五無主義で、「躾のできない親・祖父母」たちになっているのである。今の子どもたちが「モラトリアム人間の二乗」と言われるゆえんである。

わが国における社会的人間関係が、「高度経済成長」期を境に一変したことは、戦前・戦中生まれの方々（政府の言う現在の「後期高齢者」）にとっては体験的にも異論がないはずである。この世代の人々は「団塊の世代」の人々にさえ感覚の違いを感じるはずである。

戦前・戦中生まれの人々は、戦中や敗戦直後の食糧難をはじめ、あらゆる物資の不足をそれこそ全身で体験してきた。日本人の主食である米の圧倒的な不足ゆえに、岩塩で味つけしただけのだんご汁（すいとん）や充分に熟すのを待てずに収穫した水っぽいサツマイモやカボチャなどの「代用食」でなんとか飢えをしのいできた私などは、今でも卵焼きや蒲鉾はご馳走である。すき焼きや茶碗蒸しとなるともうお祭りだ。子どものころにはアイスクリーム、チーズ、ハム、プリン、ヨーグルトなどはお目にかかることさえなかった。それどころの話ではない。砂糖さえ手に入らなかった。

現在、七〇歳代前半より若い人々、つまり政府の言う「後期高齢者」にまだ達していない人々はサッカリン、ズルチンを知っているだろうか？　石炭で作ったと言われていた砂糖の代用品である。敗戦直後の甘味料なのである。現在、薬局で手に入れる粒状の薬のようであった。

私がチーズやプリンをはじめて食べたのは、「高度経済成長」期の真っ只中で、「もはや戦後ではない」と言われ始めた一九六一年以後のことである。はじめてチーズを見たとき、私は真面目に「石鹸ではないか？」と思った。今だから笑い話だが、当時は真剣にそう思った。

これ以後の「経済の高度成長」は、日本人の価値観に一大転換をもたらした。このころ（一九六〇年代）以後に生まれ育った人たちに、一九五〇年代以前の話をしてもなかなか理解できないのも無理はない。現在の小・中学生の親の多くは、一九七〇年代生まれである。日本は、テレビ・電気洗濯機・冷蔵庫の「三種の神器」の時代を過ぎて、カー・クーラー・カラーテレビの「3C時代」と呼ばれる「新三種の神器」の時代に突入していた。今の小・中学生の親は生まれながらにしてクルマ社会・カラーテレビ漬けで育ったのである。新幹線も、高速自動車道も日本中に張り巡らされていた。ファミリー・レストランがあちこちにできて、週末には郊外に出かけたり、外食を楽しむようになっていた。このころに生まれ育った現在の小・中学生の親たちが、日本はそれ以前からこのような社会だったと思い込んでいても不思議ではない。

しかし現実は、その一〇年余り前までは、どの家庭でも、土間にしつらえた竈《かまど》でご飯を炊き、七輪の火で料理（副食）を作っていたのである。太平洋戦争で何もかも破壊され、クルマに乗ることはもちろん、ラジオさえ聴くことのなかった幼少年時代を送った私たちだったのである。農家では、耕耘機や田植機があるわけではなく、日本史の学習で教わる牛馬耕であり、千歯《せんば》こきや唐箕《とうみ》が使われていたのである。

わかりやすく説明するために誤解を恐れず敢えて言えば、今の小・中学生の親たちが生まれた一九七〇年代は、二一世紀の現在とあまり違いはないが、それよりわずか二〇年程度前の一九五〇年代前半は、江戸時代の人々の生活に近かったのである。

私が母と外食したのはただの一度だけであった。そのとき食べたのは肉うどんであった。私が学生時代（一九六〇年ごろ）にアルバイトで稼いだお金で母を誘ったのである。母は「おいしい、おいしい」と喜んでくれた。その明治生まれの母も一九六二年、私が中学校教諭になるのも待たず、わずか五二歳の若さで他界した。こんな話をしても今の小・中学生はもとよりその親たちにさえ、その実相はなかなか理解してもらえない。「ひもじい」、「もったいない」などということばは今や死語になりつつある。これは幸せなことなのだろうか？

一九八〇年代以降、私が学級担任を務めたとき、教室には、忘れ物や落とし物があり、学年末にはそれが大量に私の手元に残った。傘や体操服（トレーニング・シャツやトレーニング・パンツ）などの忘れ物や鉛筆・消しゴムどの落とし物である。もちろん私はその都度、忘れ主や落とし主を捜したが、名乗り出る生徒はほとんどいなかった。

学年末の授業参観や保護者会の折に私は保護者の目の前で、忘れ物や落とし物でいっぱいになった段ボール箱を示しながら、

「これは、すべて今年（度）、この教室（および廊下の傘立て）で拾ったものです。落とし主や忘れ主がこのクラスにいることはほぼ間違いないと思いますが、誰も受け取りに来ませんでした。したがってみなさんに返します。何でもよいから順番に一つずつとってください」

と言って、その段ボール箱を順番に回したことがあった。四十数人いる生徒を三周するほどの落とし物や忘れ物があったのである。

小学校三年生のとき（一九四八年）、算数の問題をクラスで一番早く解いて、その褒美に、新品の鉛筆を一本いただいて大喜びしたことのある私には、信じられないような時代の到来ではあった。

これ以上に私が絶対に許せなかったのは、生徒たちが食べ物を粗末にすることであった。配膳された給食の三分の一は残飯として残るのが常であった。これ自体は無理強いすることはしなかったが、配膳されたみかんで生徒たちがキャッチボールを始めるのである。あるいはみかんの袋（房）をつまんで、中のジュース（汁）を友達の目に掛け合って遊ぶのである。食べ物を遊びに使うなど、私には理屈以前

に感覚的に許せないことであった。

そんな生徒たちに〈ものの大切さ〉をいかに説教しても全く通じなかった。世はまさに「使い捨ての時代」、「飽食の時代」に突入していたのである。食べ物をめぐる人と人とのつながりなどは、生徒たちの世界に入る必要がなくなったかのようである。私には大変な間違いが起こりつつあるように思えた。一九八〇年代前半の私は、このような生徒たちをいかに指導すればよいのか、試行錯誤の連続であった。

私たちの世代を含めた先輩世代（戦前・戦中生まれ）の教職員は一般に、ある価値基準を教え、それを基準に「君のやったことは悪いことだ。だから今後繰り返すな！」と説教して「指導」を終えていた。一九六〇年代までの「指導」はそれで通用していた。ところが「モラトリアム人間」の時代（一九七〇年代後半）に突入してからは、そんなお説教は全く通用しなくなった。そんなことで困惑している私たちに小此木啓吾は、

「ご自分自身の内なるモラトリアム人間に気づいてください。そうすると、世代間の交流もよくなり、またちがったものの見方も生まれてくるはずです」

とアドバイスしている。さらに、

「モラトリアム人間の心理構造は、戦後の豊かな平和社会がつくりだした、幾多の要因の所産である。（管理社会、消費産業社会、情報化社会、高学歴社会、高齢化社会などと言われる）現代社会の基本構造が変わらないかぎり、社会心理面だけをあれこれ手直ししようとしても『角を矯《た》めて牛を殺す』の愚を犯すおそれがある。むしろ、たとえそれが、旧世代からみて憂うべき人間像であっても、率直にそのリアリティを認めたところから、世の中に対する処方箋を、それぞれのかかわる局面で、それぞれが見出してほしい」

と示唆してくれている。これらの小此木啓吾の指摘とアドバイスは、私にとって大変教示的であり、参考になった。

私は戦中生まれで、戦後の大変な時代を生きてき

たという「自負」から「自分はモラトリアム人間ではない」と自信すら持っていた。確かに私は「高度経済成長」期以前の日本社会を体験してきた。しかし同時にそれ以後の「管理社会、消費産業社会、情報化社会」などのなかで、日々呻吟してきた私でもあった。社会と無関係な人間など存在しない。「人間は社会的動物」なのである。私が認識しているか否かにかかわらず、私自身は、「高度経済成長」期の日本社会の影響下で生きてきたのである。「今の若者は……」などと高みから生徒たちを眺める資格はないことに気づかされたのである。

私は、「現代社会の基本構造」を憎悪し、否定してきていたのだと改めて再確認させられたのである。社会情勢の変化のなかで生徒たちも保護者も捉え返さなければならないのだ、という基本に立ち返ったのである。保護者のみなさんも「管理社会、消費産業社会、情報化社会、高学歴社会、高齢化社会」のなかで呻吟しているのではないか？　と考えられるようになったのである。

それ以後私は、何らかの〝問題〟を起こした生徒に対してはもちろん、一般的にも説教するのはやめた。まず生徒たちの考えていること、あふれ出てくることばをしっかりと聞くことから始めることにした。

たとえば、万引きをした生徒に対して「それが悪いことくらいわかっているだろうが！」と怒鳴るのではなく、「なぜ万引きをしたのか？」を問うことから始めたのである。もちろん、この問いに対する生徒たちの対応は千差万別である。なかには一切答えようとしない生徒もいる。ここで感情が先走りして怒鳴りあげる教職員は多い。それはまだまだ教師という高みから生徒に接しているからにほかならない。生徒の悩みや苦痛を共有しなければ、生徒と共通の地平に立って話ができないのである。教職員は教師という高みから下りるべきなのである。それがごく自然にできるようにならなければならないのである。これは「言うは安く、行うは難し」である。これができるようになって初めて生徒から、生徒の悩み、怒り、失望を共有しようとしていることを認めてもらえるのである。生徒が「教師」に心を開き始めるのである。

しかし「教師」は、生徒の悩みや苦しみを聞いてもそれらをすべて解決できるわけではない。言うまでもなく、「教師」は万能ではない。否！　むしろ無力である。この自覚に基づく謙虚さも必要である。ここでは教育実践という次元の話であって、教育本質論に関する次元の問題は後述したい。

「万引きは悪いこと」がわからないような中学生はいない。わかっていてもやらずにはおれない悩みや不安を抱えているのだ。生徒のことばに耳を傾け、それをまず受け入れることで、生徒たちとの対話が成り立つ。これはことばを換えて言えば、自分の判断の基準を絶対化しないということでもあろう。判断の基準あるいは価値を判断する尺度を持つべきではない、と言っているのではない。それは、それまで生きてきたなかで否応なしに身についているのであって、どうしようもないことである。しかしそれを絶対化することの弊害もまた同時に認識しておくべきだ、と言っているつもりである。教育あるいは指導の対象である生徒たちを認識し、理解する場合は、自分の尺度を基準に見てはならないということである。

教職員のなかには、生徒指導や「道徳」では、往々にして自分の価値基準あるいは徳目を教えることが指導だと、無自覚のうちに誤って認識している人がいる。これは教師の側の論理であって、その対象である生徒からすれば、単なる押しつけである場合が多い。

「平和教育」の場合も似た部分がある。「戦争の悲惨さ」や「命の大切さ」を教えることは言うまでもなく重要である。しかし生徒の置かれている現状や生徒の思いなどと無関係にそのことを強調してもそれは単なる押しつけでしかない。

教育や指導は、教師であれば誰でも理解しているように、生徒との関係で成立するのである。生徒の言い分をよく聞き、生徒を理解できたら、そこから指導は始まるのである。教師が生徒の身になって、生徒とともにぶつかっている問題にとりくむのである。生徒の身になって、生徒を問題に立ち向かう主体へと変革するのである。

だからといって、生徒が抱えている問題が簡単に解決するわけではない。小此木啓吾も言うように「現代社会の基本構造が変わらない限り」無理なのである。しかし生徒たちが抱えているその問題は、万引きしたり、喫煙したり、暴力を振るったりすることでは決して解決しないことを、生徒たちに理解させることはできる。その生徒たちが、自分の抱えている問題から逃げていたことを自覚させることはできる。そしてその後、その生徒たちが自ら抱えている問題の根源を探し出す、遠い道程の方向を朧気《おぼろげ》ながらでも示唆することができればよしとしなければならなかった。残念ながら私がやれたことはそこまでであった。教職員という社会的存在としてはこれが精一杯ではないのだろうか？　これ以上のことを求めるなら、教職員という社会的存在から大きく飛躍しなければならない。

「生徒たちのことばに耳を傾け、まずそれを受け入れる」ことによって、生徒たちのしでかした「問題行動」とそこに孕まれている生徒たちの不安や悩みをまず共有する。それは決してその「問題行動」を肯定するものではない。むしろそれを否定するためにこそ生徒たちの主張を肯定的に共有するということである。

「モラトリアム人間ではない」という高みに立っていた私自身の意識を、自ら生徒たちと同じ地平に引きずり下ろすことであった。

始めが肝心

教師たる者、子どもたちに嫌われるより慕われる方が嬉しいに決まっている。私もそうだった。俗に言う「子どもに好かれる教師」でありたいと思った。

しかも横着にも、人間的に優れた教師として「好かれたい」と思っていた。それは、生徒たちの自由を認め、生徒たちの能力や創意・個性などを導き出すものだとも考えていた。いわゆる「民主的な学級経営」である。

そんな私は、新しい学級を受け持つと、生徒たちに優しく接した。あまり上手くもない冗談などを交えて、生徒たちに話しかけていた。そんな私に多くの生徒たちは親しみを持ち、なごやかな学級ができた。私の教職生活の第一期（田川時代）は、まだおだやかな時代背景もあってそれで通用していたと思う。

第二期となる福岡市に異動してからは、それでは学級の態をなさなくなる事態が起こるようになった。授業中におしゃべりしたり、学習用具忘れが頻発したり、教室がゴミだらけになったり、学級内で「いじめ」が起こるなどなど、学級としての規律が守れなくなったのである。校外では万引きをやったり、喫煙が蔓延《はびこ》ったり、他校生のグループと暴力沙汰になることさえあった。もちろんその都度注意し、指導してきたが、その効果はほとんどなかった。否、むしろそのような「指導」は、反発を招くことの方が多くなったのである。

一九八〇年代、そんなことの指導をめぐって試行錯誤を繰り返していたなかから、私なりに一つの教訓を得た。それは、「始めが肝心」ということであった。「始めよければ終わりよし」、「終わりよければすべてよし」という諺もある。始めに優しくしておいて学級がまとまらなくなったことに気づいて、途中から厳しくしても通用しないということに気づいたのである。それはむしろ反発を招いて、学級荒れの火に油を注ぐようなものだったのである。

「始めが肝心」という場合の「始め」というのは、単に年度の始めというだけではない。それぞれの学期の始め、毎月の始め、毎週の始め、一日の始め、授業の始めということである。

1　年度の始め

何年生であろうと、三月末もしくは四月当初には新しい学級が編成され、学級担任が内定する。正式には新年度が始まる四月最初の職員会で決まる。子どもたちとの「たたかい」はすでにこの時点から始まっている。子どもたちと最初に顔を合わすときに新しい学級担任としてどういう態度をとるかは、決定的に重要である。このときに学級の一年間が決定すると言っても過言ではない。少なくともそういう自覚のもとに新しい学級担任は怠りなく準備しておかなければならない。

まず、子どもたち一人ひとりの情報を可能な限り集める必要がある。小学校の新入生の場合、保育園・幼稚園、中学校の場合、小学校の教師からの情報、新入生でない場合、前年度の担任からの情報をしっかりと集めておく。転入生があれば、前校の学級担任に電話を入れて、その子の情報を入手しておくこと。

しかしこれらの情報を絶対的なものと捉えてはいけない。子どもたちは、新しい学級のなかで短時日のうちに変化し成長するからである。そうならないうちの最初の出会いのときに、新しい学級担任がどんな態度をとるかが重要なのである。自然の成り行きに任せていると、学級としての規律のないままに新しい人間関係がつくられてしまう。その前に、学級担任としての態度を明確に打ち出し、学級としての方向性のレールを敷くべきである。

生徒たちとの最初の出会いは、新入生の場合は保護者も一緒だが、そうでなければ生徒たちだけである。

いずれであろうと、私は誰もがやるようにまず自己紹介から始めた。しかしこの場合、名前を名乗るだけの味気ないものであってはならない。担当する教科（私の場合は社会科）、年齢、自分の簡単な成長過程、家族構成などを自ら明らかにするとともに、私自身に関する質問を二、三受け付ける。際限もなく続けるわけにはいかないから、前もって「短時間だ」

と断って質問を受け付ける。中学三年ともなると、「奥さんとは恋愛結婚か？」などという質問も飛び出す。そのほか、

「なぜ教師になろうと思ったのか？」

「社会科が好きだったのか？」

「中学時代の成績は？」

などの質問が多かった。これらの質問には誠実にかつ明確に答える。その場合、自慢話は厳禁である。自慢話は「百害あって一利なし」である。むしろ苦労したことや失敗したことを話す方がよい。

　幸か不幸か私は田舎育ちで、経済的に貧しい少年時代を経験した。中学・高校時代の社会科の成績は決して悪くはなかったが、その基礎をつくったのは、小学校六年生のときに、「関東平野」を「かんとうひらの」と読んで級友はもとより、母にさえゲラゲラと笑われた屈辱が出発点だったことなどを話した。これだけのやりとりで生徒たちは、学級担任としての私をかなり身近に感じ始める。最初のわずか一〇分ほどの生徒たちとのやりとりである。

　その上で私は、学級担任としての三つの約束を提案した。これは新入生のみならず、二、三年生でも同じである。その三つの約束とは、
＊食べ物（のみならず物一般）を粗末にしないこと。
＊自分が出したゴミは、自分で始末すること。
＊みんなで話し合って決め、自分も納得した任務は責任を持って果たすこと。
ということであった。


まず、食べ物の問題について。

　私の幼少年期は、食べ物を手に入れることに苦労した時代であった。まともな食べ物はなかった。

　一九四四年秋、私たち家族は、仕事のある父一人を中国（中華民国、当時支那と呼んでいた）に残し、内地（現在の日本の範囲）に帰還した。その帰途、車中や船中で供された食事（弁当）は大豆飯、高粱《コオリヤン》飯であった。それも米粒より大豆や高粱の方が多いようなまずい飯であった。すでに米が不足していたのである。姉は米粒と大豆や高粱を選り分けて米粒だ

けを食べていた。隣に座っていた兵隊から、
「お嬢ちゃん、そんなことをしていたら食べるものがありませんよ」
と声をかけられたことが今も記憶に残っている。姉八歳、私は五歳だった。

敗戦後間もなくして、従兄弟の一家が引き揚げてきて、短期間であったが、狭いわが家で暮らしたことがある。そんな折にどのようにして手に入れたのか、母がいりこで出汁をとった味噌汁をつくったことがある。母としては当時精一杯の歓迎だったと思う。まだ幼かった従弟は、そのいりこを見て「ジジ、ジジ（魚）」と大喜びして、うまそうに食べていたことも忘れることができない。主食は、イモ飯か岩塩で味つけしただけのだんご汁（すいとん）の時代である。このような体験から私は、理屈以前に感覚的に食べ物を粗末にすることは許せないのである。

生徒たちに、私はこのような私自身の体験を話して「食べ物を粗末にしないこと」を訴えた。肥満児が社会問題になるほどの飽食の時代に慣れている生徒たちにはなかなか実感できないことだとは知りつつ、訴えずにはおれなかった。給食のパンやみかんをボール代わりに投げ合って遊ぶことなどは絶対に許せなかった。

このことは社会科の授業でも、私の現職時代の日本の食糧自給率（カロリーベース）がわずか五〇％（二〇一八年現在では四〇％を切った）に過ぎないこと、アフリカや東南アジアでは今なお多く餓死者が出ていることなどを語りつつ訴えた。しかもその背景には、日本を含む「先進国」と言われる国の人々の優雅な暮らしがあることにも触れてきた。このようなことの詳細は別にまとめたい。

次に第二の約束、「自分が出したゴミは、自分で始末すること」について。

「日本の街は世界で最も清潔！」と言われるらしい。誰が言うのか？　日本人、日本のマスコミが言っているそうだ。しかしこれは私たちの日常的感覚には合わない。

街のなかにはゴミがあふれ、田や畑のなかにさえ空き缶やビニール袋が散乱している。安倍首相はかつて日本を「美しい国」と讃えた（安倍晋三著『美しい国へ』文春新書、二〇〇六年）。しかし国内からの批判はもとより、ユネスコからさえ、あまりにゴミの多さゆえに富士山の世界自然遺産登録を拒否されて、安倍首相は「新しい国」と言い換えることを強いられた（安倍晋三著『新しい国へ』文春新書、二〇一三年）。

今や日本人は、自分たちの食糧を生産する田や畑に、平気に空き缶を投げ捨てるような感覚の持ち主になってしまった。

美しいはずの福岡城の濠や池にもゴミが浮いている。風のいたずらの場合もあるかも知れないが、寂しくなる風景である。

私の散歩コースの一つである室見川中流域の河川敷にも発泡スチロール、空き缶、ビニール袋などが散らかっている。

私の現職時代後半の学校内も同じであった。廊下や教室内に紙屑が散乱している。給食の後などには、ストローやさまざまな包み紙が散らかっている。ときにはこぼれた汁がそのままにされ、やがて悪臭を放ち始める。教室内をゴキブリが這い回ることさえあった。

真剣に掃除にとりくむのは大切なことである。しかしそれ以上に大切なのは散らかさないことではないのか？　廊下に紙屑が落ちていることに違和感を感じる感性こそが大切なのではないか？　ところが、少なくとも当時の生徒はそうではなかったのである。私が両手に荷物を持ち、そこに落ちている紙屑を拾えないとき、近くにいる生徒に、「そこに落ちている紙屑を拾ってくれないか？」と声をかけると、多くの生徒から返ってくるのは「私（僕）が捨てたんじゃありません」という返答である。このような反応に接すると半ば絶望的になる。寂しくなるのである。生徒たちは人間として当たり前の感覚を失ってしまっているのである。

しかし言うまでもなく、これは生徒たちが悪いのではない。社会の風潮に慣らされただけのことなのである。大人社会がおかしくなっていることの反映なのである。経済の高度成長期に育ち、「使い捨て」あるいは他人任せのゴミ処理、さらには飽食に慣らされた現在の大人たちの反映なのである。

消費の拡大こそが、経済を活性化させるという資本主義経済のなせる業なのである。最大の消費が戦争であることは言うまでもない。

二〇世紀末あたりからようやく地球温暖化など環境破壊が大きな課題となり関心を高めている。しかし二酸化炭素の排出量削減やリサイクルによる再活用などは、消費の拡大を前提とした利潤の増大を追求する拡大再生産とは相容れない。

「人類の危機」とまで言われている地球環境の破壊なのだから、利潤の追求などはしばらく横に置いて、全人類が協力すればよいのに、簡単にはそれができないのが資本主義経済なのである。貴重なリサイクル運動や崇高な奉仕活動である海岸や川の掃除もなかなか追いつかない。

一〇年ほど前から全国的に「便教会」なるものが活動しているという。「福岡便教会」が発足したのは二〇〇九年八月だそうである。その「会則」によれば、目的は、

「教職員が掃除という下座行を行う中で、掃除哲学を体得し、めざす教師像を具現する。さらに、学校教育の場で児童生徒と共に心を磨く掃除を行い、美しい心を持った人間を育成する」

ことであるらしい。「めざす教師像」として次の八項目を掲げている。

①困難から逃げない勇気ある教師
②言動が一致した信頼される教師
③下座行に徹し、謙虚な教師
④心の大きな教師
⑤生き方を見直せる教師
⑥掃除による心の教育を実践する教師
⑦教師仲間に掃除の渦を起こす教師
⑧福岡スタンダードの核となる教師

なお、これ以降にも「下座行」ということばが盛

んに出てくるが、これは「便教会」においては「トイレ掃除」を核とした掃除のことである。

「福岡便教会」世話人のなかには、大学時代の私の同窓生や元同僚の後輩なども名を連ねている。私は、このような運動が教育現場に広がることに強い危機感を抱いている。もちろん私はこの会に一度も参加したことはない。したがって詳細なことはわからないが、私はこの運動には危機感以上に怒りさえ感じている。この点を以下明らかにしたい。

「福岡便教会だより」第一号（平成二二年八月一七日付）に「便教会がめざすもの」を次のように掲げている。すなわち、「知育偏重」で「徳育軽視」とともに「校内暴力や不登校、モンスターペアレントなど教師の負担が重くなるばかり」、「教師は迷い、疲れ果て、精神的なバックボーンを失いかけている」という「困難な時代だからこそ教師仲間が集い、ただひたすら下座行に取り組むことによって『気づきや勇気ある実践力、感謝の心』などを身につけ、謙虚でゆるぎない信念と自信を持った教師を目指し、学校教育への信頼を取り戻す」ことだと言っている。

「知育偏重」、「徳育軽視」、「校内暴力・不登校・モンスターペアレント」、「教師の負担増・教師の疲労」など今日の教育現場の問題をそれなりに列挙してはいる。しかし教育現場の「このような困難な時代」が何故にもたらされたかについては、一言半句も述べられてはいない。だから「モンスターペアレント」などのことばにもカギ括弧もつけず平気に使用している。親だけの責任だと考えているのであろう。にもかかわらず、方針あるいは「めざすもの」だけは明確に打ち出しているのである。曰く、

「ただひたすらに下座行に取り組むことによって（略）謙虚でゆるぎない信念と自信を持った教師を目指し、学校教育への信頼を取り戻す」

というのである。このような論法は、答え（解決法）を見つけるために何一つ苦労はしていない証しである。答えが先にあるのである。そもそも列挙している今日の「問題」は、最初から教師の側の努力によって解決すべきものと決めつけているのである。そ

れは主体的であるかのように思えるが、実は単に主観主義であるに過ぎない。一方的に格好よく自分たちの努力で解決しようとしているかに見えるだけである。

言い換えれば、「問題」解決の全責任を一人ひとりの教師におっかぶせ、「実践力」、「感謝の心」、「謙虚でゆるぎない信念と自信」を「下座行」で身につけよ、と強制しているのである。一人黙々とトイレ掃除にとりくむ教師のことも紹介されている。

トイレをきれいにすること、清潔にすることそれ自体はすばらしい。その「行」によって、その教師が何らかの「悟り」に達するのであれば、それを否定しようとは思わない。しかしいくら「下座行」にとりくんでも何も「悟り」に達することができない教師の絶望感を救済することまで保証はしていない。さらに、何らかの「悟り」に達しても抱えている「問題」は決して解決しない。なぜなら、列挙している今日の「問題」そのものの分析は全くしていないからである。

そもそもこの「福岡便教会」なるものは、その目的第八項に「福岡スタンダードの核となる教師」と掲げているように、「福岡スタンダード」(「教育改革」の福岡市版)を実現するための「核となる教師」を育てることが最終の目的なのである。何のことはない。「福岡便教会」なるものは、「福岡スタンダード」の実現を目指す福岡市教委の意を体した別働隊なのである。このような問題の責任をすべて教職員個人の努力におっかぶせているのである。列挙している問題を解決できなければ、「すべて私の責任です」と受けとめてしまうように、教職員を追い込んでしまうのだ。自殺する教職員が増加する原因をつくるような運動なのである。「便教会」なる運動は、このような意味で百害あって一利なしなのである。

話を元に戻そう。私は学校内を清潔に整頓することによって、生徒たちを落ち着かせることができると考えた。廊下に紙屑が落ちていることに違和感を感じる生徒に育てることによって、落ち着かせることができると思った。掃除をしっかりする以前の問題にとりくむことによって、まじめに掃除にとりくむ、落ち着いた生徒を育てたいと思った。

そのために学級が編成された年度当初に、「自分の出したゴミは、自分で始末すること」と提案したのである。社会科学習指導のなかにおいても「自然環境問題」の教材を媒介に、このようなことを訴え続けた。「学級通信」・「学年通信」をも活用して度々訴えた。しかしこれは簡単ではなかった。粘り強いとりくみが必要だった。やがて紙で作った小さなゴミ箱を自分の机の上に置いて、自分の出したゴミをそのなかに入れる生徒も出てきた。廊下や教室に落ちている紙屑を拾う生徒の姿も見え始めた。

三つ目の約束、「みんなで話し合って決め、自分も納得した任務は責任を持って果たすこと」について。

学校集団や学級集団では、お互いに約束を守ることで、円滑で活発な活動が可能となる。一人でも責任を果たさないと活動が滞る。言い換えれば、それぞれが集団のなかで必要かつ貴重な存在であることを確認し合おう、ということである。

これと関連して、中学校に入学したばかりの新入生には、「中学生」としての自覚を促さなければならない。これまで「児童」あるいは「学童」と呼ばれていた子どもたちが、これからは「生徒」と呼ばれ始める。少年・少女から青年前期に達した自覚を促すのである。大人になる準備期間に入ったのである。それは自分の言動に責任を持つということでもある。これは一挙にできることではないが、そういう域に達したことの自覚を促すべきである。このことは入学式の当日、生徒たちに告げておきたい。公共交通機関の乗車賃は中学生から大人料金になるのが普通である。中学生になると社会は、全面的ではないが、半ば大人扱いするのである。こんな身近な例を挙げて説明してもよいだろう。

また、少し早いと思うかも知れないが、中学生は、同時に高校入試・就職試験などに向けた「受験生」であるという自覚も促しておく必要がある。そのために一層学習に励むことはもちろん、それにふさわしい人間的な成長が期待されていることも伝えておきたい。

ついでながら、「中学生は受験生」ということを強調したが、高校入試問題にしても就職試験問題にしても、中学三年生で学習する範囲からのみ出題されるわけではないからである。中学一年生の最初に学習する内容から、入試や就職試験問題の範囲なのである。中学三年になって「さあ、受験勉強」では間に合わないのである。その自覚を促しておくことが大切である。中学三年になって「そんなこと知らんかった」では後の祭りになるからである。このことは保護者にも伝えておかなければならない。したがって、中学校の教科書や授業中に記録したノートは、少なくとも中学校卒業までは大切に保管しておくように伝えておきたい。私の教職体験からすれば、少なくとも中学校社会科教科書は大人になっても役に立つ。大切に保管し、大人になってから読み返すのもよいことはお伝えしておこう。

中学生は、児童ではなく、「青年前期だ」ということとの関係でもう一点伝えておかねばならないことがある。それは、中学校では、小学校のときのように毎日同じ程度の宿題が出るわけではないということである。私は中学校は言うまでもなく、小学校でも高校でも宿題を出すことには反対だったが、この点は別に、私家版として『小・中学生に宿題なんか出さなくても』にまとめた。巻末を参照していただきたい。

入学式当日、新入生には、中学校では毎日決まったように宿題が出るわけではないことを伝えておきたい。小学校の場合、学級担任制であるから（最近、一部専科があるようだが）、基本的に学級担任一人が宿題を出す。しかし中学校は教科担任制なので、各教科担任が宿題を出す。だから宿題が重なることもある。ただし中学校では、毎日宿題を出すなどという決まりも習慣もない。したがって中学校では基本的に宿題は出ないと考えた方がよい。これは言われなくても、予習復習は自分でやれ！ということである。それをやらずに学業成績が下がるようだと、それは「君（本人）の責任だよ」ということである。このような自覚をも早いうちに促しておきたいものである。

教師たちは年度当初は多忙である。学校や学級としての態勢が整うのに一か月近くもかかる。学級では、座席の決定、学級役員の決定、班編成、掃除当番の決定、給食当番の決定、学習時間割の決定、部活動の編成等々、目が回るような毎日である。この間、始業式や入学式をはじめとする学校行事、生徒会行事が入ってくる。学級担任は自分のクラスの生徒を観察し、名前を覚え、特徴を把握しなければならない。こうしてなんとか学校や学級の態勢が整うのは五月初めの連休前後のころである。

この期間に教師が欠勤（年次有給休暇＝年休）・出張などで学校を留守にするのは禁物である。特に学級担任にとっては致命的である。学級づくりが後手後手に回ってしまうのである。その遅れは、一年間つきまとうと言っても過言ではない。余程のことがない限り、四月には欠勤・出張はない方がよい。この期間に、出張を命じるような管理職や教育委員会は教育現場を理解していないか、そんなことを無視しているのである。

教師の側からは、この期間に休みが取れないと苦痛なこともあるかも知れないが、一年間苦しみ通すことを考えれば、はるかに楽であり、生徒指導にも有効なのである。年度当初こそ、生徒たちをしっかりと躾けるべきである。躾けると言っても、私は道徳教育的に考えていたわけではない。学級担任としての考えや要請を、生徒たちに年度当初に伝え、納得してもらうということである。その考えや要請は一年間貫き通さなければならない。途中でこれがグラグラするようであれば、生徒たちが混乱し、反発に繋がることにもなりかねない。自分の考えや生徒への要請が誤っていることに気づいた場合は、もちろん変更しなければならないが、その場合は、まずその誤りを明らかにし、生徒たちに謝らなければならない。この点は後述する。

2　一日の始め

学校生活の一日の始まりは、教師にとっても生徒たちにとっても重要である。朝、スムーズにスタートできるか否かによってその日の一日が決まると言っても過言ではない。もちろん一日の始まりは起床からであり、これこそが非常に重要になる。しかしこの点は家庭生活に属するのでここでは触れない。しかし学校生活の円滑なスタートから逆算して考えていただきたい。

今からではすでに遠い過去になってしまったが、かつて日教組本部は、「勤務時間（一九九〇年代の日教組本部は労働時間とは言わなかった）短縮」、「雑務排除」を掲げていた。真面目な日教組組合員であった私は長い間、勤務時間の開始とともに出勤し、勤務時間終了と同時に退校していた。これは当時言われていた「サラリーマン教師」と同じ現象ではあるが、私としてはそれは一つのたたかいだったのである。特に分会長を務めていたときなどは意識的にそのようにしてきた。

しかしこれでは、同僚教師との関係もうまくつくれず、何よりも生徒たちとの関係づくりがうまくいかない。管理職や保護者からも「サラリーマン教師」と見られ、信頼をなくす。このような現実から私は、日教組本部の運動方針には「サラリーマン教師」と批判される要素が含まれているのではないかという疑問を抱いたのである。「勤務時間短縮」、「雑務排除」という日教組本部の運動方針には新たな労働強化の攻撃に関する分析もなく、ただ既存の労働基準法や条例を拠り所にした原則主義的な運動方針が打ち出されているに過ぎない。したがって、この方針は教育現場ではほとんど守られてはいないという現実であった。

私は、教育労働者の労働条件を考える場合には、教育労働の特殊性に関する分析をも媒介にすべきだと考えるようになった。政府による労働強化の攻撃に反対するたたかいと日常の教育労働＝教育実践とは次元の異なる問題だ、と気づいたのである。それは一九八〇年代初頭のことであり、日教組が弱体化し、日教組本部が運動路線を「教師＝専門職」論に基づく運動へと転換し、それが教育現場の日教組組合員の間に浸透し始めたころと重なる。日教組本部は「勤務時間短縮」、「雑務排除」というスローガンを徐々に引っ込め、「教師＝専門職にふさわしい賃金を」と要求し始めたのである。日教組運動が、「教師＝専門職」運動に純化するのに時間はかからなかった。

一九九〇年代には、日教組本部は、従来の運動を次々に放棄し、自らを教育に関する文部省（当時）の「パートナー」と位置づけるまでに変質したのである。攻撃に対する反対運動と日々の教育実践（教育労働）との次元の違いも考えず、単純に一八〇度裏返ってしまったのである。その根拠は、教基法や労基法の絶対化にあると思うが、ここでは日教組運動を論じるのが課題ではないので、これ以上の追究は控える。

要するに私は、生徒・保護者や同僚との関係を考えて、日教組本部の原則主義的な、したがって教育現場ではほとんど実践されていない運動方針に疑問を感じ、自らの働き方を変更したということである。

朝はある程度早く出勤し、登校してくる教職員や生徒たちを待つことにした。超過勤務になることは承知の上で部活動の顧問も引き受けた。しかし、管理職に対しては言うまでもなく、日教組本部の「教師＝専門職」論に基づく運動方針に迎合したわけではない。同僚との関係づくりを最優先し、同時に生徒や保護者との関係をも考慮したということである。

朝は、一日の学校生活にとって最も重要である。遅刻したり、遅刻しないために時間ギリギリに校門（あるいは教室）に走り込んだりすると、一日の学校生活が落ち着かないものになる。もちろん、個人差があると思うが、時間に追いかけられるような気がするのである。これは生徒たちにとっても教職員にとっても同じことである。

私は、一九八〇年代半ばから、始業時間（勤務時間開始）の三〇～四〇分早く出勤するように心がけるようにした。早朝練習（生徒たちは「朝練」と言っていた）にやってくる生徒たちの登校時間とほぼ同じころに出勤するのである。ゆっくりとお茶を飲み、ヘビースモーカーだった私は一服する。そして学級担任であるときは、登校してくる生徒たちをゆったりした気持ちで、教室で迎えるのである。副任であるときは、校舎内や校庭を一巡する。

「早起きは三文の徳」と言われるが、学校では「早出は三文の徳」である。まず同僚である教職員の姿がよく見える。中学校では一般に男性教職員の出勤は早い。殊に部活動指導に熱心で、朝練の指導をしている教職員の出勤は早い。最も早いのは教頭である。午前七時前には出勤する。一九九〇年代半ばから始まった機械化警備を解除し、教職員や生徒たちを迎える準備をするのである。

わが子のお母さんでもある女性教職員の出勤が遅いのは当然である。わが子に朝食を食べさせ、幼稚園や保育園に送り届けてから出勤するのだからである。少なくとも私が教職生活を送った中学校では、その間に男性教職員が、お湯を沸かしたり、コーヒーをいれたりして後からやってくるお母さん教職員を迎えていた。冬季にはストーブに火をいれて、職員室を暖めていたのも男性教職員であった。これは誰が決めたわけでもなく、ごく自然な職員室の朝の風景であった。

さらに、生徒たちの姿がよく見える。それは早朝の学校だけのことではなく、生徒の家庭の様子まで見えることがある。

私が教室に待機し、最初に登校してきた生徒に「おはよう！」と元気な声をかけて迎えるだけで、その生徒は嬉しそうにニコッとする。ときには「よう！　早いなぁ」などと声をかけると、「両親が早く出勤しますから」などという答えが返ってきたりする。その生徒の家庭の一端が見える。その生徒は静かに教科書を開く。後からやってくる生徒もそれに習う。私が何も言わなくても、朝の教室に静かな活気が広がる。誰が早く登校し、誰が時間ギリギリに駆け込んでくるかがリアルタイムでわかる。指導もしやすくなる。

朝の一〇分程度の学級の時間（朝の会）が非常に大切である。生徒が全員そろっているかどうか、健康状態はどうかなどをチェックすることが最も重要であることは言うまでもない。生徒の顔色や表情、姿勢などをよく観察したい。時間的に毎朝はできないが、ときには名簿を見ながら名前を読み上げて返事の声や状態を観察し、気になるようなことがあれば声をかけてみるとよい。病気がちの母がいる場合、「お母さんはお元気か？」とか、まだ眠そうな顔をしている生徒には「夕べは何時に寝たんだ？」などと。欠席している生徒がいたら、その生徒と親しい生徒あるいは近所に住んでいる生徒から様子を聞いてみる。

保護者から欠席届がない場合には、朝の会終了直後すぐに保護者と連絡を取らなければならない。登校中に交通事故に遭遇しているかも知れない、あるいは家を出るときには登校するかのように見せかけておいて、学校に行くのが嫌になって公園などで時間を潰しているかも知れないからである。保護者からの欠席届のない生徒の欠席は、直ちに保護者に連絡することを決して忘れてはならない。自分が忙しくて手が回らない場合には、管理職に連絡を要請してもよい。

朝の会では同時に、生徒たちにその日がどのような流れになるのかを理解させ、その心構えをつくらせることもまた重要である。時間に追いかけられるのではなく、その時間を待つように指導するのである。

その日の日直を確認することも、学級生活を円滑にするために重要である。

「学級の歌」を歌って心を一つにしたり、その日の新聞記事から選んで「今日のニュース」を発表する学級もあった。それはそれですばらしいとりくみではあるが、私は生徒たちがその日の学校生活を円滑に送ることができる点に重点を置いていた。

副任のときは、早朝に校庭や校舎内を一巡した。福岡都心部でも早朝の校庭は、静かで鳥の声さえ聞こえる。その季節ともなれば、虫の声が聞こえることもある。樹木や野草の花も美しい。彩り豊かな春や秋ばかりでなく、冬には冬の校庭の顔がある。「学級通信」や「学年通信」の記事を通じて、このような校庭のすばらしい四季の移ろいなども生徒や保護者のみなさんに伝えてきた。このようなとりくみは私家版で『福岡都心部の校庭の四季』にまとめた。

校舎内を一巡したときには、担当学年が違っても、すでに登校している生徒たちに声をかけた。中学校の場合は、教科担任制だから、自分が二年生所属でも一年生や三年生の教科を担当することも多い。部活動を指導しておればなおさらである。中学校教職員の場合、学級や学年に縛られるような感覚は薄い。この部分は、小学校の教職員とは若干感覚が違うかも知れない。

校長や教頭など管理職は、校舎管理の観点から毎日、校舎内や校庭を一巡していたが、私は生徒の様子を見ることに軸をおいて校舎内を一巡していた。早朝に登校して一人ポツンとしている生徒がいたときなどは教室に入り込んで声をかけた。短時間、話をすることもあった。

朝のスタートが円滑であれば、生徒たちにとっても教職員にとってもその日一日の学校生活がスムーズに、かつリズミカルに送られる。

しかし教職員も社会人である。家族もあり、地域の一員でもある。体調の優れないときもある。したがって、区役所や病院に出かけるために時間休をとらざるを得ないこともある。そんなとき（急病の場合は別だが）、朝のうちに時間休をとるより、できることなら早朝の学級指導を終えてから時間休をとる方がよいと思う。ただし、その学校の様子をよく観察して判断することをお勧めする。

3　週のはじめ・月はじめ・学期はじめも大切

一週間のうちでは月曜日（休日なら火曜日）が大切である。休日明けであるから生徒たちはやや緊張感に欠けている。しかもさまざまな役割のなかで過ごとに交替するものがある。給食当番や掃除当番などである。この交替が円滑に行われないと、学級が混乱する一つの要因になる。それを防ぐために週のはじめは重要なのである。

月はじめも同じような意味で重要である。学級内の役割が、月ごとに交替するものがあるからである。

一学期のはじめは、同時に年度（学年）はじめでもあるから、その重要性はすでに述べた。二学期・三学期のはじめは、それぞれの学期の学級のリーダーを選出したり、前学期の反省を踏まえて、新たなスタートラインに立つという意味で重要である。座席や班構成などを再編することもあるだろう。このような基礎的・基本的なことを着実にやり遂げておかないと学級が混乱することになる。

以上のようなことから、月曜日や火曜日、あるいは学期はじめの一週間くらいは、教職員は年休をとったり、出張したりするのはできるだけ避けた方がよい。

4　最初の授業と授業の始め

はじめてそのクラスの授業に臨むときもまた重要である。学級担任からクラスの特徴や特徴のある生徒の情報を入手しておき、しっかりと自分自身の心構えをつくっておくことが大切である。もちろん、学級担任による分析や認識が正確だという保証はない。したがってその学級を自ら観察し、修正すべきところは修正しなければならないことは言うまでもない。

自己紹介についてはすでに述べた。その上で自分が担当する教科学習の目的を生徒たちに充分に伝える必要がある。そのために最初の授業時間は使ってしまっても構わないのではないかと思う。

もう一つ、毎時間の最初の二、三分が非常に重要である。私はその教室に入るとき必ず、「さあ、やるぞ（始めるぞ）！」と元気に声をかけた。休み時間とのけじめをつけるためである。これは生徒たちに要求するとともに自分自身に気合いを入れる意味もある。

そして始めの挨拶をする。級長（あるいは学級委員）や教科係・日直などその学級で決められた係が号令をかける。

「起立！　礼！」

「お願いします！」

「着席！」

とやるのが普通である。学校で統一している場合もあるかも知れないが、教科担任の考えでやればよいと思う。私は「起立」の必要を感じていなかったので、生徒たちは椅子に腰を下ろしたまま挨拶した。私も

「お願いします」

と言うのである。生徒たちだけが教師に教わるだけでなく、教師もまた生徒たちに学ばなければならないからである。

次に欠課者がいないかどうかを確認する。顔色が悪いなど気にかかる生徒がおれば声をかける。

そして私は黒板を見る。前の授業の板書がきれいに消されているかを点検するのである。たとえ消されていても斑《まだら》に残っていたり、消し方が不充分であったりすると、私もそうだが生徒たちも落ち着かない。

次に教室全体を見る。ゴミが散らかっていたり、机の並びが歪んでいたりするとやはり落ち着かない。散らかっておればゴミを拾わせ、ときにはサッと掃き掃除をさせたりする。机や椅子も可能な限り縦横を整頓させる。生徒たちが落ち着かないだけでなく、私も嫌なのである。

教室がきちんと整頓されていることは、学習環境としては重要なことなのである。気づくことがあればすぐになおさせる。学習用具がそろっているかどうかもサッと見渡す。

ここまでのことは、教科の授業を始めるまでに必ずやっておきたいことである。これは毎時間必要である。決して時間の無駄にはならない。このようなことを毎時間続けていると、生徒たちの方が事前に気をつけるようになる。

服装にも気をつけよう！

教職員の服装については、保護者との関係の項でも触れるが、生徒との関係でも大切である。中学生ともなると、教職員の服装には一家言の持ち主である。ネックレスがどうだ、ネクタイの趣味が悪いなどと噂する。私は女性教職員の服装については意見を述べるほど関心も知識もない。したがって男性教職員の服装に限って以下述べる。

学校などのことを「教育現場」と言う。まるで道路工事やビル建設の「工事現場」を連想させるような言い方である。しかし私は適切な呼び方だと思う。仕事の中身は違うかも知れないが、組織的には教育委員会（事務所あるいは事務局）に統括されている教育の「現場」なのである。教育の最前線なのである。それだけに何かと汚れる現場でもある。したがってスーツにネクタイ、あるいはドレスというわけにはいかない。

中学校の場合であれば、理科の教師は授業中に、医師や薬剤師のように白衣を着用する。初歩的・基礎的ではあれ自然科学を教授・指導する科学者だからである。

技術科教師の場合は、自動車修理工場のエンジニアのようなつなぎを着ることもある。技術者なのである。

家庭科の調理実習の場合は、割烹着かエプロンを着用するであろう。コックあるいはシェフである。

体育の授業のときは、言うまでもなくジャージなどの体操服に体操帽を着用する。美術科の教師の場合も油絵を描く場合、彫刻の場合などそれにふさわしい服装をする場合もある。

問題はこれ以外の教科を担当する教師の場合である。国語・数学・社会・音楽・英語などの教師たちである。これらの教師たちは、前述した教師たちに比べれば汚れる度合いは低い。しかし教育現場という職場はチョークを使う。生徒たちと一緒に掃除することも多い。埃を被る場面が多いのである。時間が許せば、意識的に生徒たちと一緒に球技をしたり、相撲をとったりすることもある。教師は教育現場で教育活動に従事している間は、スーツにネクタイというわけにはいかない。

私は社会科担当であったが、校内ではズボンは出勤時と同じでも、上衣はスーツを脱ぎネクタイを外してジャンパーに着替えた。逆に教育現場でスーツにネクタイで通す管理職以外の教師は、果たして生徒たちと真剣にとりくんでいるのか疑わしい。

教育現場の教師の服装はラフでよいのだと言っているわけではない。汚れる教育現場だから汚れてもよい服装であって然るべきだ、と言っているのである。したがって当然その服装には自ずから限度がある。保健体育科の教師でもないのにジャージの上下で教壇に立ったり、暑いからと言ってTシャツで授業に臨むなどは私はしたことがない。

私が現職のころにはほとんど見かけたことはないが、最近、時々髭を生やした教師を見かける。何のために髭を生やすのか私にはわからない。ファッションの一つで個人の自由ではないか、と言うかも知れない。あるいは髭を生やすことによって生徒の人気者になる可能性もあるかも知れない。しかしそれは教育現場では邪道であろう。私はそれとは次元の異なる提案をしているのである。ご理解願いたい。

女性教師の場合も、装飾品を数多くつけたり、キラキラする服装であったり、厚化粧するのは好ましくないであろう。初歩的・基礎的な内容であるとは言うものの、教師は少なくとも学問や技術・芸術を教授・伝授しているのである。それにふさわしい服装を保つためには限度があろうというものではないか！　教師はできるだけ生徒たちに素顔を見せるべきである。髭を生やしたり、装飾品を多くつけるなどして、自分の素顔を隠すべきではない。そんな状態と心構えでは、生徒たちと真に心の交流ができるはずがないではないか！

服装について自己規制できない教職員がいると、管理職に注意されたり、場合によっては「制服を決めよう」などと言い出されかねない。

教育現場ではないが、二〇一〇年五月、職員の髭を禁止しようとする地方自治体が現れたと報じられた。服装や髭・服飾などの「乱れ」が地方自治体の職員や教職員を管理統制する口実に使われるのである。こんなことになっては、ばかばかしいではないか！　管理職から、あるいは地方自治体当局や教育委員会からケチをつけられない程度の服装はしておきたいものである。それでも戦前・戦中のような服装まで統制する動きが出れば、断固反対すべきである。当局の邪《よこしま》な意図があると思われるからである。

北朝鮮のニュースがテレビ報道される場合、同じような詰め襟の服装や軍服で登場する政府の役人たちがいる。若い人たちのなかには違和感を持つ人もいるかも知れない。それ自体は正常な反応であると思うが、戦時中の日本は、その点もっと徹底していたのである。男性は、国民服といって、一九四〇年一月に発表されたものを着用するように強制された。カーキ色で上衣は五つボタン、ズボンも同色でゲートル（巻き脚絆《きゃはん》）を巻く。頭には戦闘帽という服装である。私は幼いころ、当時の成人男性の多くはこの服装であったことを覚えている。これは「最小限度の手直しで軍服として使え、布の節約」（二〇一〇年八月三日付「読売新聞」の「家庭面の一世紀」より）にもなったそうである。

女性の服装の場合は、一九四一年一二月二〇日（太平洋戦争開戦日の直後）、厚生省（当時）が「標準服」を発表している。当時の女性の多くは和服であった。これを「日本襟にスカート」という和洋折衷の服装を考え出したのである。すべてを洋装にするのは、「鬼畜米英」を叫んでいるときにふさわしくない、というので奇妙な服装になったそうである。しかしこの和洋折衷の「標準服」はほとんど普及せず、モンペが普及した。モンペはもともと東北地方などの農村の仕事着であり、和服に比べればはるかに活動的である。戦時下にふさわしいというわけである。

今の祖父母が若かったころは、このように服装まで画一化された時代だったのである。少なくとも私にとっては遠い昔の話ではない。

話は少しそれるが、私が田川地方から福岡市に異動して驚いたことの一つに「生徒指導主任」あるいは「補導教諭」と呼ばれた教師たちの服装があった。「生徒指導主任」とは、授業はほとんど受け持たず、「問題」を起こした生徒の指導や保護者あるいは他校の担当教師などとの連絡・調整に当たることに専念する教師のことである。そのような教師の一部に、毎日、ダブルの背広を着用し、サングラスをかけて高級車を駆って出勤してくる教師たちがいた。見るからに怖いのである。まるで「暴力団」の組員と見まがうような出で立ちをしているのである。生徒指導を何と心得ているのだろうかと思ったものである。

とうとう橋下徹・大阪市長（当時）が、大阪市職員に対して「入れ墨調査」を強行した。「入れ墨」については その定義を明確にしなければならないが、一般的には公務員にはふさわしくないと思われているだろう。「個人の自由」と言ってもよいが、そんなことを言う前に、大阪市職員は自分が何のために「入れ墨」をしたかを問うてみるとよい。入れざるを得なかった理由があるのであればそれを主張すればよい。「入れ墨」は「個人の自由」などという高尚な問題ではないのではないか？　このようなことをするから、これを口実に服装や言動がさまざまに規制されることになる。

福岡市の高島宗一郎市長は一か月間の自宅以外での「禁酒令」を発した。福岡市職員が飲酒の上、「飲酒運転」、「暴行・傷害事件」などいわゆる「不祥事」を立て続けに起こしたことへの市長の対策の一つとして打ち出されたものだった。これに対しても「行き過ぎ」という批判があった。しかし市職員の方から、このような対策を打ち出されるようなことをするからである。これを口実にさらに身分上・勤務上の規制が強化されることをこそ警戒すべきである。

もう一度言う。教師は子どもたちに素顔を見せるべきである。服装や装飾品で素顔を隠したり、誤魔化すべきではない。

上履きにも注意したい

私が教職に就いたころ、教職員はみんな上履きとしてスリッパを履いていた。履いたり脱いだりするのが容易だったからであろう。廊下などを歩くとパタパタと音がした。格好をつけて皮革製のサンダルを履いた管理職もいた。かかとが固いから歩く度にガタゴトと音がした。

しかし一九七〇年代後半ごろからスリッパの上履きは運動靴に変わった。生徒たちが「荒れ」始めたからである。授業中に教室から逃げ出す生徒、注意されているときに逃げ出す生徒などが出始めたからである。スリッパでは教職員たちは、生徒の素早い動きに対応し切れなくなったのだ。いざというとき、いつでも運動場であれ、校外であれ、飛び出せるようにしたのである。また喫煙やシンナーなどを吸う現場を見つけるために音が出ない履き物に変えたのである。教職員たちの上履きの悲しい変化であった。

もちろん、授業の邪魔になるような音が出る上履きはやめるべきであろう。これも服装と同じで、自ずから教職員にふさわしい上履きがあるはずである。

校長のなかにはそれを誇示するような服装や履き物にこだわる人がいた。そうでもしないと校長であるようには見えないと思うほど、自信がないのであろうか？　あるいは自分が校長であることを誇示したいのであろうか？

最近は、教室で使用する上履きと体育館（講堂と兼用が普通）で使用する上履きとは区別するようになっている。床の塗料との関係だそうである。生徒たちに義務づけるだけでなく、教職員もこれはしっかりと守らなければならない。生徒たちと同じように教職員も上履きを二種類準備しておかなければならない。

長期休暇は要注意

二〇〇四年六月一日、全国の教育関係者はもとより、多くの人々の間に衝撃が走った。佐世保市で引き起こされた小学校六年生女児による同級生女児殺害事件である。

加害女児が殺意を抱いた直接の動機は、被害女児からのチャットによる身体上の「欠陥」（太り気味）の指摘だったと言われている。真相はわからないが、加害女児が明らかに変化し始めたのは、四月から五月にかけての連休後だったという。その年四月に開校した中高一貫校への受験勉強のために、唯一の仲間がいたミニ・バスケット部を退部させられ孤立していた加害女児は、「G・W」と言われる連休にもかかわらず、病弱な父と、仕事に忙しい母であるがゆえに、どこにも連れて行ってもらえなかったという。加害女児の同級生たちは家族そろって自家用車で観光地に出かけたのであろう。このような状況のなかで、唯一チャットを通じて心を通わせていた被害女児から身体上の「欠陥」を指摘されて、絶望的になったのではないか、と言われているそうである。

私がこの事件の深刻さを感じたのは次のようなことからである。すなわち、加害女児は、同級生殺害後の事情聴取のなかで何度も「手紙やチャットではなく、〇〇ちゃん（被害女児の本名）に会って謝りたい」と言ったという。孤立感を癒すためにインターネットにのめり込んでいた加害女児は、自ら殺害したという現実を、現実として受けとめ得ないのだ。専門家の間では「ゲーム脳」などと、すでに指摘されていたことだとは言うものの、私はこの加害女児のことばに言いしれぬ恐怖と憐憫の情を禁じ得なかった。現実と非現実とを区別できないようなのである。

その後、加害女児に対する「精神鑑定」や事情聴取が進められ、指導なども行われたと思われるが、現在どうなっているか私は知らない。したがって安易な結論を出すべきではないと思うが、この事件の背景には、「ＩＴ革命」や文科省による「教育改革」あるいは小泉内閣による「構造改革」などによって追い詰められた大人や子どもたちの破壊された生活があることだけは確かなように思える。

私は現職のころ（二〇〇〇年に退職）から生徒たちのかなりの部分が長期休暇の過程で、個人差はあるものの、大きく変化することに気づいていた。一年間のうちでその最初が四、五月にかけての連休（Ｇ・Ｗ）のときである。その年によって若干の違いはあるが、平均的にはわずか四、五日のことでそれほど長期とは思えない。しかし子どもたちにとっては、結構長い自由な時間なのである。夏休みや冬休み、あるいは春休みともなれば、生徒たちにとってそれは相当に長い自由な時間なのである。通常とは生活のリズムががらりと変わってしまう。出会う友達も変わってしまうのである。煙草を覚えたりシンナー（最近は薬物か？）を吸うこともこの時期に覚えることが多い。だから、夏休みなどの場合、一定の期間内に電話をかけたり、家庭訪問をするなどして、生徒たちの様子を見ることも大切である。教師の方から夏休みには暑中見舞い、冬休みには年賀状を出すのもよいことだと思う。

そういう意味では、かつて夏休み中、ほぼ十日間隔で「登校日」を設けていたのは大変賢明な措置だったのではないかと思う。福岡市の場合、八月一日、八月六日（広島原爆忌・平和を願う日）の平和授業を行う日、八月二一日（教職員の給料日）が普通であった。この措置は、一九九七年八月六日（平和授業が行われる登校日）、福岡県春日市で登校中の女児（小学校二年生）が誘拐され、殺害された事件を理由に、校長たちが「夏休みには子どもたちを家庭・地域に返す」と主張し、これを受けた福岡県教育委員会が夏休み中の全校出校日を全廃したのである。平和教育つぶしの決定的な打撃であった。福教組本部もこれを承認し、「八・六平和授業」は急速に教育現場から消えたのである。しかし考えても見よ、たまたまその日（八月六日、平和授業の日）に女児誘拐・殺害事件があったからという理由で、登校日を廃止すればば、近代公教育は成り立たないではないか！　登校日に事件があったから登校日を廃止すれば、そもそも学業日を設けることができないではないか！

現在、私の知る限り、福岡県下では夏休み中の全校出校日は全廃されている。逆に教職員は、「夏休み」を奪われて、研修漬け・作業漬けにされているという。「先生たちは夏休みや冬休みがあっていいなぁ」というのは遠い遠い昔のおとぎ話になってしまった。

部活動に参加している生徒は、午前中など短時間ではあっても登校して練習にとりくむから、極端な生活環境の変化は起こらない。これだけでも部活動指導には「教育効果」があると言えるかも知れない。

もちろん、長期休暇は悪いことばかりではない。いい友達に出会って、心の安らぎを覚え、生活に落ち着きが出てきたり、学習や自由研究に意欲的になったりする場合もある。いずれにしても長期休暇は、生徒たちにはかなり大きな変化をもたらす。したがって教師は長期休暇終了後一週間くらいは生徒たちの様子を充分に観察し、指導すべきである。特に夏休み終了後は重要である。

「いじめ」が急増するのも夏休み明けの直後からである。二学期の初日に休む生徒がいたら、直ちに保護者と連絡をとり、必要であれば家庭訪問をすべきであろう。季節も残暑厳しいころであり、直ちに学校生活のリズムが取り戻せるわけではないから、生徒たちの体調を含め、充分に観察し指導する必要がある。教諭である私も、一年間の教職生活のなかで九月上旬の勤務が一番辛かったことを思い出す。現在の教職員のみなさんはいわゆる「夏休み」が奪われているから、そんなことはないのかも知れない。

元気で明るく

教職員も人間である。体調の悪い日もあれば、気分が優れない日もある。親子げんかや夫婦げんかをすることもある。悩み事を抱えていることもある。しかし一旦、子どもたちの前に立ったら教職員たる者、元気で明るく振る舞いたい。特に小学校の教職員にはこれが要求されるのではないだろうか？　教職員が不機嫌でむっつりしていれば、子どもたちは楽しいはずがない。

したがって教職員は、自分のためだけではなく、子どもたちのためにも常に健康には気をつけるべきである。二日酔いで、ガンガンする頭を抱えて出勤するなどということがあってはならない。もっとも最近は、そんなに酒を飲む時間的余裕すらないというのが教職員の現状らしい。逆に、ストレスがたまることが多いので、それを解消するために深酒をするケースも見られるという。

私は貧弱な体格だけれど、現職のころは大きな病気をしたことがない。戦後の厳しい食糧事情のなかで育ったからかも知れない。食べ物の好き嫌いはほとんどないと思っている。強いて言えば、高度経済成長期以後に豊富に登場した乳製品が苦手である。幼少期に食べたことがないからかも知れない。牛乳を熱して料理に使うグラタンとかホワイトソースなどである。そもそも牛乳やトマトや胡瓜に火を通して料理に使うなどということには今なお馴染めない。私にとっては牛乳はそのまま飲むものであり、トマトはそのままかじるものなのである。胡瓜は糠味噌漬けにするか酢の物にするという感覚なのであって、これらに熱を加えて料理するなどということは、私にとって食べ物の範疇には入らない。

私がはじめてチーズを食べたのは学生のころであった。当時は今のように種類が豊富にあったわけではなく、直方体にカットしたものであり、私は石鹸ではないかと思ったものである。はじめてプリンを食べたのもそのころである。

「はじめてのプリン」には忘れ得ない思い出がある。それは一九六〇年一二月二四日、クリスマス・イブの日であった。その日私は東京の銀座四丁目にいた。当時、私は大学三年であった。私が卒業した大学は「蛸の足大学」と揶揄されていたように、本校と四分校に分かれていた。これを一つに統合するという話が出て、その土地を出光興産の創業者・社長が提供することに決まりそうなころであった。そんなとき、私は学生自治会代表の一人として出光興産本社の出光佐三社長に会いに行ったのである。「金《かね》（土地）は出しても（教育に）口は出すな」という当時の学生たちの総意を伝えるのがその目的であった。出光佐三社長は福岡県宗像郡（現・宗像市）の出身で、当時、その周辺の大地主であった。

出光佐三社長は私たちに昼食をご馳走してくれた。かなり大きめの重箱詰めの幕の内弁当だった。そのデザートに供されたのがプリンだったのである。当時私はその食べ物の名前も知らなかった。「大金持ちというのはこんなものを食ってるのか」というのがそのときの感想である。特に味を賞味する余裕はなかった。美味いともまずいとも思わなかった。

私の青年期までの食生活とはこんな貧しいものであった。しかし今から振り返れば、栄養失調になりがちだった敗戦直後の食生活を除けば、当時の食生活は現在のそれよりはるかに健康的だったように思える。

それはともかく、教職員は一層健康には留意すべきなのである。毎年の健康診断も必ず受けて、自分の弱点を知り、それを克服する努力をすべきである。暴飲暴食はせず、バランスのとれた食事をし、一日六～七時間の睡眠時間は確保すべきである。その上で、自分の弱点を克服するためにとりくむべきである。私は幸いにして、現職中には大病はしなかったが、気管支が弱いらしく、よく風邪を引いた。特に季節の変わり目はよくなかった。今なおそうである。そんな私は、一〇月一日から翌年の三月三一日までの半年間、一日も欠かさずうがいをした。うがい薬を使用するのが一番よいのかも知れないが、薄めの塩水でも充分だと思う。冬、睡眠時にはマスクをかけた。クーラーなどという贅沢なものを取り付けた一九九〇年代半ば以降、どんなに暑くても眠るときは必ず冷房を消すなど健康に留意した。もっとも最近は猛暑日や熱帯夜が続き、クーラーと扇風機をうまく使え、と言われているようだ。もはや「クーラーは贅沢品」などと言うのは時代遅れらしい。

健康にはストレスも大敵である。言うまでもなくストレスは、自分の思い通りにならないことが度重なるほど蓄積される「精神的圧迫感」である。一九九〇年代から徐々に教育現場に変化が現れ始めたが、二〇〇二年度から「教育改革」が具体化されるに及んで、教職員たちは多忙と精神的重圧に押しつぶされそうになっているという。子どもや保護者たちの変容など、教職員にとって教育活動上困難な条件が増大したこともその要因の一つではあるが、何よりも文科省による「教育改革」が教職員を追い詰めている。「教育改革」それ自体については別に論じなければならないが、「教育改革」が具体的に教育現場に導入され、教職員の教育活動上の「自由」が日々剝奪されている現状こそが、教職員のストレスの最大の要因になっていると考えられる。

最近、福岡市の教育現場では、校長や教頭が突然授業中の教室に何の断りもなく入ってきて、何やらメモをとるという姿がよく見られるようになったそうである。さらに「学校開放週間」と名づけられたとりくみが行われるようになったともいう。福岡市立のあらゆる学校で一一月ごろ、子どもたちの登校時から下校時まで、土・日を除く五日間、保護者はもちろん、地域の住民に「学校を開放」して子どもたちの学習活動や教職員の教育活動を公開するというとりくみである。これは一見、保護者や地域の人々に学校教育を広く理解してもらうすばらしいとりくみのように見える。しかしその最大の目的は教職員の教育活動を評価してもらうという点にある。このとりくみに参加した保護者や地域の人々は参観後、学校側（管理職）が準備したアンケートに答えるのである。子どもたちの学習活動との関係で、教職員の教育活動を五段階評価するのである。教育現場ではこれを「外部評価」と呼んでいる。文科省や教育委員会はこれを「地域に開かれた学校」という。

教職員の処遇（賃金や配転など）にも跳ね返る「目標管理」制度が本格的に導入された。福岡市においては、管理職を対象にした「目標管理」制度は二〇〇四年度途中から導入され、一般教職員を対象としたそれは二〇〇五年度から試行的に実施された。教職員は、一年三六五日、監視の目に晒されるのである。勤務時間中は管理職によって、場合によっては保護者や地域の人々によって、勤務時間外であっても監視されるのである。

二〇〇四年の秋、福岡市の公立学校の一部では、自民党系の市議会議員が子どもたちの登校時から下校時までの一部始終を観察したという。教職員は緊張の連続である。市教委から評価される管理職もまた緊張しっぱなしである。したがって管理職は評価を上げるために一般教職員をさらに強力に統制し、尻を叩くことになる。教職員は、管理職や保護者・地域住民の目ばかりを気にするようになり、本意ではないのに子どもたちへの配慮や指導は二の次になってしまいそうになる。これは単なる杞憂ではなく、すでに福岡市内の教育現場にはそのような傾向が現れているという。

内容にさまざまな違いがあるとは言うものの、教職員は教育に関する理想、あるいは教育哲学とでも言うべきものを持っている。福岡市では、二〇〇五年度から、一般教職員を対象にした「目標管理」制度が試行的に導入されたことはすでに述べた。これは教職員それぞれが年間教育目標を立てて、その実現のために自ら努力するのである。一見至極当たり前の制度であるように思える。しかしこの目標は、それぞれの教職員の思うままになるわけではない。校長が策定する「学校経営方針」に沿った内容でなければならないのだ。しかもそれは数値目標でなければならない。たとえば、「生徒の遅刻をゼロにする」、「担当教科の平均点を七五点以上にする」などというように。それにそぐわない「教育目標」であれば、「面接（面談・ヒアリング）」といわれる校長との話し合い（年に三回程度行われる点検・検閲など）

で修正される。両者の合意で「教育目標」がつくられたかのような装いをとってはいるが、実は教職員それぞれが自らの教育的理想や教育哲学に基づいて策定した「教育目標」が強制的に修正させられるのである。ここで教職員それぞれの教育的理想や教育哲学は無惨に打ち砕かれてしまう。

教職員それぞれの教育的理想や教育哲学には、それぞれのあるいはさまざまな欠陥や問題点を孕んでいるであろうことは私も否定はしない。しかしそれ以前に、教職員の教育的理想や教育哲学を否定することを前提に、あるいはそれを一つに統一することを前提にすることには賛成できない。教職員は、その善悪は別として、自らの教育的理想や教育哲学の実現に邁進しているのだからである。しかも文科省はもとより、教育委員会も管理職も、そんなことは先刻ご承知の案件である。にもかかわらず何のために教職員の思想（教育的良心・理想・哲学など）を統制しようとするのか、その点は別に考えたい。

このように教職員それぞれの思想を否定したり、一つに統一するような教職員評価制度が本格的に実施され、教職員の多くは、心身の疾患に悩まされている。自分がやりたくないこと、あるいはやってはいけないと思っていることを強制されるからである。自らの良心を否定しなければならないからである。

これは近い将来に予想されることではなく、すでに現実になっている。精神疾患で病休をとる教職員が急増するとともに、近い将来の教育に失望して定年前に退職する「若年退職者」が増えているという現状である。教職員は、心身ともに疲労困憊している。このような状態では、教育そのものの存立が危うい。しかしそんなことは政府・文科省は先刻ご承知である。文科省は、これまでの教育、つまり「戦後民主教育」をぶっ壊そうとしているのである。それに替わってどんな教育（制度・内容・教職員など）を創造しようとしているのであろうか？

最近、二〇〇二年度の「教育改革」導入以後に教育現場に入った若い教職員の話を聞くことができた。

彼／彼女らはこのように変容した教育現場が「普通なのだ」と認識しているという。危険きわまりない教育現場の状況が進行しつつある。

感性を磨こう！

最近、無感動な若者が多いと言われている。歓び・悲しみ・怒りなどを感じない、感じてもうまく表現できないそうだ。その真偽のほどは私にはわからないが、歓びや悲しみを子どもたちと共有できない教職員ほど、子どもたちにとって白けた存在はない。そういう意味で一般論としても教職員たる者、自らの感性、特に人間関係の機微を感じとる感性を豊かに磨くべきであろう。

特に最近は、パソコン・携帯電話・スマホをはじめＩＴ機器が普及し、対人関係をつくるのが苦手な若者が増加しているそうだ。そうであればなおさら自らの感性を磨く必要があるように思われる。

子どもたちの顔色やちょっとした仕草、あるいはことばの端々から、その健康状態や心の揺らぎなどを即座につかみとりたいものである。これができなければ指導の出発点に立てないではないか？　しかもその質を高めたいものである。駄洒落で子どもたちをゲラゲラ笑わせることもときにはよいが、できることなら子どもたちの心に清らかな感動を呼び起こし、決して派手ではないが、心の奥底に静かに沈殿するような感動を残したいものである。

私は、そのような感性が豊かなのかどうか自分では全くわからない。ということは結構鈍いのだろうと思ってきた。現職のころ、おそらく私は難聴だということも相俟って、多くのことを見落とし、聞き落として、せっかくの機会を逃してきたのではないかと思う。

感性を豊かにするにはどうすればよいのか？　直截的には子どもたちをよく観察し、子どもたちと頻繁にことばを交わし合うことであろう。しかし一般的に感性を豊かにすることも必要であろうと思う。

私は日常的かつ一般的に感性を磨くために、次のようなことに意識的にとりくんできた。

その第一は、優れた文学作品をなるべく多く読むこと。古典文学にしろ、近代文学にしろ、優れた文学作品は、人間の心の襞《ひだ》やその変化をみごとに捉えて表現している。作品によっては、その時代背景（政治・経済・社会など）と密接につながっていたり、哲学的裏付けのもとに書かれていたりする。ハラハラ、ドキドキするとともに、そのような文学作品の背後に貫かれている作者の思想や生き方を学びとることも私には大変有意義であった。私は中学生のころから文学に興味を持ち、高校生のころには小説家になりたいという夢を持ったこともあって、教職に就いてからも文学作品は割とよく読んだ。小説だけでなく、俳句や短歌などもよいと思う。

その第二は、古典落語を聴くことである。トンチンカンなことを話しているようだけれど、そこには庶民の喜怒哀楽が見事なまでに表現されている。一人でニヤニヤ、ゲラゲラ笑いながら、しかし後に残るしんみりした、あるいはすがすがしい笑いが私は好きである。

優れた音楽を聴いたり、歴史に残る名画を観賞することもよいと思う。私はそう思いながらもほとんど実行できなかった。現職の教職員や教職員になろうとしている若者は、文学作品や名曲・名画に親しむことをお勧めする。

大きく・よく通る声は教師にとって一つの才能である

なかにはぼそぼそと話をする教師がいる。しかも話し方に抑揚がなく、メリハリもない。相手（対象）に自分の言いたいことを伝えようという意志があるのかと疑いたくなるような話し方。こんな教師の話を聴くのは子どもたちだけではなく、大人も苦痛である。

定年退職して間もなく、私は真珠腫性中耳炎の手術を受けた。それ以後、加齢の影響もあるのかますます難聴が酷くなった。補聴器を使用したこともあるが、音声は大きくなっても、ことばとしては非常に聞き取りにくい。ぼそぼそと話をする教師の声はおそらく補聴器を通して聴いている私のような状態であろうと思う。単調に音声が聞こえるだけである。ことばとして聞き取りにくいのだから、当然のことながら疲れるばかりで頭脳は働かない。子どもたちは眠くなるはずである。教師たる者、大きな声でメリハリをはっきりと話すべきである。その上でよく通る声であればさらにすばらしい。なお、『最新 家庭の医学百科』によれば、「うまく調節すれば、感音性の難聴の人でも補聴器が役に立つことがしばしば」だそうである。

「戦場カメラマン」の渡部陽一さんという人がよくテレビに登場する。人気が出たのはその話しぶりだという。なるほど身振り手振りに加えて、ゆっくりと噛んで含めるように話す。語尾もはっきりしている。難聴の私にもよく聞き取れる。渡部さんは職業柄、外国での生活が多い。その国の言語で、自分の意志を相手に伝えなければならない必要からあのような話しぶりになったそうである。教師が子どもたちに話すとき、何に注意すべきかを示唆してくれているように思う。

もちろん例外もあるが、一般的には中学校教師に比べると小学校教師の方がその点丁寧だと思う。教師は自分の意志を子どもたちに伝えなければならない職業なのだから、この点は非常に重要なことだと思う。

私は幼児のころ中耳炎を患って、左耳がほとんど聞こえない。現職のころ、この点は生徒たちには必ず伝えていた。たとえば、校舎の三階あたりにいる生徒が校庭にいる私を見つけて「先生！」と呼びかけると私はくるりと一周する。声は聞こえているが、左耳がほとんど聞こえないため、声のする方向がわからないのである。生徒が「上、上、先生、上の方」と叫ぶのを聞いて、ようやく声の主を見つけるということを何度も体験した。生徒たちのささやきやつぶやきを聞き逃したことが何度もあったかも知れない、と申し訳なく思う。

しかし、この難聴が原因だと思うが、私は声が大きいらしい。自分に丁度よい大きさの声で話をすると、聞いている人には大きすぎるらしいのである。ところが四〇人、ときには何百人もの生徒に話をする教職員にとっては、大きなしかもよく通る声で話ができるというのは、一つの才能であるらしい。マイクを使って話をするときも、マイクとの距離を考えて最もよく聞こえる位置を探すべきである。私の声は大きいだけでなく、よく通るのだそうである。このことは自分ではわからない。同僚などから何度か言われたことなのである。

あるとき、買い物をするために店に入ったが、誰もいないのでやや大きな声で、「ごめんください」と店の奥に向かって呼びかけた。すると「いらっしゃいませ」と言いながら出てきた店主が「お客さん、声がいいですね、ドスがきいてて……」と言う。また同窓会の折にあいさつをしたら、「先生の話しぶりは相変わらず歯切れがいいですね」と言われた。私にはそんな自覚はないから「はあ？」という感じだったが、こんなことを何度か経験して、「へえ、そうなのか」と思うようになった。

私の声が大きくてよく通るのであれば、それは生まれつきの才能ではなく、あるいは難聴ゆえの結果だけでもなく、そのようになった原因と思われることにいくつか思い当たる。参考にしていただければ幸いである。

小学生のころ、私はやや吃音（どもり）であった。言いたいことははっきりしているのに、ことばとして表現できないのである。これは苦しい。

「ゆっくり話せばいいんだ」とよく注意されたが、なかなか治らなかった。そんなとき、「歌を歌うときどもる人はいない」と聞いた。確かにそうである。私は歌を歌うことにした。

私は田舎育ちである。よく夜道や山のなかで大声を出して歌った。聞く人はいないし、誰に迷惑をかけることもなかった。好きな歌を思いっきり大声で歌っていたのである。そのときどきの流行歌であったり、唱歌であったり、ときには歌曲を歌うこともあった。

こんな経験も私の声が大きくてよく通るようになった理由かも知れない。私のこの経験は、小さな声でぼそぼそと話すことに悩んでいる教職員には一つのヒントになるかも知れない。しかも大声で歌うとストレス解消になるかも知れない。私はストレス解消のために大声で歌ったわけではないが、大声で歌を繰り返し歌うことで吃音もいつの間にか治っていた。

子どもたちとよく遊ぶこと

小学校ではもちろん、中学校でも教職員は子どもたちと遊ぶことが重要である。教職員がそんな気持ちになれることがさらに重要である。それは教職員が子どもたちに心を開いていることであり、子どもたちが教職員を受け入れていることの表れである。

私は、体格や運動神経は人並み以下である。それでも若いころには生徒たちとよく遊んだ。天気のよい昼休みには男子生徒とよく相撲をとった。中学一年生を受け持っているときは、あまり負けることはなかったが、三年生ともなると負ける方が多かった。それはそれでよかった。

放課後、廊下や教室に座り込んで、女子生徒たちとロシア民謡や中国民謡などをよく歌った。私の学生時代には「うたごえ喫茶」が流行り、そこで覚えた外国の民謡を女子生徒たちにせがまれるままに教えたりした。このころ、前項で述べたように自分の声が、大声でよく通る声だなどという自覚があったわけではない。

生徒会顧問を務めたときには、遅くまで生徒総会の準備をした後、真っ暗になった校舎内で「肝試し」をしたこともあった。帰りが遅くなって保護者には心配をかけたが、生徒たちにはよい思い出になったようだ。

夏休みなどの長期休暇の折には、私の予定に余裕がある場合に限り、生徒たちの希望を入れてキャンプに出かけたことや日帰り旅行を実施したことも何度かあった。しかしこれは安易に実施してはならない。保護者や管理職の許可が前提である。そして安全を何重にも確認する必要がある。このようなとりくみは、義務的に実施される自然教室、修学旅行などとは異なる教育的成果があった。もちろん責任が伴うので大変ではあるが、時間に縛られることも少なく、自由に自然に親しんだり、生きた歴史に触れたりすることができた。

五〇歳を過ぎると、さすがに中学生と同じように遊ぶことは辛くなった。昼休み、校庭でバレーボールに興じている女子生徒などから「一緒にやりましょう！」と誘われても、なかなかその輪のなかには入れなかった。そんなことをしていると疲れ果てて、午後の授業に差し障りがあるからだ。生徒たちの誘いに乗って一緒に遊んだら、そんなことは忘れてしまった三日後くらいに手足が強張って痛むのだ。しかし私はそんな昼休みにも校庭には出た。そして生徒たちに「おっ、うまい！」、「なんだへたくそ！」などと声をかけた。体は動かさなくても声をかけることによって、生徒たちと心を通わせるのである。

こんなことを書いていたら「現在の教育現場にはそんな余裕はないっ！」と叱られそうだ。否！　すでに現職の教職員から何度も反発された。私も現在の教育現場が大変であることは承知しているつもりである。あまりの多忙さや緊張の連続に、教職員が疲労困憊していることは重々承知しているつもりである。

しかし、ここで考えてみようではないか。私が今述べたような「余裕」が現在の教職員にないのなら、それは教育制度あるいは教育行政が悪いということではないのか？　文科省が推し進めている「教育改革」が間違っているということではないのか？　教職員が疲れ果てて、よい教育・指導ができるはずがないではないか。そんな教育現場の現状なら、そんな「教育改革」に反対し、現状を改革することに全力を尽くすべきではないのか？　そうすることが子どもたちを守ることであり、教職員自らを守ることになるのではないのか？

諦めたり逃げたりしても問題は解決しないことは明らかなのだから、このような現状に立ち向かうべきだと思うのである。諦めたり現実の問題から逃げるのは、消極的ではあれ、その問題の存在を肯定していることになるのだ。現状肯定からは、決して現状改革の考えも行動も生まれない。

こんな厳しいなかで、その現状打開に日々苦闘している教職員がいることも私は知っている。しかし多くの教職員は日教組本部の「組合員の意識改革」という方針に洗脳されて、教育現場の問題に無感覚になり始めてはいないか？　諦めかけてはいないか？　現状を打開するために立ち上がることを忘れかけているのではないか？　問題解決に全力で頑張っているというのであれば、その頑張りの質を問うてみようではないか？

頭のなかで思い悩んだり、あれこれと考えるだけでは、それは観念の世界のことであって、現実には何ら打開の道は拓けない。実践すること、活動すること、立ち上がることこそが重要なのである。頭のなかで思い悩むのではなく、その問題はいかなる内容の課題であるかをしっかりと分析し、その内容にふさわしい方針を導き出すのでなければならない。むやみに突き進んでも失敗する。状況をしっかりと把握し、獲得目標を明確に定め、その目的を実現するための手段を導き出さなければならない。しかもそれは個人的な活動であっては実現できないのみならず、潰されてしまうことは明らかである。教育現場の横のつながりが重要である。

給食時間は学級づくりのチャンス

私は戦後の食糧難を体験したから食べ物の好き嫌

いは少ない。だから給食で食べられないものはなかった。もっとも、退職を間近にした五〇歳代後半には中学生向きの油っこい給食に多少困ったが、食べ残すようなことはなかった。

私が学級担任のときは、各班でお互いに向き合って食べるように指導した。その上私自身が、教卓ではなく、六つほどある班を順に回りながらどれかに入って、生徒たちと一緒に食べるように努めた。

食事の時間はリラックスして、生徒たちはよくしゃべる。日ごろあまりしゃべらない生徒でもその仲間に入る。私もそのおしゃべりの仲間入りをするのである。すると生徒たちから色々な情報が入ってくる。生徒たちのことはもちろん、家庭のこと、連休のときなどの家族旅行の話、家で飼っているペットの話、ほかの教職員のこと等々。学級担任として気にかかっていることの解決の糸口を探り当てることもある。そんなことと同時に、最大の成果は、目の前にいる生徒たちの新しい面を発見することである。生徒たちを理解する上で、給食時間は貴重なチャンスなのだ。

給食を配膳するとき、当番の生徒たちは最後に足りなくなると面倒なので、やや少なめに配膳する。つまり配膳が終了したときにはまだ給食が残っているのである。そんな場合、おかわりができる。ところが思春期に入った生徒たち、特に女子生徒はおかわりをしない。私は真っ先におかわりしていた。すると男子生徒はもちろん、女子生徒たちも照れることなくおかわりするのである。こんなことが常態になると、おかわりする給食が足りなくなることもある。すると生徒たちは、ジャンケンをして順番を決める。男女を問わず、そのときの真剣さは、今思い出しても笑いがこみ上げてくる。このような給食時間は、学級経営上非常に貴重な時間なのである。有効に活用すべきだと思う。

ついでながら、給食のことで気にかかったことがある。一九八〇年代後半以降のことだったと思う。日本の古くからの行事に合わせた給食の献立が用意されるようになったように思うのである。「桃の節句」（ひな祭り）が近づくと菱餅が出たり、「端午《たんご》の節句」（子どもの日）が近づくと粽《ちまき》が出されるという類である。「臨教審答申」で「日本の伝統・文化を尊重する」ことで「愛国心」を涵養する方向性が示されたことと無縁ではないであろう。

私がこのようなことに気づいたのは、生徒のひとことからであった。それは私が三年生を受け持っていたときの二月初旬のことであった。給食に赤飯が出たのである。それは、私立高校入試の合格発表が迫った日のことであった。配膳された赤飯を見てある男子生徒が「これっ、俺たちに対する皮肉かなあ」と叫んだのである。それを聞いたときには私は意味がわからなかっただけでなく、赤飯が出たことに何らかの意味があるなどとは考えてもいなかった。しかし合格発表を前に緊張している受験生の立場からすれば、まだ合格発表前なのに「合格おめでとう！」という「皮肉」にしか受けとめられなかったらしいのである。

事後的に給食関係者に尋ねたところ、「旧正月のお祝い」ということであった。私はむしろこちらの方に驚いた記憶がある。給食指導を通して「日本の伝統・文化」さらには「愛国心」教育をするのかという驚きと警戒心である。もっとも、「給食記念日のお祝い」だという他の説もあるようだ。いずれにしても私立高校入試の合格発表直前の赤飯は、生徒の心を逆なですることであったことは確かである。

さらについでながら、最近（二〇一〇年ごろ）は給食の「地産地消」が叫ばれているらしい。地元の食材を使った給食の全国コンクールも行われているという。食を通して郷土を認識し、「愛国心」の基盤として「郷土愛」を育てようとしているのであろうか？

給食のことでもう一つ気にかかることがある。戦後、給食と言えばパン食であった。戦後、学校教育を受けた日本国民の多くがよく知っている、パンと牛乳が必ずついたあの給食である。敗戦直後、アメリカからの支援物資である脱脂粉乳と小麦粉による給食の再開だったからである。これは当時日本を占領していた連合国軍の中心であった米軍・合衆国政府の遠謀深慮に基づくものであったらしい。つまり、パンを中心にした給食であれば、日本の子どもたちが成長したころ、日本人はパン食を好むようになり、アメリカの小麦を輸入するだろうということだったらしいのである。合衆国政府のこの目論みは一九六〇年代以降見事に花開いたと言うべきだろうか。トーストにハムエッグ、それにコーヒーあるいは紅茶の朝食。こんな朝食が格好いいと思う日本人に変えられていたではないか！

ところがこれが、一九八〇年代ごろからだったろうか、徐々に米飯給食に変えられていった。「子どもたちが好むから」というのがその理由であった。しかしこれには私は素直に頷けない。日本人の食生活の変化と、米の生産が増加したことによって、米が余り、古米、古々米が問題になり始めてからの米飯給食への切り替えなのである。何やら政治の臭いを感じるのだが、それは私だけだろうか？

このように見てくると、戦後の給食は、その再開のときから政治絡みだったと思わざるを得ない。教育とは、徹頭徹尾政治の一環なのだと考えざるを得ないようだ。

二〇一〇年五月一二日付「読売新聞」の「教育ルネサンス」欄によると、最近、

①ドーナツとラーメンのような「超ミスマッチ献立」

②お菓子給食

③焼き鳥と焼きそばといった居酒屋風

④量や品数が少ない「貧乏給食」

など「奇妙な献立・偏る栄養」の給食が多いという。この変化をどのように理解し、どのように受け入れればよいのであろうか？　食べ残しを減らすために、子どもたちの好む献立になっているのかも知れないが、子どもたちの好みに合わせているとはとんでもないことになりそうな気がするのだが。それはすでに

始まっている。食育の難しさを感じざるを得ない。

得意なスポーツを!

小学校教職員の場合はわからないが、中学校教職員の場合は、指導できるくらい得意なスポーツができることは大変な強みである。中学生は心身ともに急速に成長し、多くの生徒たちはスポーツに熱中する。健康な生徒は体を動かすことが大好きである。だから教職員が一緒にスポーツができることは教育的効果も大きい。

教職員が自分の生活（ときにはその家族の生活）をも犠牲にして無報酬に近い状態で行われている現在の部活動とその指導を奨励しているわけではない。況《いわん》や「勝利第一主義」的な競争を前提としたスポーツを奨励しているわけでは全くない。それでも中学校教職員が何らかのスポーツを指導するくらいの体力と技術を身につけておくことは、学習指導や生徒指導などには大変な強みである。生徒たちとの話題が豊富になり、スポーツを通して心を通わせることができるからである。

私が、これから教職に就くことを目指している若者に「得意なスポーツを!」とお勧めするのは、私自身がその点非常に不得手で何度も悔しい思いをしたからである。中学校では必ず年に何度か学級対抗のスポーツ競技が行われる。それは学校によって多少異なるが、バレーボールやバスケットボール、あるいはソフトボールのこともある。そもそも一年のなかで最も大きなスポーツ・イベントである運動会（体育会）は小学校では紅白の競争であることが多いが、中学校ではこれも基本は学級対抗の競争なのである。生徒たちが最も燃えるイベントである。結果は、学級担任がスポーツの得意なクラスが勝つことが多い。指導ができるからである。

私は、スポーツが全くダメだった。しかも体格も並み以下であった。幼いころから運動神経は鈍かったらしく、学校行事のなかでは運動会（体育会）が一番嫌いだった。徒競走だと何人で走ってもいつもビリから二番目、マットを使った演技や鉄棒の演技は特に不得手だった。中学生のころでも高校生になってからでも逆上がりができなかった。

ところが、このような自分について、まずいことに当時の私は必ずしも否定的に捉えてはいなかったのである。スポーツの得意な人はその才能を伸ばせばよい、俺は別の分野で頑張る、というように考えていたのである。

しかし中学校教諭になってみると、そうはいかないことに気づかされた。中学校の教師たる者、自分の専門の教科は言うに及ばず、スポーツも何か一つ得意なものがあるように努力することをお勧めする。

楽器演奏の技術を！

中学校教諭として私が悔しい思いをしたことがもう一つある。それは何一つ楽器を演奏できないことである。若いころ、放課後などに時々生徒たちと歌を歌ったことがあることは前述したが、そのときも楽器なしである。このとき私がギターでも弾けたらどんなにか盛り上がったことであろうと思うと、悔しさがこみ上げてくる。

言い訳になってしまうが、私たちの世代（戦時中生まれ）はあまりにも音楽的環境に恵まれていなかった。戦時中はもとより、戦後間もなくは楽器を持っている家庭などほとんどなかった。私が育った筑豊の町では、当時ピアノを持っていた家庭は、私の知る限り、病院を経営していた一軒だけで、バイオリン奏者だった父親からバイオリンを習っていた生徒が一人いるだけだった。もちろん、テレビもＤＶＤもない。恵まれた家庭でも、聴きにくいラジオがある程度だった。かなりのお金持ちの家には蓄音機（レコード・プレイヤー）があって、レコードを聴いていたかも知れない。私たちのような一般家庭にはそんなものは全くなかった。

中学校の音楽の時間でも、先生の弾くピアノに合わせて歌うのが主であった。レコードも少なく、名曲鑑賞も非常に少なかったように思う。楽器演奏の指導などは全く受けたことがない。地方の中学校にも吹奏楽部ができたのはいつごろだっただろうか？

そんななかでただ一度、一九五〇年初頭に、ソプラノ歌手の三宅春江さんの独唱会が中学校の講堂（体育館を兼ねる）で開かれたことがあった。人口わずか二万人足らずの小さな炭坑町で当時第一人者の三宅春江さんの歌を聴けるなどは驚きであったが、校長の教え子だということで、中学校の「創立一〇周年」に招かれたのであった。当時の田舎の中学生としては破格の体験だったと思う。

私の演奏できる楽器はハーモニカだけである。それも指導してもらったわけではなく、何となく吹けるようになっただけで、我流なのである。ハーモニカでは生徒たちと一緒には歌えない。私よりひとまわり若い世代のなかにはギターを見事に奏でる教職員たちが現れ始めた。羨ましい限りであった。ピアノが弾ければ最高だが、生徒との関係では、手軽な楽器であるギターやアコーディオンが最適だろうか。これから音楽科以外の教職を目指す若者も、生徒たちと一緒に歌うことのできる楽器の演奏ができることが望ましいと私は思う。

教師は子どもたちに自分を語ろう！

教師にとって最も大切なことは、子どもたちとの心の交流である。これがうまくいかなければ、教科指導も生活指導もうまくいかない。教師は子どもたちに信頼されてこそ、はじめて指導が可能になる。だからこそ出会いの最初が大切であり、日々の心の交流が大切なのである。それを可能にするのは、教師自身が自らを包み隠さず、自分を子どもたちにさらけ出すことである。自分の生い立ち、乳幼児期、学童期、青少年期のそれぞれの様子、そのときどきにどんなことを考えていたか、現在はどうかなどなど……。

このような思いから私は、自らが語るだけではなく、同僚の教職員たちに協力してもらって、それぞれの青少年期を語ってもらい、「生徒会誌」や「学級通信」・「学年通信」などに特集したことがある。生徒たちのみならず保護者にも大変好評であった。それを私家版としてまとめてみた。一冊目は「学級通信」・「学年通信」づくりのまとめのなかの一例として採りあげた。それが『生徒たちを愛して元気にしなやかに』であり、もう一冊はそのものズバリ、『教師は子どもたちに己を語ろう！』である。そのようなとりくみを行う場合、配慮しなければならないことがいくつかある。

その第一は、話す対象である子どもたちの今置かれている環境・状況などを熟知し、それに配慮することである。子どもたちそれぞれに、それぞれの生い立ちがあり、母子家庭・父子家庭の子どももいる。母親が病の床に伏し、母親代わりをしている子どももいる。経済的に恵まれず、家族五人が、六畳一間で生活している場合もある。子ども自身が何らかの病と闘っている場合もある。学業成績が伸びずに悩んでいる子もいる。そんなさまざまな子どもたちのことを熟知し、配慮しなければならない。

その第二は、自慢話は禁物だということである。少なくとも中学校教諭の多く（例外もあるが）は、小・中学校時代、割合学業成績はよかったはずである。性行もそれなりに高く評価されていたはずである。要するにそのときの優等生の部類に属していたはずである。さまざまなコンクールなどで表彰されたこともあったであろう。しかしこんな話は、子どもたちにとっては教師の自慢話であり白けるだけである。教師は自慢しなくても、優れた点は自然ににじみ出るものであり、子どもたちはそれをしっかりと受けとめるものである。教師の自慢話は、子どもたちとの間の信頼関係を壊すことにさえなりかねない。教師は自分の弱点や、不得手なこと・悩んだことなどをこそ話すべきである。さらにその弱点や悩みをいかに克服したかを話してあげられれば、教育的にも効果があると思う。

私は、戦中・戦後の食糧難をはじめとするあらゆる物資が不足した時代に、乳幼児期から少年期を生きた。その日の食事にさえ事欠く毎日であった。しかしこれは私の家族に限ったことではなく、日本人の全てが、多かれ少なかれ体験したことであった。

私にとっては一九五〇年代後半、日本全体が「朝鮮戦争特需」で敗戦によって瓦解していた経済・産業が著しく復旧・復興し、日本国民全体の生活が落ち着き始めたころのわが家の貧乏が辛かった。父の失業による貧乏であった。私が小学校高学年から高校生のころのことである。私は中学時代、夏休みなどの長期休暇のときにはアルバイトに明け暮れていた。猫の額ほどの畑で父が栽培した花をリヤカーに積んで弟と売りに行ったり、建築物の土台づくりに使うグリ石を真冬の川底から拾い上げたり、道路の側溝づくりなどの仕事をしてわずかな収入を得て家計の足しにした。

小学校二年生まで夜尿症に苦しむほど虚弱体質であった貧弱な体格の私には、身体的にも辛い仕事であった。それにもまして思春期に入った私にとって、そんなアルバイトをしている姿を同年代の女子生徒に見られることはたまらなく恥ずかしいことであった。それでもその日の米がなく、ジャガイモやサツマイモだけの夕食を何度も体験した。それは戦後食糧難のころとは違った辛さであった。父母に頼まれて、質草を持って、質屋にお金を借りに行ったこともあった。高校一年のときには、一年後輩の家庭教師をやったこともある。今から思えば冷や汗ものである。そんな経済状態だったから私には高校時代の修学旅行の思い出はない。

そのころのことを今思い出しても、また当時、父母も懸命に生きていたのだから、当然のことをしただけだと思っている。

私は、中学校の社会科を担当してきた教諭であった。だから生徒たちは、元々私は社会科が得意だったのだと漠然と考えていたようだ。しかしそんなことはない。確かに中学生以降の私は社会科が大得意になった。それにはきっかけがあったのだ。そんな話も生徒たちにしたことがある。

忘れもしない小学校六年生の社会科の時間、日本地理の学習のときであった。私はそのとき担任教師から教科書を読まされた。何と「関東平野」を「かんとうひらの」と読んだのである。クラスのみんなからゲラゲラと笑われた。そのことを帰宅して母に話すと母までもゲラゲラと笑ったのである。このとき私は社会科に強くなろう！　と決意した。

当時、『〇〇年鑑』などという資料集が発行されていた。貧しかったが母に頼んで買ってもらった。「日本（世界）の長い川」とか「日本（世界）の高山」などの資料が満載された一冊である。このような知識が増えることの楽しさを知ったのである。「九州の高山」のなかには、すぐ近くに聳えている英彦山も記載されているではないか！　この身近な山が筑紫山地の主峰なのだということを自分で「発見」したり、学習したりすることが楽しくなってきたのである。

このようなことは地理学習にとどまらず、歴史学習や政治の分野の学習にまで広がったのである。中学三年の夏休みに出された「自由研究」の課題で、私は「ＭＳＡ協定とは？」という課題を見つけ出してレポートした。すでにそのレポートは残っていないからどんなことを書いたのか記憶していない。しかしアメリカとの間で「ＭＳＡ協定」を結ぶことに何らかの違和感を感じて、この課題にとりくんだように思う。おそらく資料の引き写しだっただろうと思うが、それはそれで、私にとっては成長の証しの一つであった。このようなことがなければ、私は社会科が得意教科にはならなかっただろうし、中学校の社会科教諭にはならなかったであろう。

社会科の授業を行うときには、私自身のことを素材としてよく採りあげた。たとえば、中学三年生の公民的分野のなかの「家計」の部分では、私自身のそのときの給料表を教材として、授業を進めた。歴史学習の戦後史の部分では、私自身の体験をも教材とした。

このように私は、自分の生い立ちや体験を生徒たちに伝えるだけではなく、「学級通信」や「学年通信」などにも書いて、保護者にも伝えた。これは保護者との心の交流にもよい結果をもたらした。生徒たちにはもちろん、保護者にもまるごと私を知ってもらうことが、心の交流には欠かせないのである。

子どもたちから学ぶ教師に

言うまでもないことだが、教師だけでは教育は成り立たない。その対象である子どもたちがいてこそはじめて教育は成り立つ。教育活動は、教師と子どもたちとの精神的交互作用である。教科指導・生活指導がその中心であるが、教師は子どもたちのさまざまな反応を無視していては教育は成り立たない。

これは「言うは易く行うは難し」の典型であって、教師はややもすると自己中心的もしくは自己満足的な指導をやってしまう。これは私の体験からも言えることで、遅ればせながら自戒の念に駆られる。教師の教育活動の対象である子どもたちが目の前にいるのに、まるで子どもたちが存在しないかのような独りよがりの「指導」をしてしまうことがある。

たとえば、ある子どもが万引きをして補導されたとき、教師はよく「お説教」をする。「万引きは泥棒なんだぞ、泥棒（盗み）をすることが悪いことくらいはわかっているだろう！」などというように。そのような善悪の判断ができない中学生はほとんどいない。それでもなお万引きをするのである。教師はまず、その生徒が万引きしたことが事実であるか否かを確かめ、事実であった場合は、その生徒からなぜ万引きをするのかを教わらなければならない。

「君は万引きすることが悪いことくらいは充分に知っている。それなのになぜそんなことをしたのか？」と。ここではじめて教師とその生徒との、この件に関する対話が始まる条件が成立する。そして教師は、その生徒から、家庭状況や友人関係、さらにはさまざまな悩みや反発を抱えていることを学ぶ。

このようにしてはじめて教師の指導が成り立つ。

「お説教」では教師の「指導した」という自己満足が得られるだけであって、その生徒にとっては、知っているることとの再確認以外何の意味もない。したがってむしろその生徒の反発を増幅させるだけである。

また、生徒の学業成績が悪いと、私を含めた教師の多くは「真面目に勉強しないからだ！」、「もっと努力しないからだ！」と生徒の所為《せい》にしがちである。しかし教師たる者、ここで立ち止まり、自分の指導の如何《いかん》を振り返るべきである。子どもたちのさまざまな反応から学びとる謙虚な姿勢が教師には必要である。否！　子どもたちから学ぶことなしには教師は教育活動ができないのである。

私の現職中の体験である。常に学年トップクラスの学業成績だったのに、中学三年生の模擬試験のときその生徒は、全教科のテストの解答欄を全て白紙で出した。全て〇点である。しかし事後的に話を聞くと、真面目に勉強しなかったわけではない、偏差値教育に反発した結果なのであった。

このような生徒を教師は叱ることができるだろうか？　能力主義教育の問題点を、生徒から指摘されたようなものである。このような問題点や矛盾を数多《あまた》孕んでいるのが現在の教育制度である。教師自身がこのような認識を明確に持ち、その上で、このような生徒をも善導する必要がある。決して容易なことではない。

「教える者が教えられる」と言われる。教育活動は、その主体である教師だけでは成立しない。その対象である子どもたちの存在があってこそ教育活動が成立するのである。教師たる者、この関係をしっかりと認識しようではないか！　己の教育活動が自己満足的な一方的な活動になってはいないかを、常に振り返ってみようではないか！

現在の社会を肯定する教職員には「非行生」の指導はできない

「非行生は教育の宝」と言われてきた。「非行生」

はそのときの社会の矛盾を体現しているからであろう。このように言える教職員はすばらしい。しかし普通の教職員は「非行生」に泣かされてきたはずである。「この子ども（生徒）さえいなければ……」と思ったことのある教職員も多いはずである。

私は、保護者には多少悩まされたことはあったが、幸せにも生徒たちには恵まれた。それでもときには大声を張り上げて叱ったり、一九八〇年代には「この生徒たちにはなぜ日本語が通じないのだろうか？」と悩んだこともあった。ときには体罰を加えたこともあった。しかし体罰を加えた後は、私の方が落ち込んだ。自らの指導力不足を痛感するからである。それは私が生徒たちの声に耳を傾けないからである。生徒たちの声に耳を傾け、その時々の態度をよく観察すれば、生徒たちはさまざまな要求や願いや不満を、自覚的であれ、無自覚的であれ、発信している。それをしっかりと受けとめることがまず重要である。その「非行」の直接的原因はさまざまであるが、その深層には程度の差はあるもののその時々の社会の矛盾の一端が関係していることに行きつく。教職員はこれをしっかりと受けとめ、その生徒を善導しなければならない。このような意味では確かに「非行生は教育の宝」と言えるであろう。しかし「非行生」とその「非行」をこのようにそのときどきの社会の矛盾の現れとして捉え返すことは決して容易なことではない。

中学生（小学生あるいは人間）としてのあるべき姿から「お説教」する教職員には、悩み・怒り・絶望している生徒たちの声は聞こえない。たとえその生徒たちの声を聴き取った教職員にしても、それを分析し、「非行」の主体的・社会的根拠を探り出し、その上で解決策を見出すことは容易ではない。したがって安易に「非行生は教育の宝」などと気取ってはおれない。なにしろ「非行生」は、家庭や学校を含めた現在の社会に不満を持ち、怒り、解決策を見出せず絶望しているのである。直截的には両親・教師を中心に大人一般を信用できなくなっているのである。大人から言われること、させられることに反発を覚えているのである。それは、青年前期特有の不安定な精神状況によって加速させられ、増幅されている側面もある。しかしだからこそ、より直截に現在社会の矛盾を体現してもいると言えるだろう。このような「非行生」を指導するのは容易ではない。まず、積極的であれ、消極的であれ、現在の社会を肯定している教職員には、「非行生」を力で押さえつけることはできても、教育的な指導はできないと思われる。

教育の在り方を含めて、現在社会に何の疑問も持たない教職員は、生徒たちの声さえ聞こえない。生徒一般を可もなく不可もなく、矛盾だらけの現在の社会をうまく世渡りする術を身につけさせるだけではないだろうか。現在の社会の矛盾を体現している「非行生」を指導するからには、教職員自身が、現在の社会の矛盾を認識し、それに苦しみ、それを悲しみ、それに怒っていなければならない。そうでなければ、このような「非行生」の声さえ聴き取ることはできない。

しかし「非行生」の声を聴き取ることができた場合でも、なお解決できない問題が教育現場には山積している。たとえば、離婚しそうになっている生徒の両親がいた場合、その背後には家庭経済の行き詰まりがある場合もある。離婚した母親（あるいは父親）が愛人を引き込んで、生徒を邪魔者にする場合さえある。家庭に生徒の居場所がないのである。こんな生徒は激しく動揺し、夜の街を徘徊するようになったりもする。こんな問題を一人の教職員（学級担任の場合が多い）で解決するには大きな制約がある。しかもこのような問題は、その生徒の両親だけの責任ではないことも明らかである。

教育制度や教育内容についてもさまざまな問題がある。これらの問題も教職員一人では解決できない。しかしこのような現在の社会や教育制度・内容の矛盾・問題に怒り・悲しむことがないならば、その問題を解決しようとする立場にさえ立ち得ない。このような教職員には「非行生」の怒りや悲しみあるいは絶望感を受けとめることはできないはずである。

そんな教職員は、生徒個人の能力や性行に問題あるいは原因があると認識して「お説教」をすることにしかならないであろう。

言うまでもないことであるが、教職員が「非行生」を指導するとき、教職員自身も問われているのである。

生徒たちを皮肉ったり、侮辱するような言動をすべきではない

私の経験からしても、授業中に冗談を言ったり、駄洒落を飛ばしたりして子どもたちを喜ばせることに熱中する教師がいる。かなり難しい話が続いたとき、ひと休みして、子どもたちを緊張から解き放つのは決して悪いことではない。しかしそれも限度があるのであって、それ以後の授業が成り立たなくなるようでは困る。ゲラゲラ笑って、そのおもしろさ・楽しさだけが残るような授業になっても困る。

理解しにくい授業の場合、数十人の生徒のなかには授業についてこられない生徒も出てくる。そんな生徒は、隣の生徒とおしゃべりをしたり、ほかのことをやり出したりする。教師は当然、その生徒に注意する。一度の注意でその生徒が態度を改めれば問題はないが、そんなことは滅多にない。二度、三度注意をしても改まらないのが普通である。こうなると教師の方もだんだん苛立ってきて「バカ野郎！」、「お前みたいな奴は死んでしまえ！」、「教室から出て行け！」などと暴言を吐くこともある。少し落ち着いているベテラン教師でも、その生徒を皮肉ったり侮辱したりすることがある。体罰は論外だとしても、もっと酷い教師の場合だと、教える側の権力をむき出しにして「おい！　そんな態度でいると、どんな成績がつけられるかわかってるんだろうな！」などと恫喝することになる。ここまで来れば、その教師は教員ではあってももはや教育者ではない。

たとえ一人であれ、一部であれ、生徒たちが授業中に学習を放棄するような態度を示すことは、その生徒たちのみの責任ではない。教える者と教えられ

る者との関係として授業は成り立っているのであるから、その責任の半ばは教える側にもあるということを教師は肝に銘じておくべきである。

もっと根本的な問題である「学習指導要領」に定められた教育内容や教育制度などについてはここでは問わない。あくまでも教師と生徒（子ども）たちとの関係に絞って論じている。教師の側にそのような授業に関する認識と自覚があれば、生徒を皮肉ったり、蔑視したりするようなことばは出てこないはずである。それは「天に唾《つばき》する」ようなことだからである。

しかし教師も神ならぬ人間である。感情を持っている。我慢すればするほど感情が爆発する。当然個人差はあるが、「待て待て！　俺の授業にも問題があったかも知れないぞ」とひと呼吸おけるようになるのは、それなりの経験が必要だ。しかし教師が自信過剰にならず、生徒たちとの関係で授業が成り立っているのだということを肝に銘じることによって、このような弊害を軽減することはできる。要するに教師自身も、己が神ならぬ不完全な人間であることを認識すべきだ。教師こそ「汝自身を知れ」ということであろう。

二〇一〇年七月二九日付「読売新聞」に、「生徒にあだ名」をつけた福岡市の「中学教諭」が「戒告処分」を受けた、という記事が出ていた。「ブス」、「チビ」、「マメ」などというあだ名をつけていたという。その教諭本人は「親しい間柄なので嫌がっているとの認識はなかった。今後は考えを改めたい」と言っているらしい。この教諭は「汝自身」を知らなすぎたのであろう。自信過剰だったのではないのか。ことばに関して無知だったのかも知れない。

あだ名の問題は、教師と子ども、子どもたち同士の間ではよくあることである。この教諭のように、マイナス・イメージのあだ名がよくないことは言うまでもないが、あだ名一般が悪いわけではないと思う。私の教職体験のなかには、生徒たちの間で人気があり、親愛の情を込めてあだ名をつけることもある。本人もあだ名で呼ばれると嬉しそうにしているのである。そんな場合には教師も、生徒たちがつけたそのあだ名を拝借することがある。これなどは決して悪いわけではない。

吉野源三郎著『君たちはどう生きるか』の主人公は、おじさんから「コペル君」というあだ名で呼ばれた。「地動説」を唱えたあのコペルニクスから半分を頂戴しておじさんがつけたあだ名である。つけられた本人もくすぐったそうだけれど、誇りに思い、「コペル君」と呼ばれることに喜び以上のことを感じているのである。

成績が悪いことと、頭が悪いこととを混同すべからず!

一九九〇年代だったと思うが、「エリート教育」を推奨するあまり、生まれつきの遺伝子によって学業成績(以下成績)も決定するかのような発言をした日本のノーベル賞受賞者がいた。このように、子どもたちの成長に教育や環境が影響していることを否定するような考え方に私は憤激している。

これほど極端ではないが、教職員のなかにも保護者のなかにも「〇〇は頭が悪い」と言う人がいる。特に教師にとってはこのことばは禁句である。私は生徒たちに「成績が悪い」と言ったことはあるが、「君は頭が悪い」と言ったことはないつもりである。これは言ってはならないことであり、間違いだからである。「成績が悪い」ことと「頭が悪い」こととは別の次元のことである。

人間として正常に誕生し成長した子どもたちであれば、「頭」(脳)の働き」はみんな同じであろうと私は考えている。異常出産や成長過程における事故などで脳髄に損傷を負ってしまった場合は、その専門家に判断をお願いしなければ私には判断のつかない問題である。しかしそうでない限り、どの人間も脳髄の働きには大差がないと私は思っている。

しかし成績にはやがて大差がついてくる。得手・不得手も出てくる。一般に成績は相対評価である。

資本主義社会では競争を前提にしているから、相対評価でなければ意味がないのだろうと思う。したがって「成績が悪い」というのは順位が低位、あるいは数値が低いことを指していることが多い。知識・技能などが一定の水準に達しているか否かを示す場合もある。これらは広い意味の教育を含めて、人間関係やさまざまな環境および本人の生活の仕方（努力）に決定されるのだと思う。

私の知る限り、日本人の大半は右利きである。しかし乳幼児を観察していると、右手も左手も同じように使う。それがやがて右利きになるのである。多くの道具が右手で使うようにつくられており、多くの親も右利きになるように躾けるからであろう。

私は右利きがよい、と言っているのではない。生まれたときは左右の手を同じように使う能力のある乳幼児が、その後の環境や親の指導によって右利きになるのだ、頭脳の働きも同じだと言いたいのである。

このように「頭がよい・悪い」ということと、「成績がよい・悪い」ということとは別の問題だと思う。にもかかわらず安易に「頭が悪い」と言ってしまうと、それはその生徒（子ども）の全人格を否定してしまうことになる。「お前は生まれつきダメだ」と決めつけることになる。教職員にそんな権利も資格もない。のみならずこれは教師としての自殺行為である。自ら教育を否定しているのだからである。これは教師たる者、決して言ってはならないことばなのである。

これに対して「成績が悪い」というのは、場合によっては叱責であったり、励ましであったりする。この場合、教師はその生徒の成績が振るわない根拠をその生徒や保護者とともに見つけ出す努力をしなければならない。その場合、教師は順位に拘泥《こうでい》する必要はない。むしろ、知識・技能などを一定の水準に高めるよう追求すべきであろう。これは容易なことではないが、教師の仕事の重要な一つはこの繰り返しなのではないだろうか？

失敗や過ちを認め、謝ることのできる教師でありたい

言うまでもないことであるが、教職員も神ならぬ人間である。さまざまな失敗や過ちを犯す。私も三八年間の教職生活のなかで多くの失敗や過ちを犯してきた。専門教科である社会科の学習指導においてさえ、恥ずかしい過ちを犯したことが記憶に残っている。衆議院の「衆」を間違えて板書したり、『魏志』倭人伝に出てくる「不彌国《ふみこく》」を読み間違えたりしたこともあった。自分では間違えずに言っているつもりなのに松山と松江を間違えてことばにしていたり、国連の機関であるＵＮＣＴＡＤ（国連貿易開発会議）の読み方を間違ったこともあった。うっかり間違いもあるが、私の勉強不足がもたらした過ちもある。生徒の指摘に気づかされたのである。

生徒たちにとっては、最初に教えられ一度覚えたことは、絶対的な知識になる。これが間違いだったと気づいて修正するのには何倍ものエネルギーを必要とする。したがって教師たる者、このような過ちを犯してはならない。

生徒や卒業生と約束したことを忘れてすっぽかしたことや、判断を誤ったり勘違いをしたりしたこともある。申し訳なかったと今でも思う。このような失敗や過ちを犯さないよう教師たる者、日々研鑽を積むのでなければならない。

それでも失敗や過ちを犯すことがある。その失敗や過ちに気づいたときには、直ちに生徒たちに謝って訂正することのできる教職員でありたい。

「教師が子どもたちに謝れば、子どもたちにバカにされるから指導上マイナスだ」という意見もある。しかし私はこの意見には与しない。私も若いころには生徒たちに謝ることに抵抗を感じていた。しかし「バカにされる」ような失敗や過ちを犯したのであるから、格好をつけるのは止めて、その屈辱はしっかりと受けとめるべきであり、誤りは教職員の責任において修正しなければならない。そうしないと生

徒たちは、過ちを教わったまま大人になってしまうではないか。「教える者が教えられる」のである。

そして私の体験から言えば、自らの過ちに気づいて生徒たちに謝ることは決して指導上のマイナスにはならない。少なくとも中学生ともなれば、教師の失敗や過ちに気づく生徒が学級には何人かはいる。謝りもせず、修正もしないことの方がむしろ指導上のマイナスになる。そのような生徒たちとの信頼関係を教師の側から完全に破壊することになるのである。

もちろん、失敗や過ちを犯すのも頻繁であっては信頼をなくすことは当然であるが、それはここで論じていることとは別問題である。

生徒たちに読書を奨励しよう！

たのしみはそぞろ読みゆく書《ふみ》の中に
我とひとしき人をみし時

この和歌は橘曙覧《たちばなのあけみ》（一八一二～六八年）の作である。橘曙覧は江戸時代末期の歌人であり、国学者である。読書の歓びの一端をみごとに表現した歌ではないか。私は生徒たちにこの歌を紹介しながら、読書することを勧めてきた。読書の苦手な生徒には、『魏志』がその出典だと言われる「読書百遍意自ずから通ず」なども紹介しながら、まずは好きな書物からの乱読を奨励してきた。

その人の人生は、二〇歳代までに読んだ書物の量と質に左右される、と言われている。私はその真偽のほどを確かめる術《すべ》を知らないが、書物を読むことの重要性は実感している。

学校には図書室がある。図書室に行くことはもちろん奨励した。しかし生徒たちが図書室に行くことのできる時間は限られている。そこで私は、学級担任のときに学級文庫を設けることにとりくんだ。まずは、私自身が持っていて生徒たちにも読めそうな書物を教室の後ろの棚に並べた。さらに生徒たちにも、すでに読み終えていらなくなった書物を提供してもらった。「学級通信」にそのような企画を報告すると、いつの間にか学級文庫は二〇〇冊ほどの書物で充実した。小説などの読み物をはじめ、動物、植物、鉱物、地学、天体など理科に関する書物も集まった。歴史や地理など社会科に関する書物、偉人伝などもそろった。これらはすべて生徒や保護者による無償提供であった。

　生徒たちは、始業時間前、休息時間、放課後などに読むだけでなく、自習時間などで、自習課題を早く済ませた後などにも読んでいた。私が特に読書指導をしたわけではない。

　そこに書物があるから生徒たちは手にとってみるのである。私はそれでよいと思った。知らず知らずのうちに生徒たちが書物に親しむようになればよいのである。読書は強制されるものでも、強制するものでもない。借りて帰りたいという生徒も出てきて、学級文庫係を決めたこともあった。読書の仕方を考える以前に、なるべく若いうちに、書物に親しむ習慣をつけさせたいものである。パソコンやスマホが普及して、手軽に知らないことを引き出せるらしい。便利なのであろう。辞書を引く若者も少なくなったと聞く。それでよいのか心配である。

　学級文庫の書物は代々引き継がれ、何年間も読み継がれた。最後は、私が退職した舞鶴中学校の図書室に寄贈した。

こぼれ話二題

　生徒との関係で、今思い出しても吹き出したり、苦笑いが浮かぶようなことがあった。教育実践上特筆するようなことではないが、私にとって忘れることのできないことなので、記録に残しておこうと思う。

〔その一〕

　それは、一九八〇年代後半のことで、私が四〇歳代後半のころであった。一〇年ぶりに中学一年生の学級担任を務めることになった。「学級通信」や「学年通信」を継続的に発行し始めるきっかけができたころのことである。私が担任になった学級に、早見優（仮名）という名の明るくて素直な印象の女子生徒がいた。その学級を受け持って間もないころ、私は久しぶりに受け持った中学一年生に多少戸惑っていた。そんな生徒たちと私は早く馴染もうと思って、それまでやったこともなかったアンケート調査を行った。すでにそのアンケートは残っていないのでどんな内容だったかわからないが、そのうちの一問は「尊敬する人物の名を書きなさい」という主旨の質問だった。回答を集約してみると、ほとんどの生徒は、歴史上の人物や有名人の名前を書いていた。なかには「父」・「母」・「両親」などと書いた生徒もいた。

ところが件の早見優という女子生徒は「早見優」と書いているではないか！　私は一瞬「ええっ？」と思った。なんと自分の名前を書いているではないか。何か勘違いしたのか？　それとも自信過剰なのか？　その女子生徒に関する明るくて素直だ、という第一印象は吹き飛んで、これは結構難しい生徒なのかも知れないぞと身構えた。しかしそれ以後もこの生徒は明るくて素直なのである。私の第一印象は間違ってはいなかったのである。私はこの生徒に対して混乱した何日かを送った。

しばらくして真相は判明した。保護者会のとき、その母親と話してみてわかったのである。何のことはない。私が「早見優」という俳優の存在を知らなかっただけのことであった。その生徒はその俳優とたまたま同姓同名だったのである。そうであったためその生徒はその俳優に親しみを感じていたのだということがわかったのである。「この母にしてこの子あり」と言えるような、母親もまた明るく純朴で人間味あふれる人であった。私はこの母親とともにしばらく笑い転げた（この俳優は実在するが、それをあげると生徒の名前も判明するので、たまたま観ていたテレビに出演していた「早見優」の名前を借りた）。

このときの体験から私は、中学生が興味関心を持つ音楽やテレビ番組にも注目する必要性に気づいた。のみならず、授業のなかに生徒たちが関心を寄せているような話題を採りあげて、授業の内容に関する関心を高めるように努めたつもりである。

たとえば、一九八〇年代後半から、一九九〇年代。日本経済のバブルが弾けて不景気になり、人々の日々の生活が急速に窮屈になり始めた。当時の多くの人々は、そのよう逼塞感に危機感を覚え、その不安・不満を何かに大声でぶつけようとした。しかし総評は崩壊し、多くの労働組合も衰退し始めて、人々の思いを実現する機能を発揮することができなくなっていた。

そのころ歌謡曲の世界は、都はるみ、石川さゆりなどを中心に絶叫調が全盛期であった。これらは、世の人々の思いを反映したものだ、などと。また、沖縄戦や在沖米軍基地の話をするときなど、沖縄県出身のアイドル歌手グループ「SPEED《スピード》」などを話の導入に持ち出したりした。私が今まで授業中に口に出したこともない、都はるみや石川さゆり、さらにはアイドル歌手などの名前が飛び出したものだから生徒たちは大いに驚いたようであった。五十路に達した理屈っぽい「じじい先生」が、アイドル歌手などの名前を口にするようになったものだから「先生はこんな話もするんだ」と好評だったようだ。事後的にわかったことである。

〔その二〕

一九七〇年代半ばのことである。第二部ですでに述べたように、そのころ旧産炭地では炭坑の閉山が続き、生徒数が激減し始めていた。相対的に教職員が「過員」になり始めていたのである。他方、福岡市や北九州市では人口が増加し、教職員の不足が深刻であった。新年度に学級編成もできないという状態であったらしい。

福岡県教育委員会は、旧産炭地から北九州市や福岡市への教職員の「強制配転」に踏み切った。「強制配転」されれば、生活の基盤が根底から破壊されてしまうのだから、それを守るために当然にも、旧産炭地の福教組各支部は、県教委による教職員の「強制配転」に「断固反対！」し、連日反対運動を繰り広げていた。集会を開き、組合員の意志統一を行い、各町村の教育委員会との交渉や福岡県の教育事務所との交渉などを行ったのである。もちろん、代表を県の教育委員会にも派遣して交渉した。

すでに述べたように当時私は、福教組田川郡支部の書記次長を務めていた。当時の支部長とともに私は「強制配転」反対闘争の山場には、連続一週間ほど支部事務所に泊まり込んだことがある。各町村毎に徹夜覚悟で教育委員会交渉などが行われていた。その報告など緊急連絡に備えたのである。しかし当時の支部事務所には宿泊設備が設けられていたわけではない。泊まり込むといっても、毛布などを持ち込み、事務所で椅子を並べて横になるくらいであった。場合によっては、机に伏せて仮眠する程度であった。そんな状態が一週間も続いたのである。

真夜中にけたたましく電話のベルが鳴る。受話器を取って入ってくる情報をメモする。重要な情報があれば、直ちに執行委員に連絡し会議を設定する。そんなことが毎日続くと頭がおかしくなる。

そんなある夜、支部長は机に伏せて仮眠していた。私も伏せてはいたが、まだ眠ってはいなかった。支部長が突然ガバッと頭を上げ受話器を取ると、「はい、田川郡支部事務所です」としゃべり始めた。私はびっくりした。実は電話のベルは鳴ってはいなかったのだ。毎晩こんな状態が一週間ほども続き、甚だしく睡眠不足であった。

それでももちろん私は出勤し、きちんと授業にとりくんでいた。つまり私は、家には帰らず、学校と組合の支部事務所を往復していたのである。支部長は専従であったが、書記次長の私は非専従で、ほかの教職員と同じように勤務があり、出勤しなければならなかったのである。

そんなある日の授業のときである。何年生の授業であったか、したがって地理的分野・歴史的分野・

公民的分野のうちどの分野の学習指導だったのか、午前中だったのか午後の授業だったのかなどは全く覚えていない。しかし次のことだけははっきりと覚えている。

私は、板書した黒板を指しながら何やら説明していた。そのときどうやら私は立ったまま、一瞬眠ってしまったようなのである。その時間は何秒くらいだったのだろうか？　ハッと気づいてみると生徒たちは「何が起こったんだろう？」と怪訝な顔をしていた。何を説明していたのだろうか？　すでに何も覚えてはいない。私は「大丈夫、大丈夫」と言いながら授業を続けた。

苦笑いが浮かぶ「こぼれ話」である。教壇に立って、授業をしながら眠った経験のある教師はそんなに多くはないだろう。田川郡の鷹峰中学校での体験である。

第二章▼保護者との関係で

私は、三八年間の教職生活を振り返ってみても、生徒たちとの間で悩まなければならないようなことはほとんどなかった。私の失敗や過ちで、生徒たちに迷惑をかけたことは何度もあったが、それは自らの勉強不足がその原因の大半であって、私自身が反省し克服すればよかった。

しかし、保護者との関係はなかなかそうはいかない。保護者にしてみれば、大切で可愛くて仕方のないわが子を否応なしに何年か私に預けなければならないのだから、私にさまざまな要求や注文があって当然である。保護者も生徒も教師を選ぶわけにはいかないのだから。教師たる者、それをまずはしっかりと受けとめるべきであろう。

以下、私の保護者との関係づくりを思い出す限りまとめてみよう。

一　保護者気質の変遷

私にとって田川時代の保護者と、福岡市の保護者とはかなりの違いがあった。地域性や、受けとめる側の私の年齢が関係しているであろうと思われるが、おそらく一九七〇年代半ばを境に、社会の様子が大きく変化したことが関係しているのだろうと考えている。

第二部でもすでに述べたように、私の田川時代（教職第一期）は一九六二年度から一九七五年度までである。それは日本の高度経済成長期真っ只中である。そんななか私は、炭坑町と山村の中学校に勤務した。そのときの私は二二歳から三四歳までで、保護者の方が私よりも年長だった。私はまだまだ若造で、教師としても未熟であった。にもかかわらず保護者には大切にされた。今振り返っても「なぜだろう？」という思いである。当時、産炭地は終末的な斜陽期で、炭坑の閉山が続いていた。どの地方自治体も人口が極端に減少し始めていたのである。したがって相対的に教職員は「過員」であり、教職員の新規採用はほとんどなかった。つまり私は、三四歳まで常に田川地区では最も若い「貴重な」教師の一人であった。

全国的に見れば、当時は高度経済成長の真っ只中であったが、筑豊の炭鉱地帯はそうではなかった。明治以後、日本の近代工業を支えてきた筑豊炭田も、「エネルギー革命」という石油をエネルギー源・原材料とした重化学工業への転換の大波に洗われて、斜陽の一途をたどっていた。炭坑の閉山に次ぐ閉山である。抗夫たちは慣れ親しんだ炭坑から追われていった。中学校卒業生の多くは悔しくも「集団就職」で東京へ大阪へ、あるいは名古屋へと別れ別れになっていった。

そんななかで、保護者と学校あるいは教職員との間は決して牧歌的なものではなかった。しかし私の思い出す限りでは、保護者との間にトラブルが起こった記憶はない。むしろ、穏やかな関係が静かに流れたという思いである。保護者の間にはまだまだ「子どものことは学校にお任せ」という風潮が強かったのである。

山村ではその傾向はさらに強かった。私が勤めた「僻地校」は、英彦山山系を源流とする今川が削ってつくり上げた渓谷の両岸にへばりつくように並んだいくつかの集落からなる津野という静かな、というより寂しい山村であった。滅多に手に入らない生の魚介類は「無塩《ぶえん》（もの）」と呼ばれて喜ばれるような山深い谷間の山村であった。「僻地校」と呼ばれたその津野中学校に赴任するだけで、私の方が戸惑うくらい、保護者のみならず、地区住民から大歓迎された。保護者参加の学校行事には母親たちは「婦人会」のお揃いの割烹着で参加していた。教師対生徒、教師対保護者という関係ではなく、地域の学校、地域の教師という関係が濃厚であった。

こんな田川から私が福岡市に転勤したのは、一九七六年度であった。そして保護者との関係でいきなり試練に立たされた。学校で喫煙した生徒に体罰を加えて指導したことから、その保護者に睨まれ、その中学校を追い出されたのである。当初私は、その生徒に注意すればそれですむことだと思っていたが、事はそれほど簡単ではなかった。何を尋ねてもその生徒は一切返事をしないのである。我慢の緒が切れた私はとうとう体罰を加えていた。父親が学校に乗り出してきた。管理職はもとより福教組福岡支部さえ私を擁護しようとはしなかった。

この事件は私を鍛え上げた。私は、田川時代（第一期）の教職経験は福岡市では通用しないことを肝に銘じた。私は新たな出発のために、福岡市の子どもたちはもちろん、保護者・地域そして労組であるはずの福教組福岡支部をもしっかりと観察し、分析しなければならないと悟った。そうすると色々なことが見えてきた。同僚のことは次項で述べるが、生徒たちにしても、保護者にしても、よく言えば個性豊かであり、悪く言えば自己中心的なのである。

中学校教師の社会的地位も、田川の山村とは比べものにならない。田川の山村では中学校は最高学府であり、大学出身者も小・中学校の教職員以外には当時数えるほどしかいなかったと思われる。役場の支所や駐在所などとともに学校はその山村の重要な中心の一つであった。

しかし福岡市では、中学校教師などは社会的には注目される存在ではない。保護者のなかにも多くの大学出身者がいる。しかも、「教育改革」を目指す政府によって教職員・学校バッシングも始まっていた。その上一九八〇年代後半になると、高度経済成長期に生まれ育った、言い換えればすでに述べた「モラトリアム人間」が中学生の保護者として、教職員の前に登場し始めたのである。自分で義務や責任を受けとめるのではなく、それを全て他者におっかぶせるという保護者たちである。もちろん全ての保護者が同じではない。しかし一世代前の保護者とは明らかに違いが出てきた。福岡市の保護者たちの一部は、教職員の「品定め」をするのである。良きにつけ悪しきにつけ「学校にもの申す」保護者が現れたのである。これは私にとっては明らかに新しいタイプの保護者であった。後に「モンスター・ペアレント」ということばが使われたことを思うと、これはこのような社会的な傾向の始まりだったと言えよう。このようななかで、保護者との良い関係をつくらなければならないのである。そのためにはどうすべきか、私なりに悩まざるを得なかった。

二　保護者に最初に伝えるべきこと

学級担任になった年度当初、保護者と初めて顔を合わせる保護者会が開かれる。新入生の場合であれば、入学式の直後に行われる。中学校の場合であれば二、三年生の保護者会は、これより少し遅れて、ＰＴＡ総会の前後などに行われる。この保護者との年度当初の出会いを大切にしなければならない。このときに必ず保護者に伝えなければならないことがある。以下に、それらをまとめてみよう。

１　子どもの前で教師の悪口を言わないこと

教職員も人間である。長所もあれば短所もある。得手もあれば不得手もある。ときには失敗したり、過ちを犯すこともある。教職員の側は、その短所や不得手を少しでも是正したり、失敗しないよう努力することは当然であるが、それは容易なことではない。短所や不得手があることを自らが確認し、保護者にも確認しておいてもらう必要がある。

保護者のなかには、おそらく無意識なのであろうが、子どもの前で教職員の悪口を言ったり、批判したりする人がいないわけではない。教職員特に学級担任にとっては、これは大変困るのである。教科指導にしても生活指導にしても、このような保護者であるとその子どもに対する指導は効果がなくなるのである。教師がいくら頑張っても、その生徒には通じなくなる。

もちろん教職員にも保護者に批判されるような欠点があるだろう。完全無欠などと胸を張って言える教職員などどこにもいない。教職員本人が気づいていない場合でも、保護者から見れば短所や欠点に見えることもあるだろう。

したがって教職員、特に学級担任は、保護者に最初に「子どもの前では決して教師批判をしないこと。批判すべきことに気づいたら、直接教師に伝えること」をお願いすべきである。これは教師と保護者との最初の、そして最も重要な約束事にすべきである。その理由を話せば、保護者は納得してくれるはずである。この場合、保護者から直接批判された教師が、保護者を恨むようでは何をか況《いわん》やである。こんな教師では保護者との間に信頼関係は築き得ない。

したがって当然のことであるが、保護者の批判が納得できる場合は、教師はその批判に応えるべく努力すべきあり、場合によっては謝罪しなければならないこともあるだろう。

2　子どもたちとの約束を保護者にも伝えること

年度当初に学級担任として、子どもたちとの間で決して譲ることのできないこととして約束したことを、保護者にも伝えて協力を要請することが必要である。私の場合はすでに述べたように、

＊食べ物（のみならず物一般）を粗末にしないこと
＊自分が出したゴミは自分で始末すること
＊みんなで話し合って決め、自分も納得した任務は責任を持って果たすこと

の三つであった。これは私の成長過程から導き出したことであった。このことも含めて保護者に伝えるべきである。もちろんこの内容はそれぞれの教師によって異なるであろう。「いじめは許さない」、「差別は許さない」などそれはさまざまであってよいのではないだろうか。教師が確信を持って譲れないことを提起すればよいであろう。このようなことを保

護者にも理解してもらえるように伝えるべきであろう。

もう一つ最初に伝えたいことがある。それは、中学生ともなるとすでにその人格のほとんどができあがっている、ということである。外界からの刺激を受けとめる感性や善悪の判断などはほとんど培われ、完成に近づいているのである。

中学生の保護者から、その生徒の性格や習慣など、乳幼児期に躾けられていなければならないことについて指導するよう要請されることがある。それ自体不適当だとは言わないが、すでにほぼできあがっている人格をつくりかえるのは至難の業であることを保護者にも承知してもらうことが必要である。乳幼児期に躾けるのはそれほど困難ではないことも、中学生になって躾けるのは大変である。生まれて中学生になるまでの成長過程で左利きになった中学生を、右利きに躾け直すのが大変だということを想像していただきたい。しかし不可能ではない。ただし躾け直す方法が異なる。中学生ともなるとそれは感性の問題としてではなく、悟性や理性の問題として理解させつつ躾け直さなければならないであろう。幼児が左手で箸を持とうとしたときに半ば叱りつつ躾ける仕方と、中学生が左利きを右利きに変えるときの訓練とは当然異なるのである。中学生にはその必要性を理論的な説明によって納得させなければならない。

誤解を招くかも知れないので、一言述べておく。私は右利きが良いなどと言っているわけではない。少なくとも日本の歴史・社会は右利きに都合よいようにつくられてきたことが背景にあることを前提にして述べているのである。野球選手などは左利きの方が得する場合もあることはすでによく知られている。要するに、中学生ともなれば、人格のほとんどは出来上がっているということを、保護者に理解しておいてもらうべきだということである。

3　欠席届は保護者の責任で

子どもが何らかの理由で学校を欠席する場合には、

保護者の責任において、その旨を学校もしくは学級担任に届けてくれるよう最初にお願いすること。これは登校中の事故を防いだり、緊急対応を可能にするためにもおろそかにしてはならない。

したがって教師の側は、届けなしに時間内に登校していない子どもがいる場合には、直ちに保護者と連絡を取らなければならない。学級担任にとっては、多忙な朝の時間帯に大変な重荷になるが、これは最優先すべきである。場合によっては子どもの命に関わることであるかも知れないからである。万一、仕事が錯綜してどうしようもないときには、事情を説明して、管理職に手伝ってもらうべきである。

4　保護者にも自分の人間性を理解してもらえる自己紹介を

最初の保護者会は自己紹介から始めることになるであろうが、氏名だけを言うような無味乾燥な自己紹介ではなく、自分の人間性を理解してもらえるような自己紹介をすべきであろう。自分の成長歴や家族の様子、あるいは趣味や得手・不得手、さらには愛読書、尊敬する歴史上の人物、座右の銘等々。プライベートなことでも、さらけ出して構わないことはあるがままを紹介した方がよい。保護者に親近感・信頼感を持ってもらえるはずである。

私は現在風に言えば韓国の釜山生まれで、中国（当時は中華民国）育ちである。出身は、旧産炭地の田川。これら以外でも、年齢、教職何年目、住まいはどこどこなどのほか、中学校社会科教師になった経緯なども紹介した。福岡市でそのような自己紹介をしたら、田川出身の保護者もいて思い出話が弾んだこともあった。

5　家庭生活上の躾けは家庭で躾けること

保護者に最初にお願いしておきたいことはまだある。それは家庭生活上での躾けは家庭でやってもらうということである。

私にはこんな経験がある。毎年一回、五月上旬ごろに行われる定期の家庭訪問のときのことである。

保護者から「うちの○○（生徒の名前）は朝、味噌汁を吸わないんです。先生から吸うように言ってください」と頼まれたことがある。しかしこれは教師の仕事ではない。教師にできる指導ではない。言うことは簡単だが、何の効果もない。なぜなら朝食のとき、教師はその場にはいないのだからである。

福岡市ではマンション住まいの人も多い。樹木や草花の咲く庭がある木造建築とは異なり、家庭でお手伝いする部分が少ない。さらに学歴社会という背景もあって、保護者のなかには、「家庭学習や塾通いを優先して、家事の手伝いはさせていない」という人も多い。しかしこれは少し違う。青少年期に家事の手伝いもせずに育っても、人間的に過不足なく育つことはできない。家庭内で何らかの役割を担うことは、家庭内の絆を確かめ合うことでもある。学校における学習とは次元が異なる、人間として大切なことを学ぶ場でもある。たとえマンション住まいでも手伝うことは多々ある。風呂掃除、トイレ掃除、皿洗い、ペットの世話、場合によってはマンションの階段の掃き掃除をやれば、住人に喜ばれるであろう。住人との付き合い方も覚えることになるだろう。

6　教科書やノートは大事に保管しておくこと

最後にもう一つ。中学校に新入生を迎えた最初の保護者会で保護者に伝えておくべきことを記しておこう。それは、中学校で使用した教科書と授業中に記録したノートは、少なくとも中学卒業後の進路が確定するまで、確実に保管しておくということである。中学生のほぼすべてが高校に進学するか、就職試験に挑むことになる。つまり中学生は、義務教育の最終過程の生徒であると同時に、否応なく高校入試や入社試験を受ける受験生だということである。このような試験の問題は中学最後の三年生の内容からだけ出題されるわけではない。

たとえば私が担当している社会科の場合、地理的分野・歴史的分野・公民的分野に分かれている。そのうち地理的分野と歴史的分野は中学二年生までに学習を終える。入試問題は三年生で学習する公民的分野からのみ出題されるわけではない。二年生までに学習を終えた地理的分野や歴史的分野の教科書やノートを、二年生終了時点で廃棄してしまうと、三年生になって受験勉強をしなければというときに困るのである。ほかの教科も同じである。数学や英語などのように学年とともにそのレベルが高度化する教科はなおさらである。

ついでながら、中学校のレベルの学力を確実に体得しておれば、大学入試の備えにさえなると言われている。そういう意味では中学校の教科書は、大人になっても役立つのである。日本国民のすべてが、中学校社会科教科書程度の知識や考え方などを確実に体得しているならば、日本社会はもう少しレベルが高くなっているのではないかとさえ思われる。社会科教科書の内容が受験用の知識として暗記させられ、やがてその多くは忘れられたがゆえに、主体性の弱い・未確立な日本人が育ってしまったのではないだろうか？　大人になってからでも中学時代の教科書は読み返してみると考えさせられることが多いのである。できればいつまでも保管しておきたい。ただし二〇一九年現在の中学校教科書を私は検討していない。私がここで中学校教科書というのは「戦後民主主教育」で使用された教科書のことである。

さらについでながら、あくまでも私の現職時代のことであるが、中学校では基本的に宿題は出さないことも保護者に伝えておきたい。宿題を出す場合も小学校の宿題とは多少主旨が異なる。小学校ではおそらく基礎・基本を反復練習によって定着させること、および家庭学習の習慣づけなどを目的に宿題を出すことが多いのではないかと思う。しかし中学校では学習指導を進める上で必要最小限の宿題である。基礎的・基本的なことは言われるまでもなく、生徒の主体性に任せる、ということである。

このように中学校では生徒たちを半ば大人として認めているのである。したがってその結果には自分が半ば責任を持ちなさいということでもある。保護者にもこのようなことを早い時期に伝えるべきであろう。中学校の教育は、決して小学校の教育の単純な延長線上にあるわけではない。否、むしろ、生徒たちに大きな飛躍を要求するものであるかも知れない。主体性や自立性・自律性が求められているのである。小学校と中学校とのギャップに戸惑う生徒もいる。このギャップをできるだけ早く埋めるためにも、このようなことを保護者に早く伝えて理解と協力を求めるべきであろう。

三　礼を失しない服装を！

教師の服装のことについて述べる。しかし私は女性の服装については無知である。以下に述べることは、基本的に男性教師の服装のことである。

多少の趣の違いはあるが、教職員が働いている学校は、作業（仕事）を管理したり、さまざまな事務を処理している事務所とは異なり、「教育現場」と呼ばれるように、教育（実践）という作業（工事）の現場なのである。教師や保護者の多くは認めないかも知れないが、位置づけは、工場や工事現場と同じなのである。したがって着衣が汚れることは前提なのである。

中学校や高校の場合は、担当している教科によって、その汚れ方には多少の差異がある。保健体育科の教師と数学科の教師とは汚れ方が異なる。理科や技術家庭科の教師の場合はよく汚れる。しかし全ての教師が、授業中にはチョークの粉を被り、掃除の指導をするときには埃を被るだけではなく、子どもたちと一緒に掃除にとりくめば膝をはじめあちこちが汚れる。昼休みなどには子どもたちといっしょに遊ぶこともある。だからこれらを全て指導する小学校の教師の場合、一層汚れることになる。

つまり教師たちは、学校では汚れても構わない服装をしていることが多い。理科の教師は白衣を羽織り、保健体育の教師はジャージなど体操服を着ているのが普通である。技術家庭科の教師の場合は、つなぎや割烹着を着用している場合がある。それ以外の教師たちも、男性であればジャンパーやセーターを着用することが多い。

ほとんど子どもたちとは接しない校長・教頭はスーツにネクタイ姿であることが多い。校長・教頭はすでに教諭ではない。管理職なのである。言わば工場長・副工場長である。教育現場の監督という位置づけである。基本的に作業（授業）はしない。中学校の教頭は若干ではあったが授業を受け持つことになっていたが、今はどうなっているのだろうか？　二〇〇九年度から本格的に導入された副校長・主幹教諭・指導教諭など「新しい職」と呼ばれた中間管理職はどんな服装をしているのだろうか？　子どもたちの成長以前に、自らの「出世」の方に関心が強いと思われるこのような教師たちは、おそらくスーツにネクタイ姿ではないかと私は推測しているがどうだろう？　本当に子どもたちが好きな教師は、特別な日でない限り、通常は学校では汚れても構わない服装をしている。

ところが教職員のなかには、出勤途上でも帰宅途上でも授業中と同じ服装の人がいた。たとえば、ジャージ姿やセーター姿で出勤してくるのである。そうしておけば出勤後着替える手間が省ける。ひどい人になると素足にサンダル履きで出勤してくる。したがって、緊急に家庭訪問をしなければならない場合にはそのまま出かけることになる。これでは保護者に失礼だろう。信じられないと思う方は、あなたが持っている中学校時代の卒業アルバムを開いていただきたい。教職員の集合写真がある。そのなかに、私が指摘するような服装の教職員が一人や二人はいるはずである。

中学校のことだから、ほとんどの教師が高校入試に生徒たちを引率した経験があるはずだ。生徒たちには服装を整えるように厳しく指導する。入試の前日には、受験生（つまりほとんどの生徒）を体育館などに集めて一斉に服装検査などをするのが常態化していた。

ところが引率する教師の一部は素足にサンダル履きやジャンパー姿なのである。授業中に汚れてもよい服装のままなのである。受験生を受け入れる高校側の教師たちは、公立・私立を問わず男性であればスーツにネクタイであった。私がこのように指摘し、苦言を呈してきたのは二〇世紀末の中学校教師たちのことである。格好をつけろ！と言っているのではない。外部の人に会う場合にはそれなりにふさわしい服装、礼を失しない服装があるだろう、と言っているのである。

当時の小・中学校の教師と高校の教師の服装の違いについては、見たままの事実を指摘しただけである。この違いの根拠はもっと深い問題を抱えていると思うがここでは触れない。ただどちらにも言えることは、管理職に言われて「改善」するようでは心許ない限りである。

教師の服装がこのように乱れ始めたのは、教師たちがクルマで通勤し始めた一九六〇年代半ば過ぎからである。どんな服装をしていても、クルマの中にいる限り外からはほとんど見えない、という感覚になってしまうからではないのだろうか？

同じように、ことばづかいにも配慮が必要である。教職員が保護者たちと親しくなるのは望ましい。しかし当然のことながら「親しき仲にも礼儀あり」でなければならない。

しかし、以上のことから誤解しないでいただきたい。私は教職員の服装やことばづかいを統一すべきだと言っているわけではない。あるいは管理職に代わって苦言を呈しているわけでもない。教育現場で教育活動をしている間は汚れても構わない服装をするのは当然である。むしろその方が好ましい。しかし保護者や外部からのお客さんに会う場合には、礼を失しない服装やことばづかいであることもまた当然であろう。したがってこのようなことで管理職に借りを作ったり、統制強化の口実を与えたりすべきではない、と言っているのである。

参観授業のときには汚れても構わない服装でも、その後に行われる保護者会や個人面接の場合、あるいは家庭訪問を行う場合などには、礼を失しない服装と言動に留意したいものである。だから男性教職員の場合、スーツとネクタイは、常に準備しておくべきである。

四　保護者に信頼されること

保護者と教師の関係は微妙である。教師の側がどのように考えようとも、保護者の側からすれば、我が子を学校あるいは学級担任など教師に人質としてとられているように受けとめる場合も多い。だから保護者は、学校あるいは学級担任に面と向かって意見を言うことは多くはない。言いたいときには学校や学級担任の頭越しに直接教育委員会に訴えるようなことになる。

多くの教職員は、子どもたちとの関係を人間と人間の関係、師弟関係と捉えている。このような点は保護者もあまり違いはないであろう。しかしこれは表面上に見える関係である。実はもっと物質的な関係である。

教職員と保護者および子どもたちとの関係を経済学的に捉えるならば、教職員は教育活動（実践）というサービス商品の売り手であり、他方、保護者＝子どもたちはサービス商品の買い手ということになる。しかし教職員は、自分の「人間育成」能力を直接保護者や子どもに売っているわけではない。その間に教職員の雇い主として、都道府県（政令市を含む）教育委員会が介在する。つまり教職員は、直接的には自分たちの「人間育成」能力を教育委員会に売っているのである。教育委員会は、賃金（給料）を支払うという形で、買い取った教職員の「人間育成」能力を学校という教育現場（工場）で発揮させて学校教育という事業を経営しているのである。

保護者＝国民・住民は国税や地方税を納めることによって、学習指導とか生活指導という形で発揮される教職員の「人間育成」サービス商品を買い、子どもたちに与えているという構図になる。したがってその間に教育委員会が介在するが、教職員と子ども＝保護者の関係は、経済学的には「人間育成」というサービス商品の売り手と買い手という対立した関係なのである。しかし保護者が直接教職員に賃金(給料)を支払っているわけではないので、この対立関係は表面的には薄められる。あるいは見えないかも知れない。少なくとも多くの教職員にはそれは見えてはいないであろう。

しかし、教職員の雇い主である文科省や教育委員会は、保護者＝国民・住民から徴収(収奪)した税金で買い取った教職員の「人間育成」能力を極限にまで発揮させようとする。保護者も自分の子どもにできるだけ良い教育を受けさせようと欲する。ここでは「人間育成」の内容は問わない。

このような経済学的な関係である教職員と子ども＝保護者の関係は、教職員より保護者の方が多少シビアに捉えていると思われる。「先生たちは私たちの税金から給料をもらっているのだ」というくらいに捉えている保護者は、決して少なくはないと思われる。しかし現実に「人間育成」能力のサービスを受けるのは子どもたちである。教職員、特に教師は、この子どもたちを評価する。この評価が子どもたちの将来を決定づける(と保護者には受けとめられる)。保護者の多くが、学校あるいは学級担任など教師に、わが子を人質にとられていると観念する所以《ゆえん》である。したがって保護者は、学校あるいは教師に面と向かって批判的な意見をぶつけることはほとんどなかった。もし我慢ならないことがあれば、自分の名前は隠して、学校名・教師名だけは明確に告げ、学校や教師の頭越しに直接教育委員会に訴えるようなことにもなった。

最近の保護者たちは、さらに変容している。学校や教職員たちが対応に困るような要求を直接学校や教職員に持ち込んでくる。こんな保護者は「モンスター・ペアレント」と呼ばれているが、私はそのような規定には与しない。このような保護者たちの責任ではない、と思うからである。

このように保護者が変容した根拠については、さまざまな要因が考えられる。たとえば、今の保護者たちの成長期にあたる一九八〇年代の政治・経済・

社会的背景などとの関係、あるいは二〇〇二年度以来次々に導入された教職員を統制する制度、特に外部評価を含めた「教職員評価制度」の導入、あるいは、そのような「教育改革」を円滑に導入する手段として、マスコミをも動員して意識的に行われている学校バッシング、教職員バッシングなどが保護者の意識にも反映されているのかも知れない。しかしこのような点についての追究は別に譲りたい。

以上、非常に雑な捉え方で申し訳ないが、教職員と子ども＝保護者との関係は、経済学的に見る限り、教育サービス商品をめぐる売り手と買い手という非和解的な関係だと言わざるを得ない。買い手である子ども＝保護者は、より高い水準のサービス商品をより安く手に入れようとする（税金の軽減要求）であろう。逆に教育サービス商品の売り手である教職員は、主観的にはより高い水準の教育サービスを提供できるよう自己研鑽に励んでいるかも知れないが、それで買い手である子ども＝保護者が満足するわけではない。しかも売り手である教職員は、その教育サービス商品をより高く売ろうとする。つまり、より高い賃金を要求する。政府・文科省はこのような関係につけ込んで、マスコミを動員した「教職員・学校バッシング」など、学校あるいは教職員と保護者との対立を煽っているのだと言えなくもない。

しかしこれは保護者にとっても教職員にとっても、特に子どもたちにとっては不幸なことと言わなければならない。このような現状は何とか克服しなければならない。根本的な解決はひとまずおくとしても、保護者と学校および教職員との信頼関係を築く必要がある。私自身、保護者に信頼されていたかどうかはわからない。しかし信頼されるべく努めてきたつもりである。

以下に述べる、私のささやかな実践と経験が何らかの役に立てば幸いである。

1　学校・学級の様子を保護者に伝えること

保護者にとって、学校との関係で最も関心の高いのは、わが子が学校・学級でどのように生活しているか、ということであろう。

しっかり勉強しているのか？

先生から可愛がられているのか？

友達関係はどうなっているのか？

いじめられてはいないか？

などなど。したがって特に学級担任は、学校や学級における子どもたちの様子をできるだけ早く、できるだけ頻繁に、しかも正確に伝える必要がある。これがなければ保護者は、わが子の報告および保護者同士の情報交換から学校や教職員の動きを認識する以外にない。そこから誤解や曲解も生じることになる。子どもの言うことを鵜呑みにして、学校に怒鳴り込んできた保護者に困惑した体験を持つ教師は多いはずである。


このようなことを防ぐためには、学校あるいは学級担任から情報を発信することも一つの方法として有効である。このような場合、不特定多数の保護者に発信する場合と、特定の個人に発信する場合とは区別しなければならないことは言うまでもない。

私が実践した第一は、「学級通信」・「学年通信」の発行である。これは言うまでもなく、学級や学年の生徒並びに保護者全員に向けた情報の発信である。しかし私がこのような手段が有効であることに気づいて目的意識的に発行し始めたのは、私の教職生活の三分の二が経過した一九八〇年代後半からであった。私が四〇歳代後半に達してからのことなのである。結果的に生徒や保護者に大変好評であったと思っている。もっと早く気づくべきだったと思う。このとりくみについては別にまとめたことはすでに述べた。そのなかにも述べておいた「学級通信」・「学年通信」を発行する場合、私が特に注意した点だけはここに掲げておこう。

①同僚との関係に配慮すること。学級担任など教師と言えども「学級通信」などを発行することが得手な人もいれば不得手な人もいる。文章を

書くことが不得手だと思い込んでいる人もいる。何私もはじめからうまくいったわけではない。何年か続けていくうちに要領を覚え、やがてほぼ毎日発行してもさほど負担を感じないようになったのである。教職員であるのに文章を書くのが不得手だという人はかなり不利である。こんな人ほど「学級通信」・「学年通信」を発行することをお勧めする。とは言うものの、周りの学級担任が誰一人として「学級通信」を発行していないなかで、自分一人が発行し続けることは同僚との関係づくりでうまくない。嫉妬されるのである。同僚の了解を得る努力が必要であろう。もしくは、協力しながら「学年通信」として発行する方法もある。

②自分一人でつくる、という考え方ではなく、子どもたちはもとより、保護者の協力、同僚の協力を得て発行するように努めるべきである。

③誰かを傷つけるような記事は一切掲載すべきではない。もしそのようなことがある場合には、個別に話し合えばよい。

④管理職に事前に見てもらうこと。「学級通信」の記事で処分された学級担任もいたのだから。校長・教頭など管理職の机の上に一番先に置いておくのがよい。

⑤学級担任など教師の個人的な意見は掲載すべきではない。どうしても言いたいことがあれば、新聞のコラム欄などを利用するという方法もある。

今日のように多忙な教育現場にあって、このようなとりくみは不可能に近いかも知れない。しかし願わくは、教職員のみなさんが、「そんなことにとりくむ余裕はない」と諦める前に、このようなとりくみができないほどに多忙な教育現場の現状の方が異常であることに気づいていただきたい。このような有効なとりくみに比べれば、やらなくてもよいことを強制されているのではないか？　小学校では、子どもたちの保護者全員に個人宛の「おたより」を毎日書いている学級担任もいるという。大変な作業だと思う。

第二に、無理にならない範囲で可能な限り家庭訪問を行うこともよい。多くの小・中学校では、年度初めの繁忙期（今は一年中多忙だという）が一段落した五月の連休前後あたりに定期の家庭訪問が行われていた。このときは学校からのお願いを伝えることもあるが、持ち上がりでない限り、生徒たちを受け持ってまだ間がないときであるから、学級担任から保護者に伝えることは多くはない。むしろ学級担任が生徒のことを知るために保護者の声に耳を傾けたり、教師の方から質問することが多くなる。と同時に学級担任にとっては、保護者に自分を知ってもらう機会でもある。したがって義務的・形式的な家庭訪問であってはならない。

生徒や保護者の都合によって、一軒の訪問にかける時間はまちまちだが、私は可能な限り多くの時間を費やした。余程特別な事情がない限り、玄関での話で終わらせることはなかった。必ず居間にお邪魔して、生徒を交えて話をした。その上で生徒が勉強しているところ（勉強部屋など）も見せてもらった。

一九六〇年代のころ（私の教職生活第一期）は、まだ生徒専用の勉強部屋がない家庭が多かったが、それでも家庭学習をどこで・どのようにやっているかを尋ねた。一九八〇年代後半以降（同第三期）になると、多くの家庭で、私がうらやましくなるような生徒専用の部屋が確保されている家庭が多くなった。至れり尽くせりの机と椅子に、ベッドが備わっている勉強部屋（個室もしくは兄弟姉妹で共有）である。その部屋を見れば、生徒の家庭生活が一目でわかる。

どんなことに興味・関心を持っているか？
勉強によくとりくんでいるか？
整理整頓はできているか？

などがよくわかるのである。これらを観察した上で色々なアドバイスも与えた。たとえば次のようなアドバイスである。

①辞書はすぐ手の届くところに置く（移動して探さなければならないような所に置いておくと辞書を引くのが億劫になる）。辞書とスマホは、どちらが学習に有効なのか私にはわからない。私はスマホを使用した経験がない。

②勉強部屋の壁の活用。世界地図、日本地図、歴史年表などのほか、暗記した方がいいような事柄（数学の公式、元素記号、英語の熟語など）を書き出して貼付しておく。無意識のうちに見ているからよく暗記できる。

このようにすることによって、学級担任が教室では気づいていなかった生徒の別の新しい面を発見することもある。勉強部屋の片隅にギターが置かれていたり、好きなタレントのポスターが貼られていたりする。書棚にはビッシリと漫画本が並んでいることもあり、日本文学や世界文学の書籍が並んでいることもある。生徒の学校生活からだけでは見えなかった別の面が見えてくるのである。どれが良い・悪いということではない。生徒の全体像をなるべく広く深く認識するのに有効だということである。このようなことを媒介に生徒と対話すると、教師も生徒もお互いにその存在を身近に感じるようになる。

「おっ、『ああ無情』があるね。もう読んだ？」

「読みました」

「どうだった？」

などと話しながら、その感動を共有したりする。保護者も、教師のアドバイスや生徒との対話を聞きながら頷いたり、ときには相づちを打ったりする。教師と保護者の関係も身近になるのである。

私がこんな家庭訪問をするものだから、家庭訪問二日目の教室は、朝から生徒たちはよい意味でパニックである。

「先生は一時間もいた」
「居間に上がってくるぞ」
「必ず勉強部屋を見るぞ」
「それは大変だ。勉強部屋を片づけなきゃあ」
という具合である。生徒たちにも私を迎える心構えができるようだ。二日目以降に家庭訪問を予定している生徒たちは、勉強部屋の整理・整頓に精を出すことになる。それを承知で私は家庭訪問を続ける。

このような定期の家庭訪問以外に、私は不定期に家庭訪問を行った。何か問題を起こしたときの緊急な家庭訪問ではない。特に受験生である中学三年生の学級担任であるときには、意識的に実践した。受験勉強にとりくんでいる生徒を激励するのである。したがって短時間でよい。「お〜い、頑張ってるかい？」で充分である。定期の家庭訪問のときのように居間に上がり込むわけでもない。場合によっては生徒に会う必要もない。保護者から私が来たことを伝えてもらえばよいのである。学級担任も生徒とともに頑張っていることが伝わればよいのである。そんなとき、たまに保護者から「相談に乗ってくれ」と言われることもあった。時間が許す限り相談に応じてきた。

計画を立てて、決まった日時に訪問するわけではない。勤務が終わって帰宅する途中やどこかに出かけた途中に寄ればよいのである。私は通勤にバイク（原チャリ）を使っていたので、このような行動が割と簡単にできた。駐車場の心配をする必要もなく、細い路地でも小回りが効いたからである。

これは単に生徒たちを激励するための家庭訪問ではない。同時に保護者が、わが子が学校でも学級担任から目をかけられていることを実感し、安堵してもらうためでもある。わが子が学校で無難に生活していることを感じとってもらえるはずだからである。

多忙を極めているという今日の教育現場から見れば、私が実践したこのような教育活動は不可能に近いと思われるかも知れない。そしてすでに退職している私から言うのはおこがましいかも知れない。しかしあえて言わせていただく。今日の教職員たちの業務のなかに非教育的あるいは反教育的な業務が強制されていることはないだろうか？　ことばを換えて言えば、教職員たちが、自分の「教育的良心」を尺度に判断して、納得できないあるいはやりたくない業務や「教育活動」が強制されていることはないだろうか？　不必要あるいは間違いと思われる教科書内容、学業成績の評価の仕方、人事評価に関するさまざまな書類づくり、それをめぐる管理職との面接あるいは面談、教育委員会への報告書づくり、教員免許更新のための受講申し込み等々。納得できない業務や「教育活動」が強制されているのであれば、当然排除すべく努力すべきである。

そのように思いながら日々努力している教職員もいるだろう。しかしなかなか成果があらわれないのであれば、

その原因は何か？

自分のこれまでのとりくみに問題はないのか？

自分一人のとりくみではダメではないのか？

これらの問題を克服するにはどうすればよいのか？

などの論議を深めなければならない。

多忙なのでそんなことをする時間的余裕がないと言うだろうか。こう考えるのであれば悪循環である。

まず、教育現場のこのような現状を肯定する立場なのか？　否定する立場に立っているのか？　自分はどちらの立場に立っているかをしっかりと見極めるべきである。もしも「否定的だけれど仕方がない」と言うのであれば、それはこの現状を消極的ではあっても肯定している自分であることを認めることから始めなければならない。なぜなら否定的な現状から逃げているにもかかわらず、「否定的」であることに安住しているというずるい立場に立っているからである。この立場に立つ限り何も変わらない。そのような自分を克服すべく努力することが優先されなければならない。しかしこの点については、直接保護者との関係ではないので、ここではこれ以上追求しない。

2　ＰＴＡ関係の会合には参加すること

学校や教職員に対する「外部評価」が導入されて以降、教職員はＰＴＡ関係の会合にはどのように対応しているのだろうか？　教職員は評価される側だから、緊張したり、率直な意見が言えなかったりするのではないかと心配である。参加しなければ評価が悪くなるので、無理をしてでも参加しているのであろうか？　しかしこれでは、ＰＴＡ関係の会合に参加することが苦痛になり、しかも何の効果ももたらさないと思われる。

私の現職のころとはかなり条件が変化してきているが、参考までに私の体験を述べておこう。

現職の第一期、第二期のころ私は、ＰＴＡ活動にはあまり積極的ではなかった。ＰＴＡの存在が、私たち教職員の教育活動に無害だと認識していたからである。当時の保護者の多くも「学校教育を金銭的に支援する」組織だという程度の認識ではなかっただろうか？　たとえば、学校の施設・設備の不足分の補充とか、地域における児童・生徒の指導など教職員の目だけでは不充分な部分の補完などの活動をする組織だ、という認識だったはずである。

ところが、第三期（一九八〇年代後半以降）のころになると、悪質な管理職や地域の右翼勢力が、日教組運動を切り崩すために、ＰＴＡ活動を組織し始めたのである。もちろん、それ以前からそのような動きは見られたが、まだまだ単発的で、その影響も小さかった。ところが一九八〇年代半ばごろから、日教組の「日の丸・君が代」強制反対闘争の切り崩しのために地域の右翼勢力がＰＴＡ活動に強力に介入し始めたのである。

このようなＰＴＡ活動と組織の変質を察知した私は、ＰＴＡ関係の諸会合に積極的に参加するように方針を転換した。有り体に言えば、私が現職のころは、保護者のみなさんはＰＴＡ活動にそれほど積極的であったわけではない。年度当初に行われるＰＴＡ役員選出では、学級担任をはじめ学校側が毎年苦労していた。保護者のみなさんがなかなか役員にはなりたがらないのである。現在はどうなのだろうか？　ＰＴＡという組織は、学校教育に必要なのだろうか？

一九八〇年代後半ごろから、管理職や地域の右翼勢力は、日教組運動を切り崩すためにＰＴＡ組織と活動を引き回し始めたので、私はこの動きに歯止めをかけようと考えたのである。そのためにはまず、ＰＴＡ活動に参加し、ＰＴＡの組織と活動を実際に体験する必要があったのである。

私が現職のころは、教職員に配慮して、いくつかの例外を除いて、ＰＴＡ役員関係の会合は、教職員の勤務時間内に開かれていた。教師の空き時間（授業のない時間）や放課後でも勤務時間内の午後四時ごろから開いていたのである。教職員の勤務時間後に開くと、教職員の自由な時間を束縛することになるのでそのように配慮していたのである。もちろんこれは教職員側から要請したことである。現在はどのようになっているのだろうか？　方針転換してからの私は、これらの会合に余程の支障がない限り参加するように努めた。

しかしそうとばかりは言ってはおれない場合がある。ＰＴＡ総会や夏休み前の地域懇談会などのように、より多く（厳密に言えば全員）の保護者の参加を要請しなければならない場合である。私が現職のころはまだ完全学校週五日制ではなかったので、ＰＴＡ総会は土曜日の午後、地域懇談会は夕方の七時ごろから始めていた。また夏休みなどの長期休暇のときには、ＰＴＡ役員とともに生徒たちの「非行」防止のために地域内をパトロールすることもあった。これはほとんど夜であった。したがってこれらはすべて教職員にとっては、勤務時間外の勤めである。若い独身教職員はそれほど負担には思わなかったかも知れないが、家庭を持ち、幼いわが子を育てているお母さん（お父さん）先生にとっては大変な負担だったのである。まだ元気な祖父母と同居している場合にはその負担も和らぐが、核家族の場合のお母さん（お父さん）先生は特に大変だった。一日の生活リズムが壊され、幼いわが子の世話ができないからである。

そんななかで私は、ＰＴＡの役員や保護者のみなさんと親しくなるよう努めた。すると、校区内のさまざまな様子が見え始めた。もちろん、生徒たちが安全で豊かな学校生活を実現するために熱心にとりくむ保護者のみなさんが大半である。学校教育上不足している教具や設備を補充するために、バザーを行ってその資金集めに努めるなど、学校側からすれば有り難い活動はいくつでもある。しかし考えてみれば、そんなことは行政の仕事ではないのか？「財源がない」とすぐに口にする行政がいかに無駄遣いをしているかが、最近国民あるいは住民の目にも明らかにされつつある。

しかしＰＴＡ活動に積極的に参加してくる保護者のなかには、これらの活動とは別の何らかの意図を持っている場合があることも明らかになってきた。

私が体験したなかでは、日教組の「日の丸・君が代」強制反対闘争を切り崩そうと意図した参加であった。卒業式や入学式に「日の丸」を掲げ「君が代」を斉唱せよ、と学校行事の内容にＰＴＡ会長を筆頭にＰＴＡ役員が介入し始めたのである。背後で地域の右翼的・国家主義的大物政治家が動いていることも容易に推測できた。そのときのＰＴＡ会長はある政党の党員だと言われていた。誤解を恐れるので一言しておけば、私はそのＰＴＡ会長が特定政党の党員であることを非難しているわけではない。その政党の政策に基づき学校のＰＴＡを利用して教育内容に介入することを批判しているのである。

一九八〇年代後半から、全国の学校ＰＴＡにこのような動きが出始めたのである。ＰＴＡの組織と活動が、一部の政治勢力に利用され始めたのである。否！　公教育そのものが政治の一環であることは言を俟たないから、為政者の側からすれば至極当然のことをしているまでだということかも知れない。しかし「日本国憲法」や当時の「教育基本法」からすれば、それは明らかに公教育への「不当な介入」なのである。

現在は教職員に配慮するなどということはないから、基本的にＰＴＡ関係の会合は、教職員の勤務時間外に行われるらしい。多忙を極めている教職員にこの負担は大きい。学校によって多少の違いはあると思うが、一人の教職員が、月に一度や二度はＰＴＡ関係の会合で勤務時間外に拘束されることになっているのではないだろうか？　もちろん夕食代や超過勤務手当が出るわけではない。その点、ＰＴＡ役員のみなさんも大変である。家族の夕食を整えてから、あるいは一日の勤務を終えてから直ちに夕方からの会合に参加しなければならない。

ＰＴＡの制度と活動は、戦後間もなくアメリカから入ってきた。それでも当初は、学校教育の施設・設備の不備を補完するものとして位置づけられていた。教育設備や教材が不足していたころには、その存在意義があったと思われる。しかし、今や多忙を極める教職員や保護者にとっては大きな負担になっている。それ以上にＰＴＡの組織と活動が日教組の運動を破壊したり、右翼勢力の活動の一つになりつつあるかに見える。　教職員監視の役割も担わされていると思われる。改めてＰＴＡの存在そのもの、その制度、その活動などを全面的・根本的に見直すべき時期になっているのではないだろうか？　そうしなければ教職員はもとより保護者も自らの首を絞めることになりかねない。

戦前・戦中に、学校が「少国民」、「軍国少年・少女」を育てただけではなく、地域にあっては「軍国主義」、「国家主義」伝播のための役割を果たしてきたことを思い出すのも無駄ではないだろう。

明治初頭のころまでは、多くの日本人にとって「おらが国（邦）」とは、「日本」ではなく、筑前・筑後・豊前・豊後などであった。同じように「殿様」、「将軍様」、「公方様《くぼうさま》」、「上様《うえさま》」を知っていても「天皇」の存在を知らない日本人は結構多かったと言われる。

戦後教育を受けてきた私でさえ、一九六〇年ごろ、東京からの帰りの急行列車のなかで、隣に乗り合わせた、当時七〇歳くらいの女性から「あなたのお国(邦)はどこですか?」と問われたほどである。もちろん答えは「日本」ではなく、「九州・博多です」である。

日本国民が、「おらが国」を「日本」と認識し始めたのはそれほど遠い昔ではない。聖徳太子(厩戸皇子)の「日出ずる国」など、確かに古くから為政者や学者たちは、「日本」という視点を持っていたであろう。なお、網野善彦著『歴史を考えるヒント』によれば、「日本」という国名が決定したのは、『浄御原令』という法令が施行された六八九年」だそうである。しかし、幕藩体制と鎖国政策、そして農本主義によって徳川家一族の安泰だけを目的としていた江戸幕府の政治は、「日本人」(江戸時代の一般庶民)から「天皇」はもとより「日本」という視点を失わせてしまった。幕末になってようやく勝海舟やその弟子である坂本龍馬たちが幕藩体制から脱却して、「日本」という視点を復活させたのである。

一般国民が広く「日本」を意識し始めたのは、おそらく日清(一八九四~九五年)・日露戦争(一九〇四~〇五年)のころではないのか。たかだか今から百余年ほど前に過ぎない。したがって天皇中心の中央集権国家(日本における近代国家)創造に動き始めた明治政府は、「天皇」あるいは「日本」を国民の意識に強く植えつける必要があったのである。

そんななかで「日の丸」を全国津々浦々に普及させる任務を担わされたのが学校であった。旗竿とその先に付ける金の玉を各家庭に売って回ったのは当時の中学生であり、「日の丸」の旗を売って回ったのは女学生だったという。

戦時中、出征兵士を送ったり、「開戦記念日」を祝うとき、旗行列に動員されたのは小学生(国民学校児童、少国民)たちであった。

私は最後の国民学校一年生(一九四六年)の世代であるが、「日本国憲法」(新憲法)公布のとき、「(日の丸の)旗行列」に動員されたことを覚えている。一九四六年はすでに戦後であるが、学校制度はまだ戦時中のままだったのである。いわゆる「戦後民主教育」が始まるのは翌年の一九四七年、「日本国憲法」と「教育基本法」が施行されてからである。

話が本題からかなりそれたようであるが、要は学校や保護者そして児童・生徒が政治権力によってどうにでも動かされる危険性を常に孕んでいる、ということを肝に銘じておくべきだということである。公教育というのは、政治の一環だからである。公教育を「聖職」と規定した党派もあったが、こんな誤りを犯してはならない。近代公教育は資本主義社会の支配者のための政治の一環なのである。決して美しい行為あるいは営為ではない。油断していると今日のような教育現場を生み出してしまう。子どもたちの悲惨な現実、教職員の疲労困憊した姿、保護者のみなさんのエゴイスティックな言動等々。したがって教職員は、常にアンテナを高くして注意おさおさ怠《おこた》りなくしておこう、ということである。

第三章▼同僚との関係で

教職員以外の人々から見れば、教職員、特に教師は「視野が狭く、世間知らず」、「お山の大将」かも知れない。この受けとめ方は一般論としては的を射ていると思う。

まずは、学歴が基本的に同じである。私が若年の教諭であったころには、師範学校出身の先輩たちが多かったが、現在は教育系大学か総合大学の教育学部そして教員養成学校の出身者がほとんどである。要するにほとんどが大学出身者で占められている職場なのである。このような職場は教育現場以外にはそれほど多くはないであろう。つまりみんな同じなのである。もちろん教育現場は、「教師」と呼ばれる教諭および助教諭・講師などのみで成り立っているわけではない。特殊な立場である校長・副校長・教頭などの管理職を除けば、養護教諭、司書（教諭）、事務職員、栄養職員、給食関係者、技術吏員などがそろってはじめて教育現場は成り立っている。しかしその大部分を占めるのは、日々教壇に立ち、子どもたちに直接接する教諭・助教諭・講師などの教師であることに異論はないであろう。

例外があるのは当然だが、教師は小・中学生のころはそれなりの優等生だった人たちが集まっている職場なのである。さらに仕事（労働）の対象が基本的には人間であり、しかも自分よりはるかに若い子どもたちである。ほかの職業や職種の人々と交わることもほとんどない。そして決して裕福ではないが、食うに困るというほど貧しいわけでもない（期限付きの非常勤講師などは大変らしいが）。したがって確かに教師は一般的には「視野が狭く、世間知らず」、「お山の大将」に見えるであろう。しかし教師の目から教師を見ると、結構さまざまな人間がいるのである。

今や「いじめ」は子どもの世界だけのことではなくなったと言われる。パワハラ、セクハラ、マタハラがあらゆる職場で問題になっている。教育現場もその例外ではない。むしろ、児童・生徒間の「いじめ」は、大人社会の反映であろう。

二〇一〇年二月一八日付「読売新聞」に「新人教師自殺、心のケアは……」という記事が掲載された。

二〇〇六年五月三一日、東京・新宿区内の小学校新任女性教諭が自殺したことは、「はじめに」や第三章の冒頭ですでに触れた。その女性教諭が残していたノートには「無責任な私をお許し下さい。全て私の無能さが原因です。家族のみんな、ごめんなさい」と書かれたあったという。その小学校に新任教諭として赴任し、二年生の学級担任になってわずか二か月足らずのことである。

「全て私の無能さが原因」であるはずがない。管理職は何をしていたのか？　同僚は何も手を差し伸べることはしなかったのか？　自分のことで精一杯で他人のことまで手が回らない、などと言っておられるのか？　そして何よりも、自殺した本人が「教育は政治の一環である」ことを認識していさえすれば、もっと余裕を持ってこの事態に対処できたのではないのかと悔しくさえ思う。

二〇〇八年度、愛知教育大学教職大学院などの調査によると、

「教師になるとして不安に感じることは？」という問いに「非常に不安」、「不安」と答えた割合は、「保護者との関係」が七〇・三％で最も多く、「同僚教師との関係」が二六・三％に達している。そもそも教師志望者が「同僚教師との関係」に「不安」を感じること自体、由々しきことではないか！　自殺した女性教諭のことを考えれば、この現実は深刻である。

二〇一九年一〇月には、神戸市立東須磨小学校で、

「教諭四人が後輩の男性教諭にいじめを繰り返していた」という問題が発覚したこともすでに述べた。教育現場はここまで歪んでしまったのである。文科省も都道府県教育委員会も他人事と傍観しているわけにはいかないだろう。この間の「教育改革」と無縁ではないはずだからである。

それ以上に、日教組本部は何をしているのか！教職員がお互いに助け合う関係（日教組の最小組織＝分会）をしっかりつくってさえおれば、決してこんなことにはならないと思われる。現職の教職員が置かれている厳しい現状を理解しつつも、このような艱難辛苦にぜひ立ち向かってほしいと思う。

私は現職のころ、管理職は別だが、同僚に悩まされた記憶はほとんどない。それくらい当時はまだ教育現場が牧歌的・平和的だったと言えるのかも知れないが、同僚の言動を苦々しく思ったり、怒りを覚えたことは何度もある。その都度私は、対話や論議を重ね、一致点を見出すように努力してきたつもりである。もちろんうまくいったこともあれば、失敗したこともある。そのような私の体験を反省的に振り返りながら、私自身が同僚との関係をいかにつくってきたかを整理してみようと思う。ただし、あくまでも中学校教諭としての私の体験であることをお断りしておく。小学校や高校にも通用することがあるかどうかは、私には経験がないのでわからない。

厳しい教育現場で呻吟している教職員のみなさんや、これから教職を目指す若いみなさんの参考になることがあれば幸いである。

一　十人十色の教職員たち

私は教職生活三八年間に、さまざまな教職員に出会った。そんななかから色々な意味で忘れ得ない教職員を紹介することから始めよう。

1　どこか抜けていても「よき教師」

私と同僚だったころのその女教師は、まだ二〇歳代の独身であった。とにかくよく忘れ物(事)をする、失敗をする。職員朝礼で生徒たちへの伝達事項を確認したにもかかわらず、それを伝えるのを忘れる。私生活においてもよく失敗する。

ところがこの女教師は、そんな自分のことを悩まない。ケロッとして自分の失敗を同僚にも生徒たちにもあっけらかんと喋ってしまう。それがなぜか憎めないのである。同僚たちはこの女教師を支えてやろうという気になってしまうのである。

失敗や忘れ事が何度か続くと、生徒たちはやがて賢くなる。教師に頼らず、自分たちで学級をまとめていくのである。必要なことは、学級担任から言われなくても自分たちで処理するようになる。したがって私が知る限り、この女教師が担任した学級はうまくいったのである。このような初歩的な失敗が生徒たちはもちろん、同僚や保護者から批判・反発されなかったのだから不思議である。否！　むしろ生徒たちからは慕われていたのである。

微に入り細に入り指導することも必要なことがあるかも知れないが、意識的であれ無意識的であれ、生徒たちに任せることも生徒たちの自主性、主体性、自律性、自立性などを育てる指導の一つのあり方ではないかと、私はこの若い女教師から教えられた。この女教師は決して目的意識的にそのように指導したのではないと思うのだが、結果的には生徒たちを自立させていたのである。これを可能にしたのは、この女教師が自分の弱点や欠点を開けっぴろげに素直に他者に伝えていたからだと思う。自己顕示欲が強く、自己保身的な人の多い福岡市のなかでは貴重な存在の教師であったように思う。無意識なこのような指導ではなく、願わくは、目的意識的にこのような指導のできる教職員でありたいと思う。

この女教師もはや五〇歳代に達しているであろう。現在どうしているか私は知らない。教職員評価制度が導入されている今日、このような純粋で開けっぴろげな人が教師として生き残れているのか心配である。

2　教科指導より部活動の指導に熱心な教師

教科指導より部活動の指導に熱心な教師が多いわけではない。しかしおそらくどの中学校にもこのような教師が一人や二人くらいはいる。誤解を招かないようにお断りしておくが、このような教師は、教科指導の能力や資質が劣っているわけではない。とにかく部活動の指導に熱心だということである。

もちろん詳細に調査したわけではなく、私の経験的な感覚に過ぎないが、教科指導に費やす時間に比べれば、部活動指導に費やす時間がはるかに多いようだということである。土日・祝日は言うに及ばず、夏休みなどの長期休暇のほとんどは部活動指導に費やし、一年間に休日をとるのは年末年始とお盆だけという教職員がいることも事実である。学級担任としての学級の指導よりも、部活動顧問としての指導を優先しているのではないかと思われる教職員もいる。したがって学級担任の指導より、部活動顧問の指導を大切に受けとめている生徒も出てくることがある。市町村内の大会はもとより、県大会・九州大会そして全国大会にまで勝ち進み、「日本一」ともなれば、校区内は言うに及ばず、県内から祝福される。学校の正門辺りには、「祝・○○」などと大書された横断幕が掲げられる。このときの生徒は言うまでもなく、保護者そして顧問教師（監督）は、その達成感に酔いしれることになる。そして校区や市町村の有名人となる。一度味わえば、おそらく何度も体験したくなるのではないだろうか？

しかしこのような部活動指導にはさまざまな問題もある。このような点についてはすでに第二部第三章で述べた。改めて参照していただきたい。

私の現職の第三期（一九八〇年代後半以降）ごろは、体育会系の管理職が多かったように思う。これは政府・文科省による「教育改革」とも関連して、部活動指導の成果とその成績抜群だった教職員の管理職への登用という形で関連していたのかも知れない。

この項のテーマからすれば余談ではあるが、そのように部活動の指導に熱心な教職員の場合、家庭をも犠牲にしていることも多い。私が現職のころ、このために離婚した（された）同僚もいた。新聞報道によれば、確定はできないが部活動の指導に熱心なあまり過労死したと思われる教職員もいるようだ。部活動指導はあくまでも学校教育のなかでは、第二義的な指導であるはずである。先にも述べたが、部活動とその指導のあり方には大改革が必要であると思われる。

3　「出世」主義の教職員

何をもって「出世」というかは諸説あると思われる。私が現職のころ、一般論としては教諭の場合は、

校長（校長任用試験）
↑
教頭（管理職試験）
↑
教務主任
↑
学年主任など
↑
教　諭
↑
（助教諭など）

そしてこの後、教育長や教育委員長（二〇一五年度から廃止）にまで昇り詰めるのが「出世」であろう。ただし今日では、「新しい職」が導入されているから、一般教諭はこの後、

副校長
↑
主幹教諭
↑
指導教諭
↑
教務主任

というようになるのだろうか？

教育現場には、このような昇任の階段を誰よりも早く駆け上ろうとする教諭がいないわけではない。今日では、「教職員評価制度」が導入されたことでこの競争は一段と拍車をかけられているようだ。

これほどではなかった私の現職時代（一九六二〜二〇〇〇年）にも「出世」主義的な教師は存在した。それらの教師は日教組の組合員ではなかった。たとえ日教組組合員であっても、このような教師は途中で脱退した。しかし日教組組合員ではない（非組合員）からといって、必ずしも「出世」主義的な教職

員であるわけではない。同じように日教組組合員でもさまざまな教職員がいる。

一九八〇年代以降の教育現場では、日教組の組合員であるか否かは、非常に重要な意味があった。教育委員会や管理職からは、日教組組合員であるというだけで危険視（問題視）されていた。日教組が、政府・文部省（現在の文科省）の教育政策の多くに反対する立場であり、反対運動を展開していたからである。一九九〇年以後の日教組本部は、自ら「文科省のパートナー」を自己主張するほど甚だしく変質しているので、今日の教育現場で日教組組合員がどのように見られているのかについては私は知らない。

「出世」主義の教職員のことである。彼／彼女らは、管理職に付き従うことを是としているから、管理職に対して自分の意見を主張するようなことはほとんどなかった。それどころか、管理職が組織する学習会あるいは研修会、飲み会などには積極的に参加していた。管理職はこのような手段で、日教組組合員を切り崩していた。しっかりした自らの教育哲学や人生観を確立していなければ、日教組組合員であっても切り崩されていた。そんな誘いを受けながらも切り崩されることなく、日教組組合員としての矜持《きょうじ》を守り抜いた教職員は何かを持っていることは確かである。しかし気づかないうちに変質させられている日教組組合員は案外多い。持っているものの質が問われるのである。

私も五〇歳に達したころから、管理職への道へ進むような誘いを執拗に受けた。しかしその攻撃ははね返してきた。誤解を恐れずに言えば、幸いなことに管理職になるためには、一九七〇年代以降は校長選考試験、管理職選考試験を受けなければならなくなっていたのである。どんなに誘われても自分が受験さえしなければ絶対に管理職をさせられることはないのである。私が受験しなかったことは言うまでもない。

「民主的な管理職」などという党派もある。こんな党派は、近代公教育の何たるかを全く認識できていないのである。自ら「マルクス主義者」だと主張しても、そうでないことを自己暴露している。たとえ「民主的な学校経営」を行い、「子どもたちの幸せのための教育」を行うと真実思っていても、カール・マルクスの言うように「存在が意識を決定する」のである。管理職という存在になれば、その立場から考え実践するのである。またそうしなければ管理職は務まらないような構造と組織になっているのが近代公教育の制度・内容ではないのか！

書類審査が中心だそうだが、今日では「新しい職」の「指導教諭」、「主幹教諭」にも「任用試験」が行われるそうだ。文科省や教育委員会はこれらの「新しい職」は「管理職ではない」と強弁するそうだが、「任用試験」の実施は、これらが「準管理職」あるいは「中間管理職」であることの証しであろう。日教組本部は、組合員にこれら「新しい職」に積極的に挑戦するように指示しているらしい。日教組本部は自ら日教組を潰すつもりらしい。

日教組本部批判がこの項の本題ではない。「出世」主義の教職員のことである。「出世」主義の教職員に共通していることの一つは、本音を吐かない、自己主張しないことである。管理職とはもちろん、同僚間でも対立はしない。教育実践上はもちろん同僚間においても決して問題を起こさないようにするのである。したがって問題を起こした場合には極力それを隠蔽しようとする。

現在もなお「いじめ」は学校教育のなかで大きな問題である。しかし、文科省も教育委員会もそしてマスコミも「いじめ」の原因は何か？という当然の視点からではなく、学校や教職員はなぜ「いじめ」を隠すのか？という視点から問題にする。文科省が強行してきた「教育改革」特に教職員に対する「評価制度」の導入が、学校や教職員が自らのマイナスになることは隠蔽しなければならない教育現場にしてしまったからである。

しかし「出世」主義者は、目立ちたがり屋でもある。論争はしないが、目立つようには振る舞う。大した内容でもないのに、レポートの表紙だけは派手に仕上げる。教育論文の募集があれば、自分の教育実践は大したこともないのに応募する。部活動で成績を上げることに熱中する。これらを踏み台にして「出世」しようとしているのである。

4　日教組運動に熱心な教職員

私が教職に就いたばかりの一九六〇年代初頭のころまでは、校長を除き教頭を含めて一般教職員はほとんど日教組の組合員であった。組合員であることが何ら昇任の妨げにはならなかった。否！　むしろ組合役員の経験や経歴を足場に教頭・校長へと昇進する教員もいた。つまり、教員であるということは同時にほとんど日教組組合員であることを意味していたのである。したがって日教組組合員であることは、それぞれの教職員の特徴や個性や資質を考える指標にはなり得なかった。日教組の組合員であるか否かが問題になることはなかったのである。

しかし今や福岡市の公立学校においては、日教組の組織率はほとんど五〇％を下回っている。日教組の組合員が一人もいない教育現場もあるという。つまり日教組の分会がない教育現場があるというのである。このような現状を見れば、その教職員が日教組の組合員であるか否かが、教職員を区分する一つの目安となる。もちろん単純な線引きはできないが、日教組の組合員であるということは、とりあえず「出世」主義者ではないと言えるのである。日教組の組合員であれば、校長も管理職には推薦しないからである。

しかし日教組の組合員であっても、その内実は千差万別である。大部分は、「出世」するつもりはなく、とにかく平穏に教職生活を終わりたいと思って、日教組とも対立せず、組合費を払っているという組合員である。そんななかで、日教組の組織や運動の発展のために私生活をある程度犠牲にするほど熱心な日教組組合員もいる。そのような教職員には、それぞれの信念があるようだ。その信念の最大公約数を

スローガン的に表現すれば、

「教え子を再び戦場に送るな！」

「民主教育を確立しよう！」

「日本国憲法（平和憲法）を守れ！」

「子どもの権利条約を実現しよう！」

「差別を許さない！」

などであろう。このような信念の持ち方も千差万別ではあったが、少なくとも明確な教育的信念を持たず、その日暮らしをしている教職員よりもはるかに教育熱心であった。なかには特定党派系の教職員もいた。しかし、今やそんな彼／彼女らが、支持して止まなかった日本社会党が崩壊し、社民党さえも風前の灯火となっているにもかかわらず、それを痛恨の思いで反省している日教組役員や組合員もいない。

そんな現在から振り返ると、当時、日教組の組織や運動の発展に熱心だった教職員と言っても、その程度なのであるが……。

5　一九八〇年代以降に新規採用された教職員

一九八〇年代以降に新規採用された教職員たちは、高度経済成長期に生まれ育った教職員たちである。私が四〇歳代のころ同僚になった当時の若い教職員たちである。当時、彼／彼女らは私から見れば別世界の人間であった。

私がある中学校に勤務していたとき、一挙に「三人娘」が私たちの同僚として赴任してきた。三人とも可愛くて、明るくて、活動的であった。すばらしいことである。しかし当然にも戦時中の体験はもとより、敗戦直後の食糧難も経験していない。色々な機会に話してみると、私の基準からするととにかく〝無常識〟なのである。常識を知っていてあえてそれに反発したり、否定したりする非常識・反常識ではなく、当然体得しているはずの常識がないのである。鯖《さば》、鰺《あじ》、秋刀魚《さんま》、鰯《いわし》の区別ができないという。スーパーマーケットで切り身しか見たことがないらしいのである。烏賊《いか》とスルメは別物だと思っていたり、枝豆は知っていても、それがやがて熟して大豆になることは知らなかった。

最も驚いたのは、私が彼女らを日教組に加入するように誘ったところ、そのうちの一人が「お母さんに聞いてきます」と言ったことだ。誘いを断る方便ではないのである。真面目にそう言うのである。私は怒りを通り越して呆れてしまった。いい大人が何たることかと。自分で判断しない、できないのである。大人になりきれていなかったのである。

高度経済成長のなか、自然が瞬く間に破壊される過程で、自然に接する機会を奪われ、その美しさ、優しさ、厳しさ、怖さなどを体得することもなく、自らが判断しなければならないような重大な岐路に立った経験も希薄で、何不自由なく育ってきたのであろう。私は、そのような若い教師たちをそこから導かなければならなかった。しかしやがて彼女らはそろって日教組に加入した。

そんな彼女らもすでに五〇歳代である。厳しい現在の教育現場のなかでどうしているだろうか？　そして二一世紀の若い教職員は、さらに厳しい教育現場でどのように生きているのだろうか？

6　一つのことに頑固だった先輩教師もいた

これまで私の周辺には、ある一つのことに頑固にこだわっていた先輩教師がいた。直接学校教育に関することではない。その人の個人的なことではある。他の人にとってはどうでもよいことかも知れないが、その善し悪しは別にして、そのような先輩教師は内面に何やら強いものを持っていた。自分の生き方を考える場合に一つの参考になるのではないかと思うので紹介しておこう。

その一人は、私の教職生活第一期（田川時代）の先輩教師である。「同和」教育あるいは部落解放運動に熱心にとりくんでいた先輩教師である。私の教職生活第一期のころ、その先輩教師は、福教組田川郡支部の執行委員を務めていた。その先輩教師は時計を持っていなかった。彼自身が何かの機会に言ったことであるが、その理由は、幼いころから家庭が貧乏で、高校生のときも大学に入ってからも時計を買うことができなかったからだ、ということであった。その貧しさを忘れないように、時計を持つことを自分に禁じたそうである。

二人目の先輩教師は、かつて私の同僚であり、私と同じ社会科担当の教諭であった。この先輩教師は絶対にコカ・コーラを飲まなかった。その理由は、「アメ帝を利するばかりだからだ」ということであった。すでに六〇歳台半ばで他界したが、徹底した反米（帝）主義者であった。晩年には、最近の日本共産党が「安保廃棄」を放棄したかのように在日米軍基地問題へ対応することに大いなる疑問を抱き始めていた。同僚だったころ私は、この先輩教師と論争していたが、惜しい先輩を早く亡くしたという思いであった。

同じ教育現場に勤めていたころのことである。その先輩教師も私も三年生の学級担任であった。中学三年生と言えば受験生である。三学期が始まって間もないころであったが、私たち三年生の担任教師は、受験生合格祈願のため太宰府天満宮に出かけることになった。この先輩教師は、このとりくみに猛烈に反対した。唯物論者であると自認していたであろうこの先輩教師は、合格祈願など神頼みはおそらく認めるわけにはいかなかったのであろう。

最後の一人は、二〇〇九年に亡くなった先輩教師である。現職のころはほとんど交流はなかったが、退職後に福岡市退職教職員協議会の役員として交流した。

福岡大空襲の証言者として活動し、実績も残した先輩教師であった。この先輩教師は、「ゴルフは嫌いだ」と言っていた。もちろんプレイしたことはなかったはずである。「大金持ちのやることだから」というのがその理由であった。ついでながらこの先輩教師は、パソコンにもクルマにも見向きもしなかった。

「大金はたいてクルマを買って太鼓腹になるより、歩けば金はかからず、ダイエットにもなる」

「事故を起こせば元も子もない」

と言っていた。このクルマ社会、このパソコン必需品時代にこれらに見向きもしなかったのも結構頑固である。「アンチ近代化」だったのかも知れない。今日の「地球温暖化」を見れば、一つの見識だったのかも知れない。

この先輩教師たちは、私より数年年長であった。この「頑固さ」を私は即肯定しようとは思わないが、理解できることではある。

私もすでに触れたように貧しいなかで育ち、高校生になっても時計を買うことができなかった。私が最初に自前の腕時計を手にしたのは、大学に進学し、アルバイトで稼いだカネで、質流れを買ったときであった。ゴルフは今まで一度もやったことがない。今でもやってみようとは思わない。大金持ちの遊びだと思っているからである。

これら三人の先輩教師たちは何れも「戦後民主教育」を頑固に守り通した日教組組合員であったと言ってよいであろう。

7　その他

三八年間の教職生活のなかで私が出会った教職員には、以上のような類型にははまらない、言い換えれば教職員からはみ出してしまった人もいた。数は少ないが、たとえばギャンブル（競馬、競輪、競艇、パチンコなど）にのめり込んで自己破産した教職員、同僚や生徒の保護者と不倫関係になって身を持ち崩し、教職員を辞めなければならなくなった人、アルコール漬けになって病死した教職員などがいた。

それぞれにそれぞれの理由があったとは思うが、教育や人生に関する確固たる信念や哲学を己のものにしておれば、真っ当な教職生活を送ることができたのではないかと惜しまれる。

二　私自身は同僚間でどのように生きたか？

私が、同僚との関係はどうしようか、などと新規採用されたときから考えていたわけではないことは言うまでもない。ところが最近の教職を目指す若者たちの心配事の一つは、保護者との関係づくりと並んで同僚との付き合いだという。確かに教職員間のつながりが最近非常に希薄になっていると言われる。その理由はすでにこれまでに述べたことから明らかであろう。そんな厳しい教育現場で、同僚との関係をどのようにつくるか？

以下は、退職している現在から、現職のころの私を振り返って気づいたことを述べるだけである。私の体験が、厳しい教育現場の現実に立ち向かうときに役立つとは思わないが、とにかく述べてみよう。参考になれば幸いである。

1　自分独自のものを身につけること

教職生活の全てにおいて百点満点などという教職員は存在しない。したがって全てに完全であろうなどと考えてはいけない。人間である以上、そんなことは不可能なのである。その不可能を少しでも減らす努力をするのは当然であるが、同時に何か一点でよいから、自分が学校内で意義ある存在あるいは必要とされる存在になれることを見つけ、磨き上げるということである。

中学校の場合、それぞれの教科指導で抜群の指導能力を発揮しておればそれが最高である。しかしそれはある意味で全ての教職員に求められることであって特技的なことではない。これ以外に教育現場では、さまざまな知識、技能、技術が必要なのである。掃除の指導、生活指導、大勢の生徒が集まる集会の指導、部活動の指導、学級指導など直接生徒に接する指導能力・技術はもちろん、間接的に生徒に接する校内放送に関する知識・技術、学校行事のための横断幕や立て看板を作製する技能、パソコンに関する優れた知識・技能なども必要なのである。

お叱りを承知で述べておけば、教育現場では、教職員の飲み会や職員旅行の企画運営に関する能力さえ貴重な能力の一つだ、と言えるのではないか。

私の同僚のなかには、理科の教師でありながら、音楽的能力が抜群で、ブラスバンド（吹奏楽）部の顧問を務めていた男性教諭や、英語教師なのにテニスがめっぽう得意で、テニス部の顧問を務めていた男性教諭などがいた。私から見ればいずれも不得手な分野なので、それだけでも存在価値を認めていた。

このように教育現場が必要としているさまざまな能力のうちに、一つでよいからほかの教職員が代わり得ない能力を身につけることである。ほかの能力・技術・技能が並もしくはそれ以下であっても、その職場で必要不可欠な存在になることは確かである。教育現場で居場所を見つけ出す一つのポイントではないだろうか。だからといってそれを誇りにしたり、威張ったりすることではないことを肝に銘じておく必要がある。威張ったりすると逆効果である。

私はスポーツや機械には弱い。その能力・技術・技能は並以下である。では私は何が得手なのか？初めからわかっていたわけではない。一〇年、二〇年と教職経験を積む過程で、生徒たちから、保護者から、あるいは同僚から教えられるのである。それを敏感につかみとって自分の得手な分野を認識して、その能力をさらに磨き上げればよいのである。若いときから慌てて得手な分野を決めてしまわなくてもよい。若いということは、それだけで存在価値が充分にあるからである。

私は教科指導においては他の追随を許さない自信がある。しかしこれは中学校教諭の誰もが持っている自信であろう。これは至極当たり前のことである。これに満足せず、指導内容や指導技術を日々磨き上げなければならない。私の担当教科である社会科学習指導については、『社会科は暗記ものか？─社会科学的思考を育てるために─』にまとめた。できるだけ早く出版したいと思っている。

私が同僚との関係でリーダーシップを発揮できたのは、

①平和教育の実践

②「学級通信」・「学年通信」の発行

③日教組運動に関するとりくみ

くらいであろうか。

書店販売はできないが、平和教育のとりくみ、また「学級通信」・「学年通信」の発行についても私家版としてまとめたことはすでに紹介した。どうぞ参考にしていただきたい。

日教組運動のとりくみについては、私は三八年間の教職生活のうち四分の三は支部役員、分会長、分会評議員のいずれかを務めてきた。私の現職時代は、まだ日教組がそれなりに存在感があったから、支部役員や分会役員を務めるような意思と能力のある人は必要な存在だったのである。私の日教組運動に関するとりくみについては別にまとめたいと思う。

しかし現在は、日教組組合員であることそれ自体が管理職に睨まれているであろう。このような役職に就くこと自体、それなりの覚悟を要するはずである。しかしそれは決して間違ってはいない。自信と誇りを持ってよいことである。ぜひとも頑張って、分会員のみなさんは分会を、そして日教組の組織と運動を守り抜いてほしいと思う。

2　同僚をよく知ること

すでに述べたように、教職員の世界は狭い。しかし教育現場で教育実践にとりくんでいる一人ひとりはさまざまである。それらの同僚と有意義に交わっていかなければならない。そのためにはまず同僚たちをよく知ることが必要である。そのために私はどのようなことをしたかを記しておこう。参考になれば幸いである。

新しい職場に赴任したときは、私はしばらくの間必ず誰よりも早く出勤した。もっとも私の現職最終段階のころ（一九九〇年代半ば）から学校は機械化警備になった。朝六時半ごろには教頭が出勤してきて、機械化警備を解除して教職員や朝練の生徒たちを迎えるようになったので、いくら早くても私は教頭に次いで二番目ということであった。一般教職員、したがって私も機械化警備を解除できるのだけれど、面倒なので教頭の次に出勤した。今はどうなっているだろうか？

私が早く出勤するのは、後から出勤してくる同僚たちを観察するためである。意地悪く観察するためではない。今後の同僚たちとの人間関係づくりを考えるために、それぞれの同僚の特徴や個性および人間関係を知るためである。

同僚たちの出勤してくる時間や順番はおよそ決まっている。小学校や高校のことは知らないが、中学校の場合であれば、男性教職員の出勤が早い。特に部活動の朝練をしている顧問の出勤が早い。女性教職員はほぼ始業時間（福岡市の中学校の場合午前八時一〇分ごろ）五分前くらいに出勤してくる。わが子の世話や家庭内のことがあるからであろう。そのことから家庭（生活）の様子まで推測できる。

さらに出勤した後、何をするかも観察する。早く出勤してきた教職員は、職員室の窓を開けたり、お茶やコーヒーが飲めるようにお湯を沸かしたりする。そのように決めているわけではないが、それが慣習になっている。それがすむと悠々とお茶を飲み、煙草を吹かす人（現在は全国、学校敷地内は禁煙だそうである）もいれば、急いで教室に出かける人もいる。職員室の自分の机ですぐに仕事を始める人もいる。朝練を指導する部活動顧問は早々と運動場に飛び出す。

私はヘビースモーカーで、お茶好きだったから、出勤して最初にやるのは、お茶を淹れ、煙草に火をつけることであった。煙草を吸いながら仕事にとりかかった。仕事の内容は学級担任であるときと、そうではない副任のときとは当然異なっていた。そんな態勢で、出勤してくる同僚たちを観察していた。

私の教職生活最後の五年くらい（一九九五年以降）は、職員室では禁煙になったので、職員室の外で煙草を吸うようになった。このような観察を一週間も続けると、教職員間の人間関係も朧気ながら見えてくる。

　次に、同僚に積極的に話しかけることも重要である。対話することによってその同僚が何に関心を持っているのか、どんな趣味を持っているのか、どんな悩みを抱えているのかなどもわかり、その同僚を理解することにプラスになる。構えることはない。気楽に雑談するのである。もっとも、殺人的に多忙な今日の教育現場では、それさえ許されないのかも知れない。しかしこのように同僚間でことばを交わし合うことは必要なのである。煩《わずら》わしがられても、ぜひ勇気を持って同僚に声をかけてほしい。同僚間のギクシャクを柔らかく溶かしてほしい。

　私の現職のころは、同僚間でよく話し合っていた。冬であれば、昼休みはもちろん、一〇分休みでもストーブを囲んで授業であったことなどを話していた。煙草好きは煙草を吸いながらよく話した。これが情報交換になるのである。教師になって間もないころは先輩たちのこんな話が非常に役に立った。

　不謹慎だとお叱りを受けるかも知れないが、同僚と酒を飲むことも必要である。私が若い教諭であったころは、先輩たちがよく酒盛りを開いてくれた。学校内の家庭科教室や、宿直室などで酒盛りをするのである。たった一度だったけれど校庭でバーベキューをやったこともある。こんなときに先輩たちが、授業のこと、管理職のこと、生徒のこと、保護者のこと、あるいは教育委員会のことや日教組のことなどをよく話してくれた。酒を飲みながら無意識のうちに色々なことを学んだ記憶がある。こんな場合でも酒に飲まれないように自分の酒量の限度もまた学んだのである。あくまでも酒には飲まれないように気をつけるべきである。

　しかし一九七〇年代に入ると、教育現場にもクルマ社会の波が押し寄せ、多くの教職員が通勤にクルマを使い始めて、学校内での酒盛りは極端に減った。年に一度の忘年会と職員旅行のときくらいしか同僚と酒を飲む機会はなくなった。同僚間が何となく疎遠になり始めたのである。さら一九九〇年代以降は放課後、学校内で酒盛りをすることが不謹慎であるかのような風潮があるだけではなく、最近では極限的な多忙化が加わって、もはや教育現場には酒盛りをする気分的な余裕すらなくなってきているのではないか。

3　事務室・保健室・給食室にも顔を出すこと

学校という教育現場は、子どもたちと教師の関係が中心であるとは言っても、それだけで成り立っているわけではない。養護教諭や司書および事務職員、技術吏員、給食関係者も不可欠である。

保健室や事務室は、授業についていけない子や学級に馴染めない子の避難場所になっていることが多い。学級担任としては、そのような子どもを受け持っている場合には特に養護教諭や事務職員から、その様子を聞くことが大切である。

子どもたちにとって、養護教諭や事務職員との関係には、評価される（点数をつけられる）という直接的な利害関係が存在しない。したがって学級担任や教科担任との関係で見せる顔とは異なる素顔を見せることがある。

したがって学級担任など教師たる者、意識的に、教育現場のこのような職種の方々の話をしっかり聞くべきである。私がこのようなことについて気づいたのは、四〇歳代半ばであった。あまりにも遅すぎたと思っている。すでに述べたように、私は「学級通信」・「学年通信」は、生徒や保護者そして職員室のみならず、保健室、事務室、給食室にも届けて、読んでもらっていた。大変好評であった。

三　日教組組合員のなかで

すでに述べたように、私は現職であり続けた間、日教組の組合員であった。教職初年度、まだ助教諭の身分でありながら自ら希望して日教組に加入した。

当時は校長以外の教職員は、教頭も含めてほとんど日教組の組合員であった。だから先輩たちも加入を勧めてくれただけでなく、日教組に加入しやすい環境ではあったが、それは私自身の意志だったのである。しかし私が教職に就いた一九六〇年代前半は、すでに当時の文部省や都道府県教育委員会などによって、「戦後民主教育」が徐々に形骸化される段階に入っていた。

たとえば、一九六一年、戦後はじめて全国中学生一斉学力調査（一九六二年度には全国小・中学校一斉学力調査）が実施され、一九六二年には、高度経済成長に即した工業高等専門学校が発足した。また、一九六三年には当時の文部省が、全国に「道徳教育研究校」を指定した。

他方、日教組に対する分断攻撃も熾烈になり、それに煽られて日教組を脱退する教職員も出始めた。反日教組団体として「日本教師会」が結成されたのは一九六三年二月であった。

当時は、勤務評定問題（いわゆる勤評反対闘争）が曲がりなりにも一段落し、日教組の闘争課題は全国一斉学力テスト反対闘争に移っていた。私が教職に就いたばかりのころであるが、この闘争についてはほとんど記憶していない。まだ日教組運動に慣れず、主体的に参加し得ていなかったようである。私が日教組運動にそれなりに主体的・積極的に参加し始めたのは、一九六五年ごろ、支部青年部の常任委員に推薦され、続いて青年部長を務めたころからのようである。

当時、日教組本部が組織の力を傾けたのは、「政治闘争」という名の国政選挙並びに地方議会議員選挙であった。つまり国会や地方議会で多数を占めることを通じて日教組本部が考えている「民主」的な「改革」を実現しようとする戦略である。この点は今日においても全く変わってはいない。否！　二〇〇九年の、いわゆる「政権交代」以後、その傾向はますます露骨になってきている。要するに日教組組合員をこれまでより一層極端に票集めのコマとして位置づけ、動員するのである。旧民主党が民進党さらには立憲民主党、国民民主党に分裂してからは、日教組組合員は右往左往しているのではないだろうか？

選挙闘争と同じくらい日教組本部が、反動的な教育政策に反対するたたかいや賃金闘争、反戦・平和運動などの闘争課題に組織の総力を注いでおれば、今日の教育問題はかなり変わっていたのではないかと悔やまれる。しかしこれは無い物ねだりであって、日教組本部は、当時の日本社会党（以下、社会党）の指導の下、このような闘争課題を国会議員選挙で勝利することで実現しようとしていたのであるから、今日の結果は当然と言わざるを得ない。

私は日教組に加入して以来一貫して日教組本部の、そしてその背後にある社会党の戦略・戦術を批判してきた。ここでその内容を開陳するつもりはないが、その能力の至らなさを悔しく思う。そのように日教組本部の方針を批判し続けたが故に、社会党（民同系の組合役員や、日教組活動家から私は一貫して警戒されてきた。私は当時の文部省や教育委員会の反動的な教育政策や日教組攻撃とたたかうだけでなく、私を敵視する民同系の勢力とも同時にたたかわなければならなかった。

誤解されたくはないので明らかにしておくが、私は日教組本部などが提示する運動方針に疑問があれば質問し、誤りがあればそれを批判し、必要なときには分会であるいは支部で論議して修正案を提出してきた。しかし一旦、日教組（あるいは福教組）の機関会議で運動方針が決定すれば、その運動方針に逸脱する言動をしたことはない。それどころか、決定した運動方針に従って、少なくとも分会内ではもちろん、支部内においても、組合員のなかでは私が最も真面目に学習会や討論集会あるいは反対集会・抗議集会などに参加してきたことは、民同系の組合役員（執行委員）がよく知っているはずである。

そして今や、当時の社会党はどこにも存在しない。崩壊してしまったのである。日教組本部も、自ら文科省の「パートナー」と称するほどに変質してしまった。にもかかわらず、社会党系の当時の指導者たちは今日なお、悔しさを訴える人も反省の弁を語る人もいない。社会党委員長であり首相をも務めた村山富市さんが的外れな「労組だけに頼ったのが拙《まず》かった」という反省を呟いているという新聞報道に接したただけである。

このようななかで私は、日教組組合員として、ほかの（主として職場＝分会の）組合員といかに関係をつくってきたか、について思い出すままに述べてみようと思う。

1　分会員をよく知ること

日教組は、各都道府県の高等学校教職員組合（高教組）の連合組織である。したがって単組としては各都道府県・高教組である。私が所属していたのは福岡県教職員組合（福教組）である。その〝兄弟組合〟が高教組である。その下に市や郡単位の支部があり、その最小単位が、各学校（教育現場）内の組織であり、分会という。したがって私が日々接していたのは分会員である。

全ての分会員が日教組運動に熱心であるわけではない。なかには管理職のスパイ的働きを担った分会員さえいたと言われていた。だから分会員であっても、どんな日教組組合員であるかを見極めなければならなかった。

私は、日教組運動に熱心に参加するという立場から分会員を観察してきた。特に分会長のときはそうであった。観察する基準は次のようなものであった。

①分会会議によく参加するか？
②福教組や支部主催の集会や学習会などによく参加するか？
③分会会議でよく発言するか？　発言する場合どんな立場からの発言が多いか？
④職員会議などでよく発言するか？　発言する場合はどんな立場からの発言が多いか？
⑤管理職にはどんな態度をとっているか？
⑥生徒や保護者にはどのように接しているか？
⑦言動の間にはギャップはないか？

意地悪く思えるかも知れないがそうではない。そのようなことを確実に実行しなければ、分会組織を強化する前提ができないと思うからである。

分会組織を強化するとは、分会の活動方針および活動方針の背後にある考え方を一致させることはもちろん、それに従って、実行する行動においても一致させることである。さらにその一致点の質をたゆまず高めることである。つまり、今や日教組（労組全体）の組織と運動のなかから死語になりつつあるかのように見える「団結」を強化し、その質を高めることである。

日教組本部は、一九七〇年代までは、賃金闘争や反戦・平和運動（ベトナム反戦闘争など）でストライキを戦術（闘争課題実現のための手段）として採用してきた。こんな場合、日教組組合員の行動が不一致で、スト破りが出ることは致命的である。これは何としても防がなければならない。そのためには、分会員（日教組組合員）が相互によく理解し合っていることが重要である。私の観察はそのためであり、またその分析だったのである。だから当然にも分会員間に考え方や行動の違いやズレがあることに気づいたら、その一致を求めて論議を深めその一致を獲得しなければならない。その論議は個別に行うこともあれば、分会会議の折に行う場合もあった。このような議論を深めれば深めるほど分会組織の団結は強化され、その質は高められた。しかし労働運動をめぐる論議であるから自ずから限界がある。

賃金闘争などでストライキを構えたときや日教組（組合）脱退者が出たときなどの議論は熾烈であった。夜を徹して分会会議を行ったことは何度もあった。また一例を挙げるならば、すでに述べた県教委による「強制配転」反対闘争では、校長交渉や市町村教育委員会交渉を行った場合など夜を徹してたたかうことは何度も経験した。このようなたたかいを担ってきた旧産炭地の日教組組合員は当然、夜が更けても帰宅することもなく、次の日には不眠不休のまま教壇に立っていた。それは家庭生活を犠牲にする献身的なたたかいであった。幼い子どもの親である組合員たちは、子どもを祖父母に預けたり、近所の人にお願いするなどして、あるいはやむを得ない場合は一時帰宅して、子どもの世話をした上でたたかいに参加していた。

一九七〇年ごろまでの日教組組合員がこのようなたたかいを組織し得たのは、「自分たちのたたかいは正しい」という自信と誇りがあったからにほかならない。事実このころまでの教職員、特に日教組組合員たちの多くは戦争体験者であり、「教え子を再び戦場に送るな！」という思いは容易に理解し、お互いに心を一つにできたのである。このことは総評傘下の他の労組員たちも同じであったのではないだろうか？

だからこそ、今日までの戦後七十有余年の間、世界の近現代史のなかで稀だといわれるように、日本が外国と戦争することを阻止してきたのだと自負してよいのではないか？　小泉元首相など自民党内閣の歴代首相たちが言うように「先の戦争の犠牲者の上に戦後の平和と繁栄が築かれた」わけではない。こんな冗談はこれっきりにしていただきたい。戦後一貫して反戦・平和運動をたたかい続けてきた日教組組合員をはじめ多くの労働者、そして被爆者のみなさんなどこそが戦後日本の平和を守ってきたのである。

しかし、今や教育現場には戦争体験者は一人もいない。戦争に関する感覚は、体験者たちとは微妙に、あるいは大きく違うのではないかと思われる。しかも「戦争への道」は、太平洋戦争のころとは異なり、格段に巧妙に仕掛けられている。戦争政策に反対するたたかいは、今後ますます困難を極めるであろう。しかし、なんとしても「教え子を再び戦場に送るな！」というスローガンは、守り続けてほしいと痛切に思う。すでに自衛隊は「安保関連法」に基づいて南スーダンなどの戦場に派兵された。日教組組合員そして日本のすべての教職員たちは実質上、「教え子を再び戦場」に送り出してしまったと自覚しなければならない。

このようなことを阻止するために、日教組組合員は、相互の理解を深め、手を携えて団結を強固にしつつ、その質を高めなければならない。日教組組合員そして教育現場の教職員が相互に理解を深め合い、助け合うことを基礎に団結を強化することが絶対に必要なのである。「教職員評価制度」など、政府・文科省による教職員分断攻撃に易々と引っかかって相互にいじめるなどということがあってはならない。

2　主体的な日教組組合員になるよう促す

日教組組合員といっても千差万別である。自分の意見をしっかり持って、その観点から日教組指導部にも批判的な組合員もいれば、指導部の運動方針・指示にとにかく忠実に活動にとりくむ組合員もいる。また組合員とは名ばかりで、単に組合費を払っているだけという組合員もいる。その内実はさまざまだが、大部分は日教組本部やほかの下部機関の打ち出す運動方針になんら疑問を持たず、執行部にお任せという組合員である。しかもこのような組合員は、ほとんど運動方針の内容は検討することなく、「執行部は熱心に頑張っている」ということで認めてしまっている。自分が怠慢であることの責任逃れであろう。

これでは分会組織の強化はできない。私はこのような組合員の主体性を何とか育てたいと思ってとりくんできた。詳細は別にまとめたいと思うが、ここではそのいくつかを紹介しておくにとどめる。

その第一は、一般の組合員が「執行部は熱心に頑張っている」と言うときの「熱心」、「頑張っている」の内容(質)を問うことを促してきたことである。日教組運動に限らず、何事も「熱心」であればよいわけではない。やや荒っぽいが私は、その内容を問わない組合員に「泥棒だって熱心であり一所懸命だ」と言って、その内容（質）を問う重要性を訴えてきた。場合によっては、熱心であればあるほど、一所懸命であればあるほど、むしろマイナスになることさえあることを説いてきた。

執行部（指導部）の打ち出す運動方針の内容（質）を問うためには、組合員自身がしっかりした問題意識を持っていなければならない。その前提になるのが、政府の打ち出す政策の狙い・目的を正確に把握し、それに対する日教組本部などの打ち出す運動方針を検討することである。これが第二のとりくみである。だから大変だけれど分会学習会は欠かせない。お互いに新聞の切り抜きを持ち寄るなど資料を集めて検討したり、意見を交換するなどのとりくみが必要となる。そして分会討論の結果、必要であれば修正案を準備した。

　今日、殺人的な多忙化のなかで、議案を検討したり、学習会を行うなどの時間を生み出すことは不可能に近いと現職の日教組組合員は口をそろえる。確かにその通りであろう。政府、文科省が教職員をそのようにしめあげているのだから。しかしこのように諦めてしまえばそれでおしまいである。こんなときこそ主体性と粘り強さを発揮して、このような最低限のとりくみを確保してほしいと願う。分会員が全員揃う分会会議として開催できない状況であれば、分会長と二、三人の組合員の会議から始めてもよいではないか。

　どの部分で書けばよいか迷ったが、時間を生み出すという意味でここで最後に付け加えておきたい。

　私は現職のころ、仕事を持ち帰って自宅でやったことはほとんどない。今は、午後八時、九時まで学校で仕事をして、それでも終わらず持ち帰って、わが子の世話を終えてから仕事をするのが常態だという。これは明らかに異常である。

　一般に、職場（学校＝教育現場）での勤務を終了すれば、自分の時間として確保すべきである。まずは翌日に備えて休養の時間であるべきだ。あるいは直接学校業務とは関係しない自分のやりたいことをやる時間として確保すべきである。このように考えるのは、雇用されて働く者としては当然である。疲労困憊し、病気がちな状態では元気に働くことはできない。教職員にとってもこの点は同じである。こんなことは常識に類する範囲であろう。それが保障されていないならば、それは教育の制度や政策が間違っているか、教職員が自分の仕事に関する認識を誤っているのである。

特に教育現場の場合、夏休みなどの長期休暇は、子どもたちのみならず、教職員にも必要なのである。教職員は、この期間にこそさまざまな見聞を広めることができるのである。体力の回復、精神的な安らぎはもとより、専門的な知識や技能をさらに高め、幅広い見聞や体験によって、自らの人格を陶冶《とうや》するのである。教職員にとってはこのような充電期間が必要なのである。特に教師は、教科書の内容を教えることができればよいなどというものではない。むしろそれ以上に己の人間性を陶冶することが重要なのである。日々の教育活動のなかでもそれは追究すべきであるが、長期休暇でなければできないことが多々ある。全国あるいは世界の教職員と交流したり、全国や世界を見て回ることなど教職員を成長させるとりくみは多々ある。

しかし、これはあくまでも自主的・主体的なとりくみでなければならない。政治的な意図に基づく義務的あるいは強制的な任務であれば、それはむしろストレスをためるだけになるであろう。

以上のようなことは政府・文科省そして教育委員会は充分認識していることである。にもかかわらず、政府・文科省は、やらなくてもよいようなことを、いかにも重要なことであるかのように言い聞かせて強制し、教職員を極限的な多忙に追い込んでいる。そこには、新自由主義に基づいて、教職員を激しい競争に巻き込んで効率的に成果を上げさせると同時に、時間的余裕を与えれば、日教組運動などに利することを警戒しているのである。つまり日教組潰しの一環としても教職員を極限にまで多忙に追い込んでいると言わなければならない。今や政府・文科省は児童・生徒を競争させ、エリート教育の実をあげようとするだけではなく、その教育にふさわしい教職員をも競争によってその質を高めさせようとしているのである。新たに教育現場に導入された教職員評価制度などはその端的な手段である。

教育現場の教職員は、このような攻撃をはね返すために一致団結しなければならない。そうすることが、自分たちを守るだけでなく、子どもたちを守ることになるのである。

「自分の仕事を片づけることで精一杯」

「疲労困憊して目の前の仕事以外のことには頭が回らない」

などと言っているときではない。そのような現状をいかに突破するか、いかにのりこえていくかを考えようではないか！

具体的にはどうすればよいのか？　を考えなければならないが、それはここでの課題ではない。別に考えたい。

第四章▼管理職との関係で

文科省は二〇〇七年、教育現場に副校長、主幹教諭・指導教諭などの「新しい職」を導入し、それぞれに大きな権限を付与し、免許更新制適用除外（無条件に免許更新）にするなど優遇し、管理職および「中間管理職」として固定化させようとしている。したがって校長の権限は、私の現職のころ（一九九九年度まで）に比べると飛躍的に強化されているであろう。

私が教職に就いた一九六〇年代初期のころは、教頭も日教組の組合員であった。しかし「教頭法制化」で教頭が日教組から脱退し、明確に管理職として法制化された。その後も教務主任や学年主任などを中間管理職に位置づけるべく当時の文部省は策動したが、各都道府県教組・高教組の抵抗によって、文部省の思惑通りにはいかなかった。

とにかく私が現職のころまでは、管理職と言えば校長と教頭だけであった。しかしこの両者は時代背景とともに微妙に変化してきた。

本質的には変わらないであろうが、私が教職に就いた一九六〇年代初頭の校長は、場合によっては教育委員会に物申すこともあった。制度上は「教育現場の長」としての管理職ではあれ、まだ教育者としての側面を失ってはいなかったようである。対教委、対保護者において部下（被管理者）である教職員を守ろうとする考えも姿勢も持っていた。もちろん、子どもたちを軸に指導を考える姿勢も持っていたと思われる。そして学校経営の年間目標を定めるときなど、校長は必ず最初に「日本国憲法・教育基本法

（一九四七年施行）に則り」と書き入れることを忘れなかった。平和教育に寛容であるばかりでなく、一九八〇年代ころまでは、なかには積極的な校長もいた。

ところがこれが、当時の文部省や文科省の意向に従って徐々にあるいは急速に失われてきたのである。そして「教職員評価制度」が導入され、管理職も教育委員会の評価対象に位置づけられるや、教委に物申すことができなくなったばかりでなく、自分が傷つかないよう部下である教職員の尻を叩き、思うように動かない教職員を排除することさえ平然と行うようになってきているという。

最近、子どもたちの間に起こる「いじめ」を教職員が隠蔽する傾向が見られるようであるが、「いじめ」が起こるような学級経営しかできない教職員の評価は悪くなるだろうと推測できるからである。詳細は別に追究しなければならないが、子どもたちの間に起こる「いじめ」は、大人社会の反映であり、直接学級担任の責任ではないと思われる。

さらに自己保身のために教職員の尻を叩く管理職に気に入られるために、校長の意に沿わない教職員をいじめる「中間管理職」的存在の中堅教職員さえ出てきた。二〇一九年度に発覚した「神戸市立東須磨小学校の教諭による男性教諭や女性教諭に対するいじめ問題」はその氷山の一角に過ぎない。教職員間の競争を強制する文科省の、「教職員評価制度」、「教員免許更新制」などの教職員管理政策は、それ自体が教育現場にいじめを持ち込む制度なのである。文科省が、子どもたちの間の「いじめ」や教職員間のいじめが起こるよう強制しているのである。自然な人間をいびつな人間につくりかえているのである。文科省がなぜこんなことをするのか？　早急に追究しなければならない。

私が現職のころ、一回り以上も若かった同僚のなかにはすでに校長や教頭あるいは「新しい職」の主幹教諭や指導教諭になった人がいる。そのなかにはかつて日教組の組合員だった人もいる。私にとっては悔しい限りである。最近、そんなかつての同僚数人と話す機会が何度かあった。そのなかで校長になったかつての同僚の言ったことが気になった。彼は、「他人（部下）の失敗で、私が謝罪しなければならないことに納得がいかない。自分のしでかしたことで謝罪するのなら当然だが……」と言ったのである。その本意や具体的なことについて私はあえて深く聞き出さなかった。それを聞き出す以前に、このかつての同僚に愕然としたのである。私の推測なのだが、このように思うのであれば、このかつての同僚は校長になるべきではなかったと思うのである。

「自分のしでかしたことで謝罪する」のは校長であろうがなかろうが、一人の人間として当たり前のことである。このかつての同僚は当たり前のことを言っているだけである。事態を校長としては認識できないのである。校長を何だと思っているのであろうか？　管理職手当を受け取り、部下である教職員をどうにでもできる強力な権限が与えられているのである。部下が教育上しでかしたことは、校長がやらせていることであるにもかかわらず、校長になったこのかつての同僚はそれに気づいていないのである。校長はすでに管理者であって教育者ではないのである。

このかつての同僚は、何のために管理職への道を選んだのか。出世のためなのか？　世間体のためなのか？　それとも管理職手当に魅力を感じたのか？　あるいは定年退職後の天下りを狙っているのか？　私は、教育界における「天下り」について詳細を知っているわけではないが、校長を定年退職した後、教育委員会の管轄下にある博物館・教育センターなどの諸施設に再就職している事実があることは確かである。文科省における天下りについては言及するのもばかばかしいが、機会があれば別に論じたい。

一　管理職をよく知ること

誤解を恐れるので最初にお断りしておくが、「管理職をよく知ること」と言っても、管理職に良い評価をもらうために言っているのではない。一般教職員は、管理職とは対立する立場に置かれているのである。校長や副校長・教頭などの管理職は、教育現場の管理者であり、一般教職員は被管理者なのである。その対立関係のなかで管理職にいかに対応していくかということを考えるために、まずは管理職をよく知ることが重要だと言っているのである。以下、私の体験を基礎にこの点を考えてみたい。

1　管理職をよく知る人から情報を得ること

管理職をよく知るためにはどうすればよいのか？まずは、校長であれ、それ以外の管理職であれ、管理職をよく知る人から情報を得ることである。教育委員会に勤めたことがあるか否かは、その重要なポイントである。教育委員会に勤めたことのある管理職は、教育委員会に特に期待されている管理職だから要注意なのである。

新たに赴任してきた管理職については、前任校の教職員（特に分会員）に尋ねれば、さまざまな情報を得ることができる。自分が年度末異動などで新たな教育現場に赴任した場合は、そこの新たな同僚に尋ねればよい。入手した情報をすべて鵜呑みにする必要はない。自分でよく咀嚼して管理職を知るための一つの素材に加えればよい。

2　管理職の一日をよく観察すること

管理職は校外での役職も兼ねていることが多い。校長であれば、校長会長とか、さまざまな官製研究会の会長などである。したがって学校には出勤せず、出張ということがよくある。つまり管理職の一日を出勤から退勤まで観察するには多少の時間的余裕を持ってとりくまなければならない。私の体験からすると、校長にもよるが、教頭に比べると校長の方がはるかに出張が多い。したがって教頭（あるいは副校長）の一日を観察する方がはるかに容易である。

最も早く出勤してくるのは教頭（現在は副校長か？）である。私はたまたままだ暗いうちに出勤した経験がある。一九九〇年代後半、真冬の午前六時半前である。すでに機械化警備が導入されたころであった。数字を合わせて正門や横門あるいはドアを開けないと非常ベルが鳴り、直結している警備会社の係員が急行してくる。私は面倒なので誰かが来るのを横門の外で待っていた。

最初に来たのは教頭であった。午前六時三〇分である。教頭の運転するクルマのヘッドライトが点いていた。まだ辺りは真っ暗である。教頭は横門の鍵を開けて、クルマのまま校庭に入り、玄関の機械化警備を解除して職員室に入った。休む間もなく、鍵束を持って校内を一巡する。最初に正門を開ける。さらに各校舎の出入り口を解錠していく。後からやってくる教職員や生徒たちを迎えるための準備である。

その後教頭は、職員室の正面にある自分の机で事務的な仕事を行う。小学校の教頭は、学級担任にはならないだけではなく、授業も受け持たないことが多い。しかし私が現職だったころの中学校教頭は、週に数時間ではあったが授業を受け持っていた。そのときだけは授業に出かけるが、それ以外はほとんど職員室にいて、事務的な仕事を行っていた。同時に部下の教職員を監視・監督していたのであろう。

退勤時、教頭が校長より早く学校を出ることはほとんどない。教頭が必ず最後まで残るというわけではないが、部活動が終わるまでは学校に残っていることが多い。私が知る限り、中学校の教頭は早朝の六時半ごろから午後七、八時ごろまで、一日に一三時間くらい勤務している。

もっとも、私が教職に就いた一九六〇年代半ばまでは宿直制度が残っていたので、校長はもとより教頭も、勤務時間終了後のことは宿直教諭に任せて、勤務時間終了とともに退勤していたころがあったということは付記しておこう。

午前七時前後には、部活動の早朝練習（生徒たちは、朝練と言う）を指導する教職員やその生徒たちが登校し始める。個人的な違いはあるだろうが、一般に校長は教頭より一時間くらい遅く出勤する。つまり、午前七時三〇分から午前八時少し前くらいに出勤してくる。出勤した校長はまず校内を一巡する。学校の施設設備に異状がないかを見て回るのであろう。学校しかし不思議なことに、学校の窓ガラスが割られるような事件があったとき、第一発見者が管理職だったというマスコミ報道に接したことがない。そんな事件の第一発見者はほとんど一般教職員か技術吏員である。全国的には、校長より先に一般教職員や技術吏員が校内を回っているのであろう。校長は義務的に一巡しているだけかも知れない。

校長は校内一巡を終えると、ほかの教職員とともに正門などに立ち、登校してくる生徒たちを迎える。生徒たちを笑顔で迎えつつ、遅刻防止や服装、髪型などの指導をすることが主たる目的である。全国の小・中学校で、このようなとりくみが始まったのは一九七〇年代半ばごろからではなかっただろうか。高度経済成長期に生まれ育った子どもたちが小・中学生になったころからなのである。これによって教職員は、朝の貴重な時間をこのとりくみに割かなければならないようになったのである。

毎朝、正門や学校近くの交差点などで、多くの教職員が登校指導をすることが当たり前の姿などと夢にも思わないでいただきたい。少なくとも一九七〇年代初めごろまではそのような指導は不要だったのである。早朝の正門などでの登校指導の目的は遅刻防止、服装・髪型の乱れ注意とともに交通事故を未然に防ぐことも含まれるようになった。このころの中学生は歩道があるのに急ごうとして車道にはみ出す。学校近くの信号を無視するなどは日常茶飯事であった。このようなことを未然に防ごうと指導していたのである。

高度経済成長の過程で競争に明け暮れ余裕のある生活を失った大人たちが、子どもに対する躾けをしないことはもとより、食事や入浴など生活の基本に関する世話さえ充分にできないなかで育てられた当時の子どもたちの「荒れ」が、このようなとりくみでなくなったわけではない。むしろそれは今日なお深刻の度を深めている。その深い根拠をこそ掘り出さなければならない。

また少し横道にそれたが、校長のことである。私が知る限りの校長は、学校ではかなり暇である。もちろん授業は一切受け持たない。職員会議以外の会議に参加することもほとんどない。参加すべきだと言っているわけではないので誤解しないように願いたい。卒業式や入学式あるいは全校集会などの訓示を行う以外、通常学校にいるときの校長は、校長室で書類に目を通す、必要書類に校長印を押す、来校者の応接、教職員の相談に応じるなどが仕事のようである。

したがって来校者もなく、教職員の相談もない日などはかなり暇なのだ。作業服に着替えて、技術吏員と一緒に校内の除草や掃除をやっている校長の姿をよく見かけたものである。ただし校外における校長の様子や現在の校長については私にはわからない。

二〇一九年の今日、「教職員評価制度」のみならず、管理職も教育委員会から評価されるようになっているので、私が現職であった二〇〇〇年のころ以上に、教職員を締め付け尻を叩いているのではないかと危惧しているがどうだろうか？　二〇一九年一〇月に発覚した神戸市立東須磨小学校の四人の教諭による若い男性教諭および女性教諭へのいじめ（新聞報道によれば、一部は明らかに刑事犯罪だ！）の背景にはこのようなことがあったのではないのか。

3　管理職の言動を記録しておくこと

職員会議のみならず、日常的に問題や違和感を感じた管理職の言動は記録しておくとよい。それも日時、場所、誰に対するものかなどをできるだけ詳細に記録しておくのがよい。管理職は、当然にも文科省や教委の指示に従って教育現場、つまり学校の施設設備および教職員を管理しているのであるから、その立場からの言動が多い。それは管理職以外の教職員とは対立する内容であることが多い。もっとも、そのようには気づかない教職員も多いのだが……。管理職の言動をできるだけ詳細に記録しておけば、管理職を分析する素材になるだけでなく、折衝（交渉）が必要な場合にはその資料にもなる。

私の体験では悪質な管理職は多くはなかったが、私の現職時代は、現在と比較すればまだ教育現場が牧歌的だったからかも知れない。それでもその時々に応じた悪質な管理職がいなかったわけではない。

教育現場＝学校は決して「良識の府」などではない。騒音もあり埃も舞う工場や工事現場などと同じであることを忘れてはならない。二〇一九年の今日、そのあるがままの姿が露わになってきたように思えてならない。

二　管理職への対応

言うまでもなく管理職は、教育現場の長（会社の工場長に当たる）として強力な権限を与えられている。一般教職員は、管理職特に校長の職務命令には服さなければならないよう法的に規定されている。したがってこれに反する言動を行った場合、教委は法に基づいて処分を下す。しかもその権限はますます強化されつつある。今や管理職は、一般教職員の年間業務成績を評価する権限まで与えられた。評価が低ければ賃金や異動などの待遇が悪くなる。

このようにして一般教職員は、校長の教育方針に何ら異議を唱えることはできなくなったのである。校長の教育方針に反対すれば、当然、校長のその教職員に対する評価は低くなるであろう。このような制度は教育の自殺行為と言わなければならない。すでに述べたように、このような近未来の日本の教育に展望を見出し得ず、定年前に退職する若年退職者が二〇一〇年前後には、定年退職者を上回るほど続出したのである。近い将来の日本の教育は暗澹《あんたん》たるものであることが容易に推測できる。その姿は全国のあちこちですでに現実化している。しかもその責任は学校や教職員にのみあるかのように喧伝《けんでん》されている。それでよいのであろうか？

したがって教育関係者はもとより、国民の全てがこのような教育政策に反対すべきである。特に教育現場で生きている教職員は、強い責任感を持って、反対運動に立ち上がらなければならない。しかし教育現場の教職員たちはものが言えないようにがんじがらめに締め付けられているかのようである。教職員は個性もない、独自の教育哲学も理想も発揮できないロボットのような教職員に洗脳されてしまいつつある。それでも教職員の労働組合である日教組の本部はなかなか動かない。

しかしこのような現状に歯止めをかけようと頑張っている教職員もいることもまた事実である。以下に述べるような私の体験が少しでも役立てば嬉しい。

1　管理職とは一対一で会ってはならない

管理職と個人的な関係をつくってはならない。管理職が一般教職員との関係において考えていることは、自分の教育方針を教育現場に貫徹するための味方の一人にすることだけである。

このように言ってしまうと怒る管理職がいるかも知れない。気に入った部下を可愛がり、出世の道へ導いてやろうとしているのだと反論する管理職もいるかも知れない。管理職にそのような気持ちがあることを私は否定はしない。しかしそれはあくまでも気持ちの問題であって、現実にはそれは、学校内にとどまらない、広い意味の教育現場において自分の勢力拡大として結果するに過ぎない。そんなことは資本主義社会では当たり前のことなのである。人間の「善意」などはどこかへ消えてしまうのである。

管理職が自分の勢力を拡大する手段はさまざまであろう。飲み食いに誘うことが最も一般的であることはどの世界でも同じであるようだ。将来のポストを口約束することもあろう。優しく褒めちぎることがあるかもしれない。極端な場合色仕掛けで迫る場合もある。一般教職員は、管理職との間でこのような俗な関係をつくってはいけない。巻き込まれてもいけない。ますます管理職にモノが言えなくなるだけでなく、自分自身が人間的に堕落するからである。

私にもこんな経験がある。教育現場では一般的に五〇歳（現在はもっと早い）にもなると、「管理職試験を受けろ」という声が管理職から掛かり始める。私も複数の管理職から二度、三度と声を掛けられた。

そんな年齢に達した一九九〇年ごろ、私は一年間だけ、「教務主任」を務めたことがある。教務主任は、当時はまだ今のような「新しい職」と呼ばれた副校長、主幹教諭・指導教諭などが導入されてはいなかったので、教育現場のナンバー3であり、管理職候補生の位置に当たっていた。私の場合、管理職のお声掛かりではない。日教組の末端組織である分会からの推薦だったのである。したがってなりたくもない職務であったが断り切れず、引き受けざるを得なかった。

「教務主任」になると、全く自分の意に反する業務を強いられる。端的な例が卒業式や入学式の司会進行役である。式次第に沿って「君が代（国歌）斉唱」と言わなければならない。私はこれだけは絶対に言いたくはなかった。これを言ってしまったら私の生き方が崩壊してしまう、と思っていた。当時はまだ「教育基本法」（一九四七年施行）が健在であり、「国旗・国歌法」（一九九九年成立）もなかった。したがってそれだけはやらないことを条件として管理職にも認めさせ、「教務主任」を引き受けたのである。卒業式のとき教頭が「ただいまより福岡市立□□中学校〇〇年度卒業証書授与式を挙行致します」と「開式の辞」を述べた後、続けて「君が代斉唱。全員起立！」と言ったことが忘れられない。普通、最後の部分は司会進行役の教務主任が言うのである。

さらに「教務主任」になると、市のレベルや区のレベルの「教務主任会」というのがあった。特に区のレベルの「教務主任会」には校長も出席して、打合せはわずかで、後は飲み食いの場になるのである。場所は初めから料理屋なのである。区内中学校の校長との顔合わせである。しかもどこから出るのか飲み食いの代金は自己負担ではないのである。私はこんなことは知らなかったので一度っきりにした。記憶が曖昧だが、一度しかなかったのかも知れない。

ついでながら日教組の各級機関の幹部も似たようなことをするということを付加しておこう。各級機関執行部の運動方針に批判的な組合員を丸め込むために、論争では敵わないので、飲み食いさせたり、色仕掛けで黙らせようとするのである。残念なことではあるが、一九九〇年代以降の福教組内の支部役員たちのなかにはここまで堕落し始めていた人もいた、という事実だけは書き残しておかなければならない。

こんな体験をしたこともある。このときの校長は、市の教育委員会に籍を置いたことがあり、さらに校長を経験した後に再び教育委員会に戻ることになっていたらしい。その校長が私に、「私が教育委員会にいる間に、必ずあなたを校長にする」と言ったことがある。だから「管理職選考試験を受けろ」というわけである。私は、その気がないことをキッパリと伝えて断ったことは言うまでもない。今であれば、校長の機嫌を損ねて、業務成績がS・A・B・C・Dの五段階評価のCかDに評価されるであろう。幸いなことに当時はまだ「教職員評価制度」は導入されていなかったから大過なかったが、それ以後、校長は私にほとんど口をきかなくなったことは事実である。私は自分の意志を貫いたと言えるであろう。当然のことをしたまでである。

教育現場では、ときには校長から個人的に校長室に呼びつけられることがある。これは余程重大で外せない業務をしているようなとき以外は拒絶するわけにはいかない。単に事務連絡の場合は構わないが、何らかの重要な返答を要求された場合は即答すべきではない。「少し考えさせてください」と断って、一旦校長室から退出して、先輩教師や分会長など何人かに相談するのがよい。そうすれば、たとえ校長室で校長と一対一で話をしても決して自分は単独ではないからである。

個人としてはそんなことは滅多にないと思うが、

万一管理職に要求したり、意見を言う場合には、決して単独で管理職に会ってはならない。そこでの話し合いは客観性を欠くものになってしまい、私的なものになってしまうからである。私的なものになってしまうということは管理職にいかに利用されても申し開きができないだけでなく、同僚からも疑いを持たれることさえあるからである。

私は現職のとき、何度も日教組の末端組織である分会の分会長を務めた。したがって分会を代表して校長に申し込んだり、折衝したりすることが多かった。そんなとき私は決して単独で校長に会うことはしなかった。必ず分会員の誰かを伴って校長に会った。そうすることによって校長と私の話し合いに客観性を持たせたのである。

2　校長の方針に自分の考えを対置すべきではない

労働組合の活動家、教育現場の場合は日教組の活動家によく見られるのであるが、管理職の方針に自分の考えをぶつけるという傾向がある。これは、鉄壁に向かって豆腐を投げつけるような愚行だと言わなければならない。それは同時に教職員全体はもちろん、場合によっては保護者や地域の住民に自ら裸になってみせるようなものである。

校長の方針に自分の考えを対置してもそれは水掛け論となり、権力を持っている管理職の思うままにされてしまう。このような論争は、何のプラスにもならないばかりか、自分が無力感を覚えるばかりである。このような愚行を犯すのは、このような組合活動家が自信過剰に陥っているからである。即刻こんな愚行は止めるべきである。いくら組合活動家がのぼせ上がってみたところで、学校経営権は持たないのである。現在、教師であれば、教室などで子どもたちとの関係で自分を表現する以外生きてはいけないのである。

だからといって管理職には無条件に従う以外ない、と言っているわけではない。管理職の誤りには毅然と立ち向かうべきである。その場合、自分の考えをぶつけるのは愚行だと言ったのである。ではどうするか？

年度初めの職員会議などで、校長の教育方針、学校経営案などを審議する場合、校長の本音を引き出す質問をするのである。学校経営案などには校長の本音がストレートに盛り込まれているわけではない。美辞麗句あるいはもっともらしい字句が並ぶ。そこに秘められている校長の本音を引き出す、そのための質問をするのである。

しかしこれは決して容易なことではない。そのためには、日ごろから校長をよく観察し、校長の人となりをよくつかんでおくことが必要である。その上で提示された学校経営案などを何度も読んでよく分析しておかなければならない。職員会議に校長が学校経営案を提起し、その場で論議・確認などしていてはその本質などを暴き出すことはできない。数日前に提示するように要請しておく必要がある。そして分会として、あるいは何人かで事前に検討して意志統一ができておればこれに越したことはない。私の体験が役立つかどうかわからないが、一例を挙げておこう。

一九九〇年のころのことである。当時はまだ少なくとも福岡市の小・中学校の卒業式は、それぞれの学校の独自性が保たれていた。戦前・戦中（あるいは今日）のように上から示された形式に従って、その通りに卒業（証書授与）式が行われていたわけではない。そんなとき、校長が突然、職員会議で、

『卒業の歌』は『仰げば尊し』にしましょう」と提案してきた。当時は日教組も急速に右傾化し、全国的には「日の丸・君が代」強制反対闘争も風前の灯火になりつつあった。しかし福岡市ではまだそのたたかいは潰されてはいなかった。

校長は、「日の丸・君が代」ではなかなか教職員（特に日教組組合員）の反対意見を打ち破れないため、市の教育委員会が求める戦前・戦中のような「厳粛な儀式」として「卒業式」ではなく「卒業証書授与式」を挙行するために、「卒業の歌」という搦め手から攻めてきたのである。

それまで「卒業の歌」は、卒業生たちと音楽科の教師の間で話し合って決め、職員会議の承認を得て歌われていた。秋に行われる「合唱コンクール」の三年生の課題曲が「卒業の歌」になることも多かった。だから「贈る言葉」、「翼をください」、「大地讃頌」などが選ばれることが多かった。校長はこの慣習を打ち破り、市教委の喜ぶ「仰げば尊し」にしたかったのである。以下、職員会議で校長が「仰げば尊し」を提案した直後からの校長と私の一問一答である。校長は「長」とする。もちろんそのときの議事録が手元にあるわけではないので、記憶を辿りながらその核心点を述べるに留める。

私　今までと異なり、校長が「卒業の歌」として「仰げば尊し」を提案するのはなぜですか？

長　PTAのみなさんから「歌ってください」という要望があるからです。（校長の考えであるにもかかわらず、ほかの人の意見であるかのように押し出す）

私　校長のお考えはどうなんですか？

長　……

私　本当にPTAのみなさんの要望ならば校長は「PTAのみなさんが『仰げば尊し』を希望していることも踏まえて、『卒業の歌』について話し合ってください」と提案すべきではないのですか？

長　……いや、私も「仰げば尊し」がよいと思います。（ここで校長の本音の一部が顔を出す）

私　それはなぜですか？

長　卒業式にふさわしいと思うからです。（「厳粛な儀式」をイメージしていると思われる）

私　校長は「仰げば尊し」の歌詞はもちろんご存じですね？

長　知っています。

私　最初は「仰げば尊し、わが師の恩」ですよね。これを歌うのは卒業生たちです。であればこの場合「わが師」とは誰のことですか？

長　（校長はうれしそうに）先生方みなさんのこと

です。（と教職員の誇りをくすぐって、してやったりという顔をする）

私　そのなかに校長は入っていないのですか？

長　入っているでしょうね。

私　「仰げば尊し、わが師の恩」ですよ。卒業生が歌わせてくれ、というのであればまだしも……、私たちの側から歌わせるような歌じゃないんではないですか？　私は何度やっても満点の教育・授業ができたと思ったことはありません。ときには失敗することもありました。反省することばかりです。たとえ卒業生たちに「歌わせろ」と言われても、私は恥ずかしくて「どうぞ」とは言えません。校長はどうですか？

長　……

およそ以上のような一問一答であった。ここで私は、校長の卒業式に関する「厳粛な儀式」という本音とは鋭角的に対立する私自身の卒業式に関する考えは何一つ明らかにしていない。しかし校長は最後には私の質問に答えきれなくなってしまった。校長に卒業式の「卒業の歌」として「仰げば尊し」を歌わせなければならないような確固たる教育哲学があったわけではないことは明らかである。当時の文部省や教育委員会に褒めてもらえるよう、その意向に沿う卒業式に少しでも近づけたかったという俗っぽい願望があったに過ぎないのである。しかしここまで校長を追い詰めて本音を暴く必要はない。以上のようなやりとりで「仰げば尊し」は歌わないことになったのだからである。これ以上追い詰めると、むしろ恨みを買うことになり決して得策ではない。私たちが追究すべきことは別にある。

このような場合、事前に同僚（あるいは分会員）の間で意志統一ができればやる方がよい。ここにあげた例は、校長の何の予告もない突然の提案の場合である。こんな場合は、検討する時間がほしいことを提起して、論議は次回に回すように要求するべきであろう。当時そのように頭が回らなかった私は、いきなり校長との論争をしてしまったが、反省点の一つである。それでも結果的にはうまくいった論争ではなかったかと思う。私の考えを対置することはやらなかったからである。

ただし、現在の校長はこんなことでは引き下がらないであろう。当時よりも数段強化された校長の権力を振りかざして、校長の意図を貫徹しようとするであろう。そのときにはまた別のやり方を考えなければならないが、それでも自分の考えを対置してはいけないことに変わりはない。誤解を恐れずに言えば、校長と喧嘩する必要はないということである。校長をやっつけようなどと思ってはいけない。そんなことをしても勝てないのである。勝てないように仕組まれているのである。そんなことより、例示したような校長とのやりとりから日教組組合員や同僚たちが何かを考えてくれればよいのである。日教組の最小単位である分会の観点からすれば、その団結の質が高まればよいのである。

3　校長との面談について

校長など管理職との一対一の対話は避けるべきだということを述べてきた。私の経験からは、教職員が教育実践上の問題で、校長など管理職に相談することなどはほとんどないと言えるからである。

教育実践は、文科省の教育政策の枠内で、それぞれの教職員がそれぞれの教育哲学や良心と責任において行うものであり、その過程で困ったことにぶつかったときには先輩教師などに相談したり、同僚間の論議や研修から学べばよいことであって、管理職にアドバイスしてもらう必要はない。というよりも管理職に指導を仰げば、文科省や教委の方針に従った指導をされるだけであり、自分の個性が消されるだけでなく、管理職の派閥（味方）に引き込まれる危険性さえある。

しかし対外的な問題が起こった場合は別である。子どもたちが万引きをしたとか、他校の生徒たちと集団で喧嘩したなどという場合である。こんな場合には速やかに校長（不在のときは管理職）に報告し、その指示に従うべきである。一般教職員には対外的な問題処理の権限はないからである。

このようなこと以外でも、教職員は校長に呼び出されることがある。特に「教職員評価制度」が導入された今日、教職員は否応なしに校長との一対一（学校によって違いがあるらしい）の面談に少なくとも学期に一度は応じなければならなくなった。

年間教育目標設定時（一学期）

それに基づく実践の中間時点（二学期）

最終的な年間業務評価時（三学期）

の三度である。こんな場合、一般教職員はどのように校長に対応すればよいのだろうか？　私には「中学校教諭」としての経験はあるが、「教職員評価制度」の経験がない。そのような限定付きの経験が参考になれば幸いである。

その第一は、即答をしないことである。校長に尋ねられたことを記録し、「少し検討（考え）させてください」と断り、返答を保留すべきである。即答してしまうと、客観性がなく、事前に検討していないだけに失敗し、言質をとられかねないからである。

第二は、そのことについて自分一人で考えず、複数の同僚に相談すべきだということである。そうすることによって校長に尋ねられたこと、およびその返答が個人的なものではなく、客観性を持つとともにほかの同僚の知恵に学んだものになるからである。このような配慮は職場での孤立を防ぐために重要である。

第三は、小学校では通用しないかも知れないが、中学校や高校では、同教科専門ではない管理職からの自分の教科指導に関する批判は断固として拒否すべきだということである。

私は社会科担当の教諭であった。かつては英語科や保健体育科担当教諭だった管理職から、私の社会科学習指導について批判されたり、指導されたりした場合、私はキッパリと拒否する。専門外の管理職に私の学習指導がわかるはずがないのである。事実、私の体験ではそのようなことは全くなかった。ただ

一度、教職に就いて間もないころ、研究授業の反省会で、参観した町の教育長から、

「見てきたようなウソを教えるな！」

と半ば叱られたことがある。地理的分野で「中国の自然」を指導していたとき、私が、

「長江（揚子江《ヤンツーチアン》）は河口付近では向こう岸が見えないほど広い」

「黄河《ホアンホー》は本当に黄色だ」

などと話したことを注意されたのである。しかし私は釜山《プサン》生まれの中国（当時は中華民国）育ちで、幼いときの目ではあるが、長江も黄河も見ていたのである。見た事実を話したのである。

専門外の人が高みから指導するとこんなことになるのである。そうでなくとも、「見てきたようなウソを教えるな！」と言われると、社会科の教師は誰にも務まらない。現在の社会科教師のなかで織田信長や徳川家康を「見た」人は一人もいないのだから。

中学校や高校の教科指導については新任教師であってもそうである。逆に言えば、自分の専門教科の指導に関してはそれだけの自信と誇りを持つべきであり、それにふさわしく精進すべきであろう。

第五章▼地域・校区との関係で

教職員は年度末には異動＝転勤がついてまわる。三年から七、八年ごとに勤務校が変わる。私は、田川地区と福岡市の二か所で勤務したという経験を持っているが、結婚で県外に嫁いだりする人を除けば、中学校教諭で、こんな広域の教職体験をする教職員はそれほど多くはない。私は、すでに述べたような、「エネルギー革命」と呼ばれた産炭地の炭坑閉山を背景とした県教委による「強制配転」を経験したことから、このような体験をした。

何らかの必要に迫られて自分が特に希望しなければ、通常、福岡市立の小・中高校の教諭であれば、福岡市内に限られた異動になる。それでも異動先の新しい勤務地は、前任校の校区とは同じではない。一つの町、一つの市であっても校区によって、あるいはその地域によって、さまざまな違いがある。意識的か無意識的かには関係なく、その違いを無視するわけにはいかない。

福岡市のような大きな都市になると、九州一の繁華街である天神地区や博多駅前を校区とする小・中学校があるかと思えば、小呂島《おろのしま》のような人口わずか二〇〇人程度の離島を校区とする小・中学校もある。中程度の規模の小・中学校でも、西区や早良区の農村地区の学校もあれば、香椎や西新あるいは六本松のような商業の盛んな副都心的な地区の学校もある。学校に勤務する教職員は、このような地区あるいは校区の特徴を無視するわけにはいかないのである。

私は福岡市の城西中学校に勤めたことがある。学校の周辺は鳥飼地区で、閑静な住宅地である。にもかかわらず、生徒たちは根っからの「都会っ子」なのである。赴任した当初、こんな閑静な住宅地なのに生徒たちがなぜこんなに「都会っ子」なのか、理解できず戸惑った。しかしその原因はすぐにわかった。福岡市の副都心の一つとも言うべき六本松を校区に持ち、校区ではないが近くに西の副都心西新が控えている。副都心に挟まれた住宅地に城西中学校はあったのである。学校所在地は閑静な住宅地のなかにあったが、多くの生徒たちの生活圏は福岡市の副都心なのである。こんな具合だから、新しく赴任した校区や地域には早く慣れる必要がある。

一　地域・校区をよく知ろう！

慌てる必要はないと思うが、新しい勤務校に赴任したら、その校区あるいは地域の特徴をできるだけ早く知ろう。それを怠ると、第二部第二章で述べたように私自身のような失敗を犯す。「郷に入れば郷に従え」、「郷に入っては郷に従う」というように全面的に考える必要はないと思うが、新たに参加した「郷」そのものがどのようなものであるかは知っておく必要がある。知らないままでいると、保護者や子どもたちに対する理解・認識を誤ったり、一面的に理解したりする。そうなると保護者や子どもたちとの接し方に無理や過ちが生じる。これは避けたい。自分の常識を過信してはいけない。それぞれの校区にそれぞれの歴史や慣習や特徴がある。

その地域・校区を早く知るためには、まず異動先の先輩教師から聞くことである。先輩たちはすでに定期の家庭訪問や地域懇談会などを経験している。もちろん保護者会も経験している。まずそのようなときの印象などから聞いてみてはどうだろうか。

二　一度は地域・校区の行事に参加してみよう！

地域や校区内のことが、私たち教職員にとって第一義的な意味を持っているわけではない。校区内や地域に何らかの義務を負っているわけでもない。したがって校区内や地域の行事に必ず参加しなければならないわけでもない。

ある党派系の日教組組合員や教職員のなかには、票田開拓のために地域や校区内に入る人がいると聞いたことがあるが、私はそういう意味で地域や校区内の行事への参加を勧めているわけではない。あくまでも生徒や保護者あるいは地域の人々を理解して、生徒たちに対する指導に活かすためである。したがって肯定できる面も、否定しなければならないような側面も出てくるであろう。そのようなことをトータルに把握しておくためである。

それぞれの地域や校区では、町内会主催の盆踊りとか夏（春、秋）祭り、あるいは公民館主催の講演会などが開催される。福岡市の都心部では、毎年六月一九日には福岡大空襲の犠牲者を追悼する慰霊祭に公民館などがとりくむ。このほかにも博多祇園山笠、どんたく、放生会などがある。

放生会は東区の筥崎宮で九月に行われる、右にあげたように福博の三大祭りの一つである。大人と同じではないが、これらの祭りには中学生も参加する。

福岡・博多では、「放生会」を「ほうじょうや」と発音する。福岡市外から転入した私は、当初非常に違和感を感じた。一般的には当然「ほうじょうえ」と読むはずなのだが、福博ではなぜか「ほうじょうや」なのである。パソコンで「ほうじょうや」とキーを叩いても「放生会」とは変換しない。標準語としては「ほうじょうえ」なのである。

また福博の人は、ほかの人から来るように誘われた（要請された）とき、「はい、すぐに行きます」とは言わない。「すぐ来るけん」と返事をする。当初はもちろん、今なお私は福博の人のこのことばづかいには違和感が消えない。このように「所変われば品変わる」のである。「郷に入りては郷に従う」のが利口な世渡りなのであろう。

筥崎宮に近い地域の小・中学生は、この放生会が終わらないと夏休みが終わった気にならない。この地域の子どもたちの気分は、この祭りが終わるまでが夏休みなのである。このようなことを知っていないと面食らう。

このような行事には一度は参加もしくは見学することをお勧めする。中学校ではこのような盆踊りや夏（春、秋）祭りのときなど、補導を兼ねて参加もしくは見学をすることがある。私も放生会には何度か出かけたことがある。そのような場合には、生徒の様子はもちろん、大人の様子も観察すべきである。言うまでもなく、点検したり評価したりするのではない。どのような特徴があるかを見極め、生徒たちを指導する場合に留意したり考慮したりするのである。

私は全国的にも有名な博多祇園山笠に直接関係する中学校に勤務したことはないが、私が経験した放生会も博多祇園山笠も同じような状況だと思う。子どもたちだけでなく、当然保護者を含めた大人たちもそれ以上に夢中になっているようである。長い歴史もあり、日々の生活にも直結していて、この地域の人々にとっては、一年で最も重要なとりくみなのである。

このようなお祭りなどは、生徒にとっては良い意味も悪い意味もあり得るが、いずれにしても生活に結びついているのである。学校では見せない姿を見せることがある。そういうことも学校教育のなかで活かしたい。

第四部　近代公教育解明のために

第一章▼「教育とは何か？」をめぐって

堀尾輝久著『教育入門』の批判的検討

保育園、幼稚園の先生から大学教授まで「教育者」であれば、一度や二度は「教育とは何か？」について考えたはずである。私も私なりに先達に学び、考えてきたつもりである。この点について私が学び、考えてきたことに触れておきたい。

「教育とはいかにあるべきか？」という問いに答えるような書物や論文は多い。しかし私の勉強不足かも知れないが、「教育とは何か？」という問いについて日本の教育学者が、わかりやすく解説した書物あるいは論文はそれほど多くはないようだ。

私が学んだ「教育とは何か？」に関する文献は次のようなものであった。それでも、「教育とは何か？」という問いにズバッと答える書物は数えるほどしかない。どうやら日本の教育学者の教育に立ち向かう姿勢は、現在行われている近代公教育そのものをしっかり見つめ分析しようというのではなく、「教育はいかにあるべきか？」という、「あるべき教育」を追究する観点から教育を論じようとしているように思える。

私が一九七〇年代〜九〇年代前半にかけて、個人的にあるいはグループで学習してきた書物は以下のようなものであった。初版あるいは第一刷が古い順に掲げる。

長洲一二著『国民教育論序説』（新評論、一九六〇年）

宗像誠也著『教育と教育政策』（岩波新書、一九六一年）

牧　柾名著『教育権』（新日本新書、一九七一年）
兼子　仁著『国民の教育権』（岩波新書、一九七一年）
矢川徳光著『教育とはなにか』（新日本新書、一九七三年）
小林栄三著『科学的社会主義と民主教育』（新日本出版社、一九七三年）
五十嵐顕著『マルクス主義の教育思想』（青木書店、一九七七年）
堀尾輝久著『教育入門』（岩波新書、一九八九年）

以上のような、当時いわゆる「革新」系と呼ばれた「国民教育」論者の著書はほぼ一九九〇年代前半までに読んだ書物である。私が学習したのは、紹介したように一九六〇年代～八〇年代ごろまでに出版された「国民教育」論者の書物である。明治以降、敗戦までの教育も「国民教育」と呼ばれることがあるが、これとは区別していただきたい。

そして一九六〇年代以降の「国民教育」論者は、二〇〇六年に一九四七年施行の「教育基本法」が「国を愛する心の涵養」が盛り込まれるように改悪されて以来、一貫して沈黙しているようである。「革新」系と言われた「国民教育」論者のこの沈黙は、高齢化による沈黙ではなく、理論展開の論拠を失ったからではないだろうか？

今や教育界は「国民教育」論の時代ではない。「国民教育」論者が沈黙してから十数年の空白を経た二〇一〇年代には、新たな教育関係の書物が出版され始めた。退職後まもなく二〇年を迎えようとしている私は、「教育とは何か？」に類する問いに答えたような書物を読んだ。とりあえずその書物を紹介しておこう。

関根眞一著『教師はサービス業です―学校が変わる「苦情対応術」―』（中公新書ラクレ、二〇一五年）
堀江貴文著『すべての教育は「洗脳」である―21世紀の脱・学校論―』（光文社新書、二〇一七年）

中澤 渉著『日本の公教育—学力・コスト・民主主義—』（中公新書、二〇一八年）
池上彰・佐藤優共著『教育激変—二〇二〇年、大学入試と学習指導要領大改革のゆくえ—』（中公新書ラクレ、二〇一九年）
松岡亮二著『教育格差——階層・地域・学歴』（ちくま新書、二〇一九年）

以上はいずれも二〇一五〜一九年に発行された教育に関する書物である。「国民教育」論との大きな違いは、いずれも近代公教育そのものに全面的に批判的だという点である。しかし近代公教育をどのような立場から批判しているかは、それぞれである。そして私の推測だが、近代公教育そのものを批判する立場は、現在の教育現場ではまだ市民権を獲得していないようである。

このような教育関係の書物が出版され始めたきっかけは、どういうことだったのだろうか？

一九九一年、ソ連邦の崩壊を受けて、マルクス主義に関する書籍が書店から消えて以来四半世紀。二〇〇八年に起こった「リーマン・ショック」など資本主義経済の衰退著しいなかで、二〇一〇年前後からマルクス主義に関する出版物が書店に現れ始めた。二〇一六年には的場昭弘・佐藤優共著『復権するマルクス—戦争と恐慌の時代に—』（角川新書、二〇一六年）などが出版され、マルクス主義が「復活」するような雰囲気のなかで、おそらくこのような動きと、一九三七年に初版が発行された吉野源三郎著『君たちはどう生きるか』が注目を浴びてきたことなどとは無関係ではなさそうだ。

それは、浅羽通明著『「君たちはどう生きるか」集中講義—こう読めば一〇〇倍おもしろい—』によれば、「二百万部を超える今年（二〇一八年——引用者挿入）最高のベストセラー」となったマンガ版である。私は読んでいないがこれは、「つまらない道徳の教科書」なのだそうである。やはりそのものズバリ、岩波文庫の『君たちはどう生きるか』でなければ著者である吉野源三郎の思いは正確には伝わらないらしい。このような部分については別に論じたい。

せっかくだから、二〇一〇年代に刊行された『君たちはどう生きるか』の解説本を紹介しておこう。

その一冊は、すでに引用した浅羽通明著『集中講義『である。これ以外に、池上彰著『特別授業　君たちはどう生きるか』や、私はまだ読んではいないが、上原隆著『君たちはどう生きるかの哲学』（幻冬舎新書、二〇一六年）などが刊行されているようだ。

ついでながら、このころ「復活」したマルクス主義に関する書物を紹介しておこう。全面的に賛同しているわけではないが、四半世紀にわたって空白であったマルクス主義が再び論議されること自体は喜ばしい。したがって以下紹介する書物は、検討の必要があると感じているものである。そのような意味を含めて、学習の便宜のために古い順に紹介しておこう。

内田樹・石川康宏共著『若者よ、マルクスを読もう―20歳代の模索と情熱―』（角川ソフィア文庫、二〇〇九年）

鈴木　直著『マルクス思想の核心―21世紀の社会理論のために―』（NHK出版、二〇一六年）

佐藤　優著『『資本論』の核心―純粋な資本主義を考える―』（角川新書、二〇一六年）

熊野純彦著『マルクス資本論の哲学』（岩波新書、二〇一八年）

しかしまだ二〇一〇年代半ばの教育現場は、二〇世紀後半の「戦後民主教育」を理論的に支えた「国民教育」論に縛りつけられている印象である。特に日教組組合員はそのようである。「私の責任です」という悲痛な声をあげて自らの命を絶つ若き教職員がいることが、それを証明しているように思える。多くの教職員にとって教育は依然として「聖職」などと「人格形成」の機能を備えているすばらしい職業だ、と理解されているようなのである。したがって私は、紹介した「復活」したマルクス主義関係の書物は言うに及ばず、「近代公教育」に批判的な書物さえも検討する前提として一九六〇年代～一九九〇年代の「国民教育」論の批判的検討を行う必要を感じている。教育現場の教職員を「国民教育」論の呪縛から解き放つことなしには一歩も前進しない、と思うからである。私が何度かグループで学習した堀尾輝久著『教育入門』を素材に検討しようと思う。

一　堀尾輝久著『教育入門』が発行された時代背景

この著書が発行されたのは、一九八九年一月である。一九八〇年代といえば、中曽根康弘内閣（一九八二年一一月～八七年一一月）の長期政権の時代である。中曽根首相（二〇一九年、一〇一歳で没）は、一九八三年一月に行った「施政方針演説」のなかで「戦後政治の総決算」をぶち上げて登場した。

一九六〇年代初頭から高度経済成長のなかで確立した日本独占資本やその意を体した歴代自民党政権は、「もはや戦後ではない」と叫びつつ、総評傘下の労働組合などが長年にわたって獲得してきた既得権を剝奪するという手法などで「戦後民主政治」からの転換を強行してきていた。そのような反動的な流れのなかで中曽根内閣の登場によって「戦後民主政治」が明確に否定され、日本独占資本の二一世紀に向けた生き残りを賭けた新たな政治へと大きく舵が切られた。

一九七〇年代に二度の「オイル・ショック」（七三・七九年）に襲われ、「経済の高度成長」が明確にかげりを見せ始めた一九八〇年代初頭、「戦後最長の不況」（一九八〇～八三年）に突入。一九八三年ごろには臥薪嘗胆のドラマＮＨＫの『おしん』が大ヒットした。

教育に関して言えば、一九八四年八月に成立した「臨時教育審議会設置法」に基づいて、中曽根首相直属の諮問機関として「臨時教育審議会（臨教審）」が設置され、一九八七年までに四次にわたる「答申」を行ったころである。この「答申」の内容は、「生涯学習体系への移行」を含めた学校教育の制度・内容、教職員の育成・管理をはじめ、社会教育、家庭教育にまで言及した多岐にわたる、あるいは教育の全ての分野にわたるものであった。

具体的には、「日本人として、国を愛する心」を育てるため、「日の丸・君が代（国旗・国歌）を尊重する心情と態度を養う」など国家による統制を強化した国家主義的な教育が強調され、加えて「技術立国」を支えるエリートの育成を目指す「六年制中等学校」、「単位制高等学校」の設置、中学校における選択教科の大幅な増加や習熟度別学習の導入など「競争原理」に基づく能力主義的な教育の推進が盛り込まれていた。

この教育理念を垂範《すいはん》するかのように中曽根首相は、一九八五年八月一五日、一八人の閣僚を引き連れてはじめて公式に靖国神社に参拝した。

この中曽根首相や「臨教審答申」の思想的背景は、当時アメリカのレーガン大統領、イギリスのサッチャー首相がその代表的な担い手であった新自由主義であった。「福祉社会」・「福祉国家」およびそのための「大きな政府」を否定し、競争原理を根幹に、したがって金子みすゞの「みんなちがって、みんないい」という詩を持ち上げながら、「個性重視」、「個性尊重」を標榜《ひょうぼう》し、「自己責任」、「自己負担」などが強調され、「小さな政府」を目指すものであった。それは、「社会的弱者」の福祉を縮小する福祉政策削減策を強行するという中曽根政権の戦闘宣言であった。

その道の専門家には有名な存在であったかも知れないが、私を含め、多くの教職員が、このとき初めて認知した金子みすゞという名前であった。金子みすゞという名前は、当時の文部省によって、本人の思いや願い・感情などとは無関係に、邪な方向で利用されたのである。

このような一九八〇年代末に、堀尾輝久が著した『教育入門』は発行されたのである。

二　著者・堀尾輝久について

私は、著者・堀尾輝久についてほとんど知らない。

手元にある資料を参考に紹介することしかできない。

著者・堀尾輝久は、一九三三年、福岡県生まれである。私より六、七歳年長で、一九五五年に東京大学法学部を卒業している。一九七一年に、『現代教育の思想と構造―国民の教育権と教育の自由の確立のために―』という書物を岩波書店から出版している。その「あとがき」によれば、この書物は

「筆者の博士論文（原題『現代教育の思想と構造』、本書第一部、第二部、一九六一年六月提出）を中心に、主題に関する論文を併せて構成したもの」

だそうである。また「序」において、

「現代国家においては、教育は『公教育』として、国民的規模において成立し、『機会均等の原則』にもとづく、『義務教育制度』が確立し一般化している。

この制度の確立の過程を、教育機会の量的拡大の視点からみれば、確かに人類の進歩と教育の前進を意味すると言える。しかし、それは、ことがらの一側面に過ぎない」

と述べている。近代（あるいは現代）公教育それ自体としては肯定した立場に立っていることを冒頭で表明しているのである。『機会均等の原則』にもとづく、『義務教育制度』は「人類の進歩と教育の前進」ではあるが、それは近代（現代）公教育の「一側面に過ぎない」というのである。他面否定すべき側面が多々あるということであろう。言い換えれば、近代（現代）公教育は否定すべき面も多いが、よい面もある、という捉え方である。どうやら教育の「機会均等の原則」は良い面として捉えられているようである。このような立場は、これから検討しようとしている『教育入門』にも引き継がれている。

岩波書店から新書版として『教育入門』を出版した一九八〇年代末のころ、著者堀尾輝久は東京大学教授であった。「専攻は教育学・教育思想史」と「プロフィール」に紹介されている。

私が調べた限りだが、著者は日教組本部との関係がかなり深いようである。一九七〇年、日教組本部の委嘱を受けて発足した「教育制度検討委員会」（会長・梅根悟和光大学学長、当時）の専門調査委員を務

めるとともに、事務局員も兼務した。また同じく一九七七年、日教組本部の委嘱を受けた「大学問題検討委員会」(会長・梅根悟)の事務局長を務めている。私には現在確認する術がないが、日教組教育研究全国集会(全国教研)の共同研究者(いわゆる助言者)をも務めていたはずである。

三　本書の概要

堀尾輝久著『教育入門』は、第Ⅰ部「教育とは何か、学校とは何か」、第Ⅱ部「学ぶことと教えること」とから成っているが、ここでは本章の課題である第一部に絞って検討していきたい。

第Ⅰ部は「1　歴史の中の教育」、「2　教育とは何か」とから成っている。

著者は、自ら「教育とは何か、学校とは何か」と問いを発しつつ、自らその答えを導き出している。その答えは

「教育は、一人ひとりの子どもの能力の可能性を全面かつ十分に開花させるための意図的な営みであり、教材を媒介として子どもの発達に照応した学習を指導し、発達を促す営みである。そしてそのことを通して社会の持続と発展をはかる社会的営みである」

というものである。したがって、

「教育の任務は、文化を媒介とし、一人ひとりの発達の可能性に働きかけることを通して現在の自分と社会とを乗りこえることを助ける営みであり、学校は、すべての者にそのことが可能な機会を保障するためのもの」

だと主張している。そのために、

「教育は制度化された学校に閉じ込められるのではなく、『あらゆる機会、あらゆる場所』において、すなわちその生涯を通じていつでも、どこででも行われるべき」

なのだと結論づけている。

ところが著者は、一九八〇年代日本の学校教育の否定的な現状を確認することから論じ始めている。

すなわち、およそ次のような否定面をあげている。

①「教育的関心」の非教育性。

その第一は、「『戦後政治の総決算』の一翼を担うものとして臨時教育審議会の教育改革構想」が、「経済成長と結びついた『ひとづくり』論」として打ち出されたこと。

その第二は、「教育に対する親たちの素朴な関心や疑問」の多くは、「試験の点数とクラスの順位」に集中していること。

②「教育的配慮」が「政治的配慮」という名の「管理」の別名でしかないという現実。

「産業界の『人づくり』論が経済効果を求める『投資』であり、『政治的教養』が治安対策上の『保険』であったりする」ことおよび、閉じた社会としての学校、教科書検定の強化、管理主義教育、人権侵害などを著者は否定面として認識している。

③したがって一九八〇年代には権利論・教育論の問題をも含めて学校が問われているということ。

その第一は、国家統制の強化や教育の能力主義的再建などによって、

「教育の荒廃という現象が進行」

「半分の子どもがついていけないような状況」

「学校間の格差が開き序列化が進んで、進学塾と補習塾が花盛り」

「単位制高校の出現は、学校と学級集団の意味を大きく変質させる」

など、学校教育が「深刻な状態」だとまず指摘している。

そして第二には、父母と教師や学校側との相互不信。

たとえば、一方には「テストの点数や有名校への進学」など父母の「エゴイスティックな要求」、そして他方には「教育内容に口出しするな」とか内申書をかざして圧力をかける教師や学校側。

第三は、「臨教審答申」に見られるような「教育投

資論・労働力の再配置論」による「生涯教育」論などである。

著者のあげていることを全て網羅したわけではないが、少なくとも著者は一九八〇年代日本の教育の否定的な面を明らかにし、それに立ち向かうかのように、「はじめに――『過剰な教育』のもとでの教育不在」でこの論文を書き始めている。

ところが、著者が導き出した結論はすでに紹介したような内容である。そこには「戦後政治の総決算」や「臨教審答申」に対決し、その批判を深化するるような展開は見られない。一九八〇年代日本の教育の否定面と著者が導き出している結論とはぶち切れているのである。それどころか、否！　そうであるがゆえにと言うべきか、その意味内容は異なるのかも知れないが、「臨教審答申」も強調している「生涯教育」の必要性あるいは必然性を強調しているのである。著者の意図は違うのかも知れないが、少なくとも部分的には「臨教審答申」の内容を促進する内容展開になっているのである。そして著者の意図とは異なるかも知れないが、著者が導き出している結論の多くは、自民党政府も産業界も否定しないのではないか、と思われる内容になっているのである。自民党政府の教育政策を後押しするような内容になっているのである。なぜなのだろうか？

「教育とは何か、学校とは何か」という問いを発している著者。これを明らかにするのが著者の問題意識であるはずなのである。にもかかわらず著者にとってはこの答えはすでに自明のものなのである。著者は本書の「はじめに――『過剰な教育』のもとでの教育不在」の部分で、肯定的な教育の姿、あるいはあるべき近未来の教育の姿を次のように提示しているのである。

①「学校は精神を自由にする場」

②「子どもにとっては学校生活のひとこまひとこま、授業の一時間一時間は、新しい世界が開かれる機会」、「感動を保障する場」、「生きた学力を育成する場」でなければならず、そこでは子

どもたちに学びながら成長する教師たちが教育に携わっている。

③一九四七年制定の「教育基本法」第二条に、教育は「あらゆる機会に、あらゆる場所において実現されなければならない」と規定されているような「国民的な視点から」の「生涯教育論」こそが「生涯を通しての国民の学習権」として確立されてきた。

④そのような意味で、ユネスコの「学習権宣言」（一九八五年）も評価できる。

⑤そしてすでに紹介したような著者の言う「本来的な教育」。

以上が著者の言う「教育とは何か、学校とは何か」という問いに対する答えなのである。これは何とも不思議な論の展開である。著者自ら「教育とは何か、学校とは何か」と問いを発しつつ、一九八〇年代日本の教育の現実を否定的に認識しながら、それ自体の追究は消えてしまい、「1　歴史の中の教育」と歴史的過去に遡ってしまうのである。なぜこのような追究になってしまうのだろうか？　そこから導き出された結論は正しいのか？　などを以下検討しよう。

四　本書の問題

1　方法論上の問題

まずは、著者はどのような論法で、「教育とは何か、学校とは何か」を明らかにしようとしているか、という方法論上の問題である。検討の対象にしようと思っている本書の第Ⅰ部「教育とは何か、学校とは何か」は「はじめに」に続いておよそ次のような構成になっている。

「はじめに――『過剰な教育』のもとでの教育不在」において著者は、すでに紹介したように、一九八〇年代日本の教育の否定的な現象を数多指摘している。それは、中曽根政権の「受験体制と結びついた管理主義」的な教育政策のみならず、親たちの「試験の点数とクラスの順位に、その関心を集中している」、「エゴイスティックな」要求や教師の側の「学校の教育内容に父母は口出しするな」という拒絶反応にも言及している。そしてこれに対して、「本来の授業」の姿や「国民的な視点での生涯教育論」を描いて見せている。その上で著者は、「学校論の再構築」を試みようとしている。

つまり著者は、弁証法の「正―反―合」を適用して論を展開しているかに見える。したがって、一九八〇年代日本の教育の否定的な現象を確認している部分は、著者にとっては「反」にあたる部分であろう。しかしこの「反」は、全面的な、あるいは絶対的な「反」ではない。著者は、このような「現代を本来的な意味での教育の時代と呼ぶことには、ためらい」を感じるという。つまり著者は、一九八〇年代日本の教育は「本来の意味での教育」ではないと捉えているのである。すでに紹介したように著者は、一九八〇年代日本の教育の否定的な面も教育全体の「一側面」という捉え方なのである。したがって、一九八〇年代日本の教育の問題点そのものを追究することなく歴史的過去へと遡って、「本来の意味での教育」を探し求めようとするのである。

「1　歴史の中の教育」

ここでは「教育と学校の原型」、その出発点としての「教育の原型としての育児」から説き起こしている。そして近代教育に焦点を絞りながら、世界、特に西欧の教育および教育思想に触れて「日本の近代化と教育」および「戦後改革とその後」の問題点を指摘している。そして、

「2　教育とは何か」

において、「教育の本質」と「学校に期待されるもの」というように展開されて結論および方向性が示される。

著者によれば、「教育とは、子どもの人間的成長を促すための内容を含んだ技術の体系」と結論づけら

れ、したがって、「教師は、科学と芸術の達成に裏づけられた真理・真実に照らして教育内容を吟味しつづける研究者」、「子どもの知性や感性の発達（中略）を促す専門的な力量をもつ者」でなければならないと述べている。そしてこのような教育や学校を実現するためには「子ども・青年は学習権（中略）などを自ら主体的に求め」、大人たちは「これを励ますことが「大切」だと方向性を示している。要するにこのようにして「国民の教育権」を保障していくべきだと主張している。

教育とは、崇高な営為であり「聖職」である。その担い手である「教師」は優れた人格者であり、専門家である、というわけである。教職員たちの誇りをくすぐり、教職員たちが容易に酔いしれる考え方である。一旦この美酒を飲まされた「戦後民主教育」の担い手であった定年退職者はもとより現在の四〇～五〇歳代の教職員たちは簡単にはこの酔いから目覚めることはないようである。

本書の第Ⅰ部「教育とは何か、学校とは何か」はおよそ以上のような展開になっている。著者が「教育の本質」として提示している「教育とは、子どもの人間的成長を促すための内容を含んだ技術の体系」というのは著者の考える「本来の意味での教育」つまり教育のあるべき姿を提示しているのであって、このような教育は、人間の歴史上一度も存在したことはない。

また著者は、教師は「真理・真実に照らして教育内容を吟味しつづける研究者」、「専門的な力量をもつ者」でなければならないと言う。これでは、自民党政権や独占資本が「臨教審答申」などのなかで「教師の資質」、「家庭の教育力」を問い詰めているとき、この流れに棹さす主張になるのではないか！

「生涯教育」を是認する論調も同じである。それは決して著者の意図ではないにもかかわらず、なぜこのような主張になってしまうのか？

この書物を書き進める出発点において提示されてい

いた一九八〇年代日本の教育の諸現象を捉える場合も、著者が「正」と捉えていると思われる「国民的な視点からの生涯教育論」は、一九四七年制定の「教育基本法」第二条「教育の目的は、あらゆる機会にあらゆる場所において実現されなければならない（以下略）」やユネスコの「学習権宣言」あるいは「精神を自由にする場、感動を保障する場としての学校」を基準に比較しているからである。

つまり、著者が「正」として捉えている基準との差異あるいは偏差が問題とされるのである。現実の教育そのものの問題点を現時点において掘り下げるのではなく、歴史的過去に遡ってしまう。あるいは著者が「正」と観念する一九四七年制定の『教育基本法』あるいはユネスコの「学習権宣言」などと比較解釈してしまうからである。このような方法で「教育とは何か、学校とは何か」という教育の本質が捉えられるのであろうか？

著者は、冒頭で一九八〇年代日本の教育の問題点を数多《あまた》指摘しているにもかかわらず、その問題点を現時点において解明しようとはしていない。すでに述べたように、ここからすぐに「1　歴史の中の教育」というように、歴史的過去に遡ってしまう。そして「現にある教育も学校も、人類の歴史的な歩みのなかで形成されてきた」ものであるから、歴史的な制約を受けていると言う。だから「教育とは何かを考える手がかりは、教育とは何であったかをふり返ってみることによって得られ」ると言うのである。

そうだろうか？　確かに現在は過去と無関係ではない。むしろ過去の積み重ねであり、未来へと繋がる土台である。しかしそれは過去でもなく未来でもない。私たちが生きかつ生活している現在なのである。現在をこそ分析しなければ現在の教育の問題点や本質は解明できないのではないだろうか？　にもかかわらず著者は現在から出発するかのようなポーズをとりながら、現実には過去に遡ってしまうのである。この方法では誤った結論を導き出す。事実、すでに述べたように著者は、一九八〇年代日本の教育の問題点については著者が「正」と捉えている基準との差異あるいは偏差しか指摘していない。問題点そのものの認識も誤っているのである。まして近代公教育あるいは現代公教育の本質には何ら迫り得てはいないのみならず、これを教育一般の本質追究にずらしているのである。

著者にとって一九八〇年代日本の教育問題は追究する課題ではないらしい。この教育問題を打開する指針を導き出すことが著者の課題ではないのか？　それは著者の言う「本来の教育」の姿を、一九八〇年代日本の教育問題に対置することなのか？　そうすることによってその教育問題は解決あるいは打開されるのか？　すでにこの時点で、「教育とは何か、学校とは何か」を追究する方法論を誤っている。それだけではなく、このような方法論から導き出された著者が「正」と認識する「本来の教育」、「教育のあるべき姿」を基準とした諸政策を中曽根政権の「臨教審答申」に対置する指針が、日教組本部の「参加・提言・改革」路線を生み出す理論的基礎づけになっているのではないか？　少なくともそれを許すことになったのではないか？

2　内容上の問題

次に、著者の主張の内容を検討してみよう。

その第一は著者が「現実の公教育は二面性を持って」いると主張していることである。すなわち教育は一方で「支配階級による国民統制の機能をもち」、他方で「民衆の権利としての教育の要求を反映させ」る。したがって「その二つの面が拮抗しながら現実の公教育の性格を決めている」と言うのである。

ここでは著者は、教育そのものではなく「教育の機能」あるいは「教育の性格」について述べている。著者が「公教育の二面性」と言うとき、公教育そのものではなく、その「機能」あるいは「性格」を指しているらしいのである。宙に浮いているような「教育」というものがあって、それに働きかける力によってその機能は異なる方向に作用する、というように捉えているようである。その宙に浮いているような「教育」あるいは「公教育」とは、おそらく著者の言う、育児にその原型を見る「本来の教育」であろう。著者は、歴史を超え、階級対立を超えた「本来の教育」が人間の歴史あるいは教育の歴史を貫通している、と捉えているようだ。その「本来の教育」なるものを「支配階級」と「民衆」が綱引きして「拮抗」している、と捉えているのであろう。このような捉え方は正しいのであろうか？

この点について著者は、「公教育の発達の歴史」は、「社会統制的な機能が圧倒的に強い」、つまり支配階級の力が圧倒的に強いことを認めている。しかし同時に「革命期（ブルジョア革命あるいは市民革命のこと――引用者挿入）のいわゆる人権としての教育の思想とそれの具体化としての公教育の思想」が「労働者の自己教育の要求と運動」によって「ときに『譲歩』として、ときに先取りによる懐柔策として」公教育に「屈折して反映される」と言う。つまり「社会統制的な機能が圧倒的に強い」が同時に「民衆あるいは「労働者」の「要求と運動によって」、「人権としての教育思想とそれの具体化としての公教育の思想」は実現できる、と著者は主張しているのである。

ここから導き出される結論としての「民衆あるいは労働者」にとっての政治的行動の指針は、「権利としての教育」を主張することおよび「自己教育の高度化」を要求し、その主張や要求を実現する運動をつくることとなるのである。このような運動は具体的にはどのような運動であるか、については改めて述べるまでもないであろう。戦後七〇年余、「革新」政党と呼ばれてきた日本社会党と日本共産党が、その運動に血眼であったにもかかわらず一度たりとも実現しなかったことを思い出せば充分であろう。

確かに部分的には「民衆や労働者の要求」が実現したかのように現象する場合がある。しかしそれは、著者も指摘しているように支配階級（資本家階級）の「譲歩」か「懐柔策」に過ぎない。これを著者は「屈折して反映されていく」と表現している。一見、著者はこれを否定しているかに見えるが、決してそうではない。肯定的なのである。少なくとも「民衆や労働者」にとってこれは一歩前進と認識しているのである。これは誤りではないのか？　「教育には二面性がある」という著者の「教育」に関する本質把握の失敗がもたらした誤りではないのか？

少なくとも近代以降の日本では、「民衆」や「労働者」が政治権力を握ったことは一度もない。今日もなおそうである。公平な参政権が与えられているように見えるが、それは憲法上のことであり、現実には二重三重に制約されている。議会制民主主義のなかでは、「革新」政党は決して勝てないこと（その政治目標を実現できないことを含む）を、戦後七〇年余の間に、日本社会党と日本共産党が見事に示してきたではないか。そして「政権交代」という鳴り物入りで政治権力を握ったはずの民主党政権が、その目標は何一つ実現し得なかったことを思うべきである。それはなぜか？　を問うべきなのである。

内容上の問題の第二は、著者が「正」と捉えているであろう「人権思想」の問題である。

著者は、フランス革命を典型とする市民革命とは「絶対主義国家に対して国民（人民）主権を対置し、個人の価値と精神の自由を要求する」ものであったと捉え、トマス・ペインを引用して基本的人権の根拠は「人が人として平等である」ことだと言い、そうすることによって「人間が人間であることの自覚を自己のなかで深め、それを同じく他人に認めること」であったと述べている。つまり市民革命とは「人間の復興」であり、この思想から「教育もまた個人一人ひとりの権利であり、それは精神の自由にとって不可欠のもの」だと述べている。すなわち著者によれば、市民革命によって「教育それ自体が人権のひとつであると同時に、その他の人権の内実を保障する条件」だと考えられるようになったというのである。

絶対主義国家は、フランスを例にあげれば、ルイ一四世・一五世・一六世の時代である。一七世紀後半から一〇〇年余続いた中世と近代の過渡期に当たる割に短い期間である。経済的にはヨーロッパの大航海時代を経て、重商主義が極点に達した時代である。中世の封建貴族が残存する一方、新興の市民(ブルジョア)と呼ばれた大商人やマニュファクチュアの経営者が力を持ちつつも身分的には下層階級に留められていた時代である。

この新興ブルジョアジーがイニシアティブをとって、支配階級であった絶対君主とともに残存していた封建貴族を打倒して政治権力を掌握したのが、「市民（ブルジョア）革命」である。この革命を導いた思想が「人権思想」である。つまり「国民主権、基本的人権、個人の価値、精神の自由」などである。これらは確かに政治的に「人間の復興」を高らかに宣言した。近代の夜明けである。

しかし見落としてはならないことがある。これらの思想とその思想に基づいた革命は、あくまでも絶対主義王政や残存していた封建制に対する思想や運動である。その思想や運動の内容は、勃興しつつあった近代工業を維持発展させるために必要不可欠な「自由・平等」、「個人の価値」などが基本であった。この部分については別に深めなければならない。

近代公教育もまた、そのために必要だったのである。市民革命の成就とともに支配階級にのし上がった資本家や経営者など新たな支配階級は、近代工業を担う労働者を必要としたのである。それまでは国民の大部分は農民(もしくは農奴)であった。その農民を工場労働者につくりかえる必要があったのである。そのために新たな支配者であるブルジョアジーは、全ての人民に教育を受けさせようとした。近代公教育の成立である。あるいはブルジョアジーによる近代公教育の創造である。日本では一八七二（明治五）年の「学制」発布がこれに該当する。これで全ての国民が「読み・書き・算《そろばん》」は言うに及ばず、能力次第では高等教育も受けることができるようになったのである。

これは一見、全ての国民のための教育、したがって教育を受けることは国民の権利であり、それが実現したかのように見える。しかし決してそうではない。近代公教育は、多くの労働者を育成することを必要とした資本家や工場経営者にこそ必要なことだったのである。しかも優れた労働者を効果的かつ早期に育成するために近代公教育は常に必ず能力主義教育なのである。

この点については著者も触れている。ブルジョアジーによる近代公教育について著者は「反」と捉えている。著者の言う「近代公教育の二面性」の否定的側面である。しかし著者にとっては、市民革命によって確立した「人権思想」が「正」であり、これ以後の近現代の歴史は徐々にではあれ、労働者階級などの「要求と運動」によって「人権の思想」が拡大し、進化した歴史として捉えられているのである。本書の「日本の近代化と教育」、「戦後改革とその後」も同様であると見てよいであろう。

要するに現実の教育には「本来の教育」が歴史的制約や階級対立を超えて貫通しているが、支配階級と被支配階級がその機能あるいは性格をめぐって綱引きをしているという捉え方は、著者に一貫したものである。そして支配階級の政治あるいは政策は「反」であり、「民衆」や「労働者」など被支配階級の「要求」やそれを実現するための「運動」およびその「結果」は「正」なのである。

以上のように著者が「教育とは何か、学校とは何か」と問うとき、著者には答えが先にあるのである。すなわち著者が育児にその原型を見出している「本来の教育」が答えであり、したがってそれに近づけるように「人民や労働者」が「人権思想」に基づいて「要求し、それを実現するための運動」をすることによって「国民の教育権」を確立することが、運動を進める方針となるのである。その方針が具体的にはどんな運動であるかは、「革新」政党が何をやってきたかを見ればおわかりであろう。それを正当化し、理論的に基礎づけるために、主として市民革命以後の歴史を辿り、当時の教育学者の理論を引用しているのである。マルクスやレーニンさえもこのために動員されているのである。

私が知る限り、マルクスもレーニンも教育についてはそれほど多くを語っているわけではない。しかも「教育のあるべき姿」とでも言うべきものを語る場合、現実に存在する資本主義社会（産業資本主義段階および帝国主義段階）を分析し、労働者階級によってそれを打倒し、労働者国家を、そしてやがては社会主義社会・共産主義社会を、つまり「人間の人間的解放」を実現することが前提になっているのである。

より正確に言えば、マルクスやレーニンは資本主義社会を分析し、それを否定した結果、導き出される教育の姿を語っているのである。それは決して、教育を「育児の延長線上」に位置づけているわけではない。マルクスやレーニンの理論的結論だけをご都合主義的に引用するのは誤りであるだけでなく、すでに指摘したように今日の支配階級による教育政策の遂行に棹さす役割さえ果たすことになるのである。

同じことを他面から見れば、このような著者の主張は、著者の意に反して、日教組の組織と運動を、改憲勢力である旧民主党＝民進党あるいは立憲民主党・国民民主党など「非自民党」を支援するなど「教育報国運動」へと変質させたではないか！　すなわち、その結節点となった日教組本部による「参加・提言・改革」路線への転換（一九九〇年）へと導く、あるいは少なくともそれを阻止できなかった、と言わざるを得ないではないか！

そして内容上の第三の問題は、教育に関する経済学的分析が欠如しているということである。この点は著者に限らず「革新」政党系の教育学者のほとんど全てに共通する決定的な問題点である。一般的には「労働者」ということばを使っているが、本書の著者も教師のことを「教育労働者」とは規定していない。教師を「教育内容を吟味しつづける研究者」、「専門的な力量を持つ者」と考えているのである。

かつて日本共産党は「教師＝聖職」論を打ち出して日教組の賃金闘争などにおけるストライキ戦術に敵対したが、著者の論理はこれを理論的に基礎づけるものになっているのである。

詳細なことは後述するが、国立・公立学校の経営者は国家や地方自治体である。私立学校の教師＝教育労働者は学校法人（教育資本）に、国立・公立学校の教師＝教育労働者は国家や地方自治体に自らの労働力（指導能力や指導技術など）を賃金と引き替えに売り渡しているのである。国家（直接的には文科省）や地方自治体（直接的には教育委員会）は、このようにして雇用した教育労働者を働かせて（教育活動＝サービス労働）、そのサービス（商品）を、直接的には子どもに教育を受けさせる保護者に販売しているのである。保護者は、基本的には納税という形でこのサービスを購買している。このサービスを直接受けるのはその子どもたちであることは言うまでもない。

教育労働者（本書の著者は「教師」という）は、自分の持てる教育サービス的能力（教育労働者の労働能力＝知識や技能など）を発揮（消費）して子どもたちにサービスする（教育する）のである。経済学的には他の民間労働者などと同じように（私立学校の場合も同じ）自らの労働力を商品として、資本家や経営者に販売し、国家や地方自治体の所有物になっているのである。

この論理には飛躍があるように思われるかも知れないが、その人の労働力と人格は切り離すことができないから、労働力を買い取られると、人格（人間丸ごと購買者の所有になってしまうのである。正確ではないが、わかりやすく述べるならば、この構造を打破することなしには、本書の著者が「正」と観念し肯定あるいは賛美して止まない「人権思想」に基づく教育あるいは「本来の教育」は実現しないのである。

マルクスやレーニンは、このような資本制生産関係の打破、賃金制度の撤廃を実現した上で、正確に表現すれば、資本制的生産関係（人間関係）の問題点を明らかにし否定した上で実現するであろう教育についてわずかに語っているにすぎない。このことを抜きに「教育論」の理論的結論だけをご都合主義的に引用するのは、マルクスやレーニンを冒瀆することである。

今私たちに必要なのは、本書の著者が展開しているような、教育に関する未来の夢物語ではなく、今日ただいまの公教育の問題を根本から明らかにすることなのである。

本書の著者を含め、自他共に「革新」政党系と認知されている教育学者たちには、近代公教育および教育労働者に関するこのような経済学的分析がほとんど欠如している。経済学的分析の観点からすれば、著者の主張がいかに空疎なものであるかが歴然とするのではないか。

ただし私は、公教育を経済学的に分析して、教育労働者は他の民間労働者と同じだと主張しているわけではない。教育労働者は、工場労働者のように機械に相対し自動車や家電製品のような商品を生産しているのではない。教育労働者の労働対象は、機械や原料のようないわゆる「物」ではなく、人間＝子どもたちである。労働の質も基本的に肉体労働ではなく、精神労働であり、しかも子どもたちを育てる（誰あるいは何のために、いかに育てるかについては、次元が異なるのでここでは触れない）というサービス労働なのである。そうであるが故に、教育労働の特殊性についても別に分析・解明しなければならない。

以上見てきたように、本書の著者をはじめ、私が教わった「革新」的と言われる教育学者は、資本主義の帝国主義段階である今日の公教育について、その本質を暴き出すことに失敗していると思うのである。歴史的・階級的制約あるいは規制のない真空のような社会で行われるような、著者が言う「原型としての育児」のような教育を本質として捉えようとしていると言わなければならない。したがってすでに見たように、これらの教育学者の論理は、独占資本の意を体した政府・文科省による「教育改革」を打ち破る指針たり得なかったばかりではなく、おそらくその意に反して日教組運動を右翼的に変質させる役割を果たしてしまったのだと言わなければならない。しかも自らが理想としている教育を具現化し、かつ自民党政府の教育政策批判の基準としていた「教育基本法」の改悪（二〇〇六年）を阻止できず、「国民教育」論を自ら破壊してしまった。これまでに述べてきたように、これは必然的な結果なのである。

しかし私の知る限り「国民教育」論者であった「革新」的教育学者の誰も反省的な論文を発表してはいない。おそらく「国民教育」論が自民党政府の「教育改革」に敗北したことにさえ気づいていないのかも知れない。

したがって、教育現場の多くの教職員＝教育労働者はこのことに気づいてはいないのみならず、今なお「国民の教育権」や「子どもの学習権」など、「人権思想」に基づく「民主教育」が実現できるかのように錯覚して追い求めているように思われる。「全て私の責任」、「私の無能さ」を悩んで自らの命を絶つような若き教職員がまだ出そうなのである。いっときも早く覚醒してほしいものである。

第二章▼「中学校社会科」にみる公教育の目的

実は、この部分の原稿は、二〇一三年末にはできあがっていた。そのタイトルは「民主党の教育政策—鈴木寛・寺脇研共著『コンクリートから子どもたちへ』の批判的検討—」というものであった。当時は民主党政権だったから採りあげたのである。

ところが民主党政権はわずか三年足らずで崩壊したのみならず、すでに民主党自体が存在していない。二〇〇九年に「政権交代」を実現し、日教組本部を「与党になった」と有頂天にさせた民主党政権は、鳩山→菅→野田のわずか三代であっけなく瓦解した。

いろいろな意見があると思うが、私は、民主党は自民党とは本質的な相違はなかったと思っている。細かい部分まで見ていけばさまざまな違いがあるが、内政については基本的には単に「競争原理の導入」をしばらく隠して、みんながスタートラインに立てるような条件を整備することを自民党より優先する、というだけの違いに過ぎなかったと思う。一見すると、当面「大衆（人民=労働者）に優しい姿」を見せるという点で、アメリカのトランプ大統領誕生で注目を浴びているポピュリズム（大衆迎合主義）に似ているが、それは当面の現象面だけである。トランプ大統領は、アメリカ資本主義（帝国主義段階）の最末期に登場し、内側に向けては「保護主義」、外に向けては「排外主義」の、ファシズムに近い考え方であり、非常に危険である。

しかし日本の民主党は、「公共性」を自民党のように「個を殺して公に仕える『滅私奉公』のような見方」ではなく、「個が私を活かして公を開く『活私開公』という見方でとらえる」、あるいは「従来の『公』と『私』という二元論ではなく、『公』と『私』を媒介する理論として公共性を考える」という「新しい公共」の考え方だと主張している。

要するに、自民党は上から政治権力を駆使して国民を「国家公民」にするが、民主党は国民が自らの意志で「公民」になるように仕向けるというだけの違いなのである。どちらも国民を国家に従順な「国家公民」にするという目的は同じなのである。上から政治権力を駆使して短期間のうちに目的を達成しようとした自民党に対して、同じ目的なのにリスクを少なくしようと悠長に構えていた民主党はあっけなく敗退したのである。民主党についてはすでに存在していないこともあり、これ以上は触れない。

本題に戻る。私は「現在の近代公教育とは何か？」を考えようとしているのである。私は三八年間（一九六二年度～九九年度）公立中学校の社会科担当教諭を務めてきた。私が担当してきた「社会科」という教科を通して「近代公教育とは何か？」という課題に迫ってみようと思う。

私自身の社会科学習指導については別に『社会科は暗記ものか？―社会科学的思考を育てるために―』にまとめつつある。この点について一言述べておきたい。私は学生のころまでは、社会科学習指導とは社会科学的なものの見方・考え方ができるように指導する教科だと思っていた。しかし教育現場での授業はそうではなかった。教科書も「学習指導要領」もそのようにはなっていなかった。

自然科学の発達に比べて社会科学は遅れていると言われ、その理由は、自然科学は実験ができるが社会科学は研究対象が生きた人間・社会だから実験ができないからだ、と教えられてきた。しかしその原因はそれだけではないことを確信した。以下、そのことも納得していただけるように述べたいと思う。

一　「中学校社会科」学習指導の目的は何か？　二〇〇八年「学習指導要領」から

日本の現在の学校教育に関する理念や制度などについては「日本国憲法」、「教育基本法」、「学校教育法」、「地方教育行政法」などに規定されている。そして日々の教科指導など教育活動（教育実践）に関することは「学習指導要領」に提示されている。この「法的拘束力」についてはこれまで争われてきたが、今日では「大綱的基準」ということになっているらしい。

いずれにしても、時の政府が学校教育に何を期待しているのか、子どもたちをどのように教育しようとしているのかが、かなり具体的に提示されている。

私の手元にあるのは二〇〇八年の「学習指導要領」である。このなかから「中学校社会科」に焦点をあてて、「近代公教育とは何か？」という観点から検討していこうと思う。

「中学校社会科」学習指導の目的は二〇〇八年「学習指導要領」にはどのように提示されているか？

二〇〇八年に改訂された「学習指導要領」に基づく日々の教育実践は、中学校では二〇一一年から本格的に実施されてきた。当然、教科書もこの「学習指導要領」に基づいて変更されている。その「学習指導」の「中学校社会科」の部分を見ていくことにする。検討資料としても正確を期したいのでそのまま全てを収録する。以下、その部分は枠内に表示し、その部分の傍線は全て引用者によるものである。

〔中学校社会科の目標〕

広い視野に立って、社会に関する関心を高め、諸資料に基づいて多面的・多角的に考察し、我が国の国土と歴史に対する理解と愛情を深め、公民としての基礎的教養を培い、国際社会に生きる民主的な国家・社会の形成者として必要な公民的資質の基礎を養う。

そして言うまでもないことであるが、中学校の社会科は三つの分野に分かれている。それぞれ分野ごとの目標は、次のように提示されている。

〈地理的分野の目標〉

①日本や世界の地理的事象に対する関心を高め、広い視野に立って我が国の国土及び世界の諸地域の地域的特色を考察し理解させ、地理的な見方や考え方の基礎を培い、我が国の国土及び世界の諸地域に関する地理的認識を養う。

②日本や世界の地域の諸事象を位置や空間的な広がりとのかかわりでとらえ、それを地域の規模に応じて環境条件や人間の営みなどと関連付けて考察し、地域的特色や地域の課題をとらえさせる。

③大小様々な地域から成り立っている日本や世界の諸地域を比較し関連付けて考察し、それらの地域は相互に関係し合っていることや各地域の特色には地方的特殊性と一般的共通性があること、また、それらは諸条件の変化などに伴って変容していることを理解させる。

④地域調査など具体的な活動を通して地理的事象に対する関心を高め、様々な資料を適切に選択、活用して地理的事象を多面的・多角的に考察し公正に判断するとともに適切に表現する能力や態度を育てる。

〈歴史的分野の目標〉

①歴史的事象に対する関心を高め、我が国の歴史の大きな流れを、世界の歴史を背景に、各時代の特色を踏まえて理解させ、それを通し

て我が国の伝統と文化の特色を広い視野に立って考えさせるとともに、我が国の歴史に対する愛情を深め、国民としての自覚を育てる。

②国家・社会及び文化の発展や人々の生活向上に尽くした歴史上の人物と現在に伝わる文化遺産をその時代や地域との関連において理解させ、尊重する態度を育てる。

③歴史に見られる国際関係や文化の交流のあらましを理解させ、我が国と諸外国の文化が相互に深くかかわっていることを考えさせるとともに、他民族の文化、生活などに関心を持たせ、国際協調の精神を養う。

④身近な地域の歴史や具体的な事象の学習を通して歴史に対する興味・関心を高め、様々な資料を活用して歴史的事象を多面的・多角的に考察し公正に判断するとともに適切に表現

する能力と態度を育てる。

〈公民的分野の目標〉

①個人の尊厳と人権の尊重の意義、特に自由・権利と責任・義務の関係を広い視野から正しく認識させ、民主主義に関する理解を深めるとともに、国民主権を担う公民としての必要な基礎的教養を培う。

②民主政治の意義、国民の生活の向上と経済活動とのかかわり及び現代の社会生活などについて個人と社会とのかかわりを中心に理解を深め、現代社会についての見方や考え方の基礎を養うとともに、社会の諸問題に着目させ、自ら考えようとする態度を育てる。

③国際的な相互依存関係の深まりの中で、世界平和の実現と人類の福祉の増大のために、各

国が相互の主権を尊重し、各国民が協力し合うことが重要であることを認識させるとともに、自国を愛し、その平和と繁栄を図ることが大切であることを自覚させる。

④現代の社会事象に対する関心を高め、様々な資料を適切に収集、選択して多面的・多角的に考察し、事実を正確にとらえ、公正に判断するとともに適切に表現する能力と態度を育てる。

二〇〇八年「学習指導要領」には、中学校社会科学習指導の目標は以上のように提示されている。何か引っかかったり、疑問に思ったりした部分があるだろうか？　このようなことに特に問題意識も関心も持っていなければすんなりと納得できそうな目標なのかも知れない。

わかりにくいかも知れないので、もう少し簡潔にまとめて捉え返してみよう。

目標の第一は、地理的・歴史的および現代社会の諸事象を認識し理解することを前提に、思考力・判断力・表現力を養うこと。

目標の第二は、地理的・歴史的および現代社会の国際関係のなかで日本を捉えること。つまり「世界の中の日本」として日本を捉えること。世界地理や諸外国の歴史・文化をも学ぶが、それはあくまでも日本の特徴をつかむための比較材料として学び、その上で諸外国の人々の生活や文化を尊重し、国際協調の精神を養うこと。

目標の第三は、我が国の歴史・伝統・文化そして国土を愛し、その平和と繁栄を図る公民として育成すること。

一九六二年度から一九九九年度まで三八年間、中学校教諭として社会科を担当してきた私としては、「我が国の国土と歴史に対する理解と愛情を深め」、「自国を愛し、その平和と繁栄を図る」、「国民としての自覚を育てる」などというように「愛情」、「愛し」、

「自覚」などのことばが多く出てきていることにかなり違和感がある。これまでにもなかったわけではないが、二〇〇八年の「学習指導要領」には、このような心情的な表現が多い。これは明らかに二〇〇六年安倍内閣の手によって、一九四七年に制定された「教育基本法」が「郷土を愛し、国を愛する心の涵養」などを挿入する改訂を行ったことによる「中央教育審議会（中教審）答申」を色濃く反映したからであろう。

これはどう考えても社会科学ではない。心情の問題であり、精神の問題である。倫理・道徳の範疇である。政府は国民の心の持ちようを規制し指示しようというのである。

この章の最初に、「社会科学の進歩が自然科学の進歩に追いつかない理由は、社会科学の研究対象が生きた人間・社会であり、実験ができないからだと教えられてきたが、それだけではない」という主旨のことを提示しておいたが、「それだけではなく」、ほかにどんな理由があるかおわかりいただけたであろうか？

過去の歴史も検証する必要があるが、支配者は社会科学の発展を好まないことがその理由の一つでもあることに私は気づいたのである。人間・社会を社会科学的に分析し本質を明らかにすれば、支配者（階級）の生の姿が暴露されることに支配者（階級）は本能的に気づいているのではないだろうか。支配者（階級）にとって倫理や道徳が必要なのは、社会科学の物理的・化学的、言い換えれば唯物論的性格を、心や精神など抽象的な、あるいは唯神論的な事柄にすり替える必要があるからではないのだろうか？　この点はさらに追究したい。

二〇一一年度から使用を開始した小学校社会科教科書には神話が復活し、「いなばのしろうさぎ」、「ヤマトタケル」などが採りあげられているそうである。このようなことから、政府が目的とする国民の心の持ちようがいかなる内容であるかは推測できるであろう（このような部分の詳細は別に論じたい）。

さらに中学生は、社会科三分野のうち、地理的分野・歴史的分野の学習を一、二年生で終了し、三年生で公民的分野を学ぶ。つまり公民的分野が、中学校（したがって義務教育）社会科学習の総仕上げなのである。「学習指導要領」のなかには、「我が国」、「公民」、「国民」ということばが随所に出てくる。「公民としての基礎的教養を培い」、「公民的資質の基礎を養う」など中学校社会科は、日本国という国家を中心に据えた教科だと言える。そして義務教育の総仕上げとして国民が「国民主権を担う公民」となるよう育てることが最終目的のようである。

つまり、「日本国」という国家の現状を肯定していることが絶対的な前提なのである。この点を抑えておくことは重要である。たとえ「社会の諸問題に着目させ」という場合も、近代国家（資本主義を土台とする民主国家）としての「日本国」が大前提なのである。

そして「学習指導要領」のそれぞれの文章の最後は、「養う」、「とらえさせる」、「理解させる」、「育てる」、「培う」、「自覚させる」などとなっている。これが何を意味するかおわかりであろう。政府・文科省が中学校社会科担当教師に、社会科という教科を通じて子どもたちをどのように育てるか、その内容を提示したものであるから断定的な表現になっているのである。この枠内からはみ出すことを禁じているのである。これまで「学習指導要領」には「法的拘束力」があるか否かが争われてきたが、今日ではすでに政府と日教組本部との間では「大綱的基準」ということで決着されているかのようである。これでよいのであろうか？

二　「中学校社会科」とはいかなる教科か？

「社会科」は、戦後新たに設けられた新しい教科である。明治政府の下で創られた近代公教育＝「学制」発布以来、一九四五年の敗戦までには存在せず、一九四七年に新しく設けられた教科なのである。一九四六年一一月三日に公布された「日本国憲法」に基づく「教育基本法」と「学校教育法」が、一九四七年三月三一日に実施された。これにより日本の教育制度・内容は大きく変化した。単線型の六・三・三・四制の学校制度になったことなどである。

それは日本の敗戦後、日本を占領した連合国軍最高司令部（ＧＨＱ）の意向に沿った内容であった。すなわち、「平和主義」、「教育の機会均等」、「義務教育の無償制」、「男女共学」、「教育の自由」などを基本原理とする「教育の民主化」ということであった。後に「戦後民主教育」と呼ばれたものの原型である。

戦時中の国民学校は小学校になり、「男女共学」の新しい中学校・高等学校が誕生した。当時は旧制中学校（五年制）や高等女学校などと区別するため、私たちは新制中学校（三年制）、新制高校（三年制、定時制は四年制）と呼んでいた。この新しい学校制度のなかで新しく「社会科」という教科が設けられたのである。

この新しい教科である「社会科」について、一九四七年三月二〇日付で、当時の文部省から発表された「学習指導要領」には次のように提示されている。なお傍線は引用者が施した。

> この社会科は、従来の修身・公民・地理・歴史をただ一括して社会科という名をつけたというのではない。社会科は、今日のわが国民の生活から見て、社会生活についての良識と性格を養うことが極めて必要であるので、そういうことを目的として、新たに設けられたのである。ただこの目的を達するには、これまでの修身・公民・地理・歴史などの教科の内容を融合して、一体として学ばなければならないので、それらの教科に代わって、社会科は設けられたわけである。

つまり、戦前・戦中において「皇国民」、「臣民」あるいは「少国民」などと天皇崇拝、軍国主義に染め上げられた日本国民を「民主主義」、「民主政治」に習熟させる必要があること。そのためにはこれまでの「修身・公民・地理・歴史などの教科をただ一括」するのではなく、これらを「融合して、一体として学ばなければならない」ということのようである。「修身・公民・地理・歴史」のいずれも否定してはいない。「一括ではなく、一体として」という部分はわかりにくいが、要するに明治以降、特に一九三〇年代、「軍国主義」に染め上げられた政治の下で、上からの命令に従うことにのみ慣らされてきた「臣民」であった日本国民を、自ら考え判断し、行動する主体的な国民につくりかえる任務を担う教科として新しく「社会科」を設けたということであろう。

連合国軍（中心は米軍）の占領下で、新しい教育制度の教育現場で新しく設けられた「社会科」を担当しなければならなかった当時の教師は言うまでもなく、文部省も大変苦労したらしい。そもそも「社会科」の教科書は一九四七年度の一学期には間に合わず、その授業は実質二学期から始まったらしい。

一九四八年一〇月および一九四九年八月に、文部省は上下巻に分けて『民主主義』という書物を刊行したそうである。二〇一八年に、ＫＡＤＯＫＡＷＡがこれを文庫本一冊にまとめて発行している。文庫本だとは言え、内田樹さんの「解説」を除いても四四三ページに達する膨大な書物である。その内容は、新憲法である「日本国憲法」の全てを詳細に解説した書物だと言えばよいのであろうか。

内田樹さんはその「解説」の冒頭に「戦後、憲法が施行されて間もなく文部省が『民主主義の教科書』を編んだことがあった。一九四八年に出て、五三年まで中学高校で用いられた」と書かれているが、これはどう考えても誤りであろう。高校ならあり得るかなという気もするが、中学校でこんな膨大で詳細な「民主主義」を学ばせるのは不可能である。私は、一九五二〜五四年の三年間中学生だったが、そのような教科書にお目にかかったことはない。おそらく、中学校、高校で「社会科」を担当する教師用に書かれたのではないかと思われる。

私事になるが、「社会科」が設けられた一九四七年、私は小学校二年生になった。これ以後小学校では、「社会科」の授業のとき、教科書を読まされて、「関東平野」を「かんとうひらの」と読んでみんなに笑われたことや、福岡県の模型地図を作ったことを記憶しているが、日本史や「日本国憲法」について学んだ記憶はない。中学校でさえ「社会科」の授業に関する記憶は薄い。特に日本史についてはまともに教わった記憶がない。三年生のときに、公民的分野(当時は確か政経社的分野)では「民主主義の歴史」は教わったが、「日本国憲法」そのものについては教わってはいないと思う。これは私が不真面目だったというよりも、恩師であり社会科教諭の先輩でもある当時の先生方に失礼ではあるが、当時の社会科を担当していた教師さえ新しい教科である「社会科」がいかなる教科なのか、ということについて十分には消化し切れていなかったのではないかとさえ思えるのである。私たちが中学校で教えを受けた社会科担当教諭は全て戦前・戦中からの教師であり、「修身・公民・地理・国史」を担当していたであろうからである。

以上は余談である。要するに「社会科」という戦後に新しく設けられた教科は、児童・生徒を「民主主義」に習熟させ、「国民主権を担う公民」に育て、それに必要な「基礎的教養を培う」ことが目的だったのであろう。

さらに同じ「学習指導要領」の「教育の一般目標」には、次のような内容(一部抜粋)が掲げられている。参考までに確認しておきたい。

①「個人生活」では、「正邪善悪の区別」、「鋭い道徳的感情」、「宗教的な感情の芽ばえ尊重」。

②「社会生活」においては、「他人の自由を尊び、人格を重んずること」、「責任感」、「礼儀」、「社会正義」、「新憲法の精神」、「伝統尊重」、「法律遵守」、「平和」、「国際協調」、さらには、

③「経済生活・職業生活」では、「新しい日本の産

業の発展に尽くす」、「職業の貴さ」、「職業生活に必要な知識・技能」の達成。

つまり、当時としては新しい考え方であるように見えたかも知れないが、大枠としては現状肯定の上での目標なのである。

これらは「教育一般目標」であるが、それを達成するために「社会科」学習に課せられた役割は大きいと思われる。つまり、「自然と社会についての見方考え方を科学的合理的にし（中略）科学的知識を豊かに」して、「新しい日本の産業の発展に尽くす」とともに「道徳」・「礼儀」・「伝統尊重」などの倫理的な指導を「社会科」に担わせていると思われる。この点については、「社会科」を新しく設けたときから現在に至るまで一貫していると言えるだろう。もちろん、その具体的内容は社会の変化に応じて変化してきたことは言うまでもない。

たとえば、「中学校社会科」の「公民的分野」は、誕生当初は「政経社的分野」と言われていた。政治・経済・社会の分野ということで、「新しい日本の産業の発展に尽くす」ことが中心だったが、やがて経済の高度成長期を迎えて、日本の資本主義経済が「経済大国」と言われるまでに成長し、経済界から「手には技術、心には日の丸」という内容の「期待される人間像」（一九六五年）が求められるようになると、「政経社的分野」が「公民的分野」に改められ、「道徳・礼儀・伝統尊重」に重点を移してきた。

「中学校社会科」の「公民的分野」が「政経社的分野」と言われていたころに中学生だった世代から、多くのノーベル賞受賞者が輩出されている。「公民的分野」に改められてからはどうなるだろうか。

また、一九九九年に「国旗・国歌法」が成立してから「中学校社会科教科書」に「国旗・国歌」に関する内容が記述された。

「地理的分野」の内容は選択制になった時期もある。今日では、「領土問題」つまり、北方領土問題、竹島問題、尖閣諸島問題が採りあげられている。さらに「強制連行」、「従軍慰安婦」などが教科書から削除された。かつて社会科教科書から「秀樹が消えて英機が登場」などと揶揄された。「秀樹」は日本人初のノーベル賞（物理学）受賞者（一九四九年）の湯川秀樹であり、「英機」は太平洋戦争開戦を決めたときの内閣総理大臣・東条英機であることは言うまでもない。

教科書問題については別に稿を改めなければならない。ここでは一例に過ぎないが、以上のように「中学校社会科」教科書の内容は、経済界などの要求の変化に応じて変化してきたことを確認したまでである。しかし、「国民主権を担う公民の育成」という最終目的は今日まで、一貫しているのである。

以上見てきたように戦後は、戦前・戦中に軍国主義、皇民化教育に躾けられた臣民（もしくは少国民・皇国民）に、義務教育最後の学年までに、戦後の民主主義社会＝資本主義経済の社会で過不足なく生きていける知識・技能・態度を身につけさせることが、公教育の喫緊の課題であったのである。戦後に新しく設けた「社会科」という教科は、その任務を担う教科だったのである。具体的には「国民主権を担う公民」として生きていけるように育てる（躾ける）ことが最終目的であったのである。

参政権の年齢が一八歳に下げられた今日、再び「国民主権を担う公民」を育てることが中学校・高校で改めて注目されている。しかしその内容は、戦後間もないころとは、若干ニュアンスが変化しているようである。その中身が、「新しい日本の産業の発展」に尽くす「公民」から、「郷土を愛し、国を愛する心」を持った「公民」へと推移しているように見える。

以上のように、政府・文科省の言う「社会科」は「社会科（social study）」であって、決して、社会科学（social science）ではないのである。政府としては、あくまでも資本主義社会であり民主国家である現状を肯定した上での教科であり、社会変革（労働者革命）を必然化する社会科学として教授させようとはしていないのである。否！　むしろその発展を阻止すべく、さまざまな社会問題を「心の問題」あるいは「精神の問題」へと解消させようとしていると言わなければならない。

だから「社会科」という教科は、児童・生徒や保護者から、場合によっては社会科担当の教師からさえ「社会科＝暗記もの」と認識されてしまうのであり、定期試験や入学試験などが終われば忘れ去られてしまうのである。なかなか社会科学は進歩しないことになっていると思わないだろうか？

以上のようなことを前提に、課題である「近代公教育とは何か？」については後述する。

第五部　私を導いてくれた〈本物のヒューマニズム〉

およそ三八年間の中学校教諭としての経験を振り返ってみるとき、失敗や誤り、あるいは試行錯誤・勘違い、さらには若気の至りとも言えるような感情のままの行動等々、生徒や保護者に迷惑をかけたり、不快な思いをさせたことなどが何度もあって、冷や汗が出るような思いである。

今、それらを振り返ってみるとき、私が生徒たちのことばを謙虚にかつ素直に聞いて、生徒たちの身になって考えようとするようになったのは五〇歳を過ぎてからであったように思う。それさえも定年（六〇歳）退職後やがて二〇年になろうとする今日、改めて考えてみるとまだまだ至らないことばかりであったように思う。

二〇一〇年、私の教職第一期に当たる田川時代の「僻地校」勤務のとき、担任した生徒たちから同窓会の誘いが届いた。彼／彼女らが還暦を迎えるに当たって企画したのだそうである。私が担任した生徒たちが早くも還暦と聞いて、何とも言えない複雑な感情が湧き上がってきた。彼／彼女らと「僻地校」でともに学んだころは、私もまだ二〇歳代半ばの若さであった。若さのままにがむしゃらに彼／彼女らと向き合ってきた。第二部第一章で触れているように、それはそれで私なりに真剣であった。しかし今から振り返ってみると、教師としても、人間としても全く未熟であったと言わざるを得ない。

その当時から私が教育実践や私自身の生き方に苦悩したとき、常に私を導いてくれたのは、私が〈本物のヒューマニズム〉と認識していた思想であり、哲学である。その思想・哲学を私が体得し得た限りで、教育実践や私自身の生き方に適用し、その経験を積むことによって、その質が徐々に高まってきたように思う。そこを貫いてきた想いは一貫していたつもりである。そのことについて最後に整理しておきたい。誤解を恐れるので一言しておく。この思想・哲学を直接生徒たちに教授したわけではない。あくまでも私の生き方の導きとして適用してきたということである。

第一章▼〈本物のヒューマニズム〉

ヒューマニズムとよく似たことばに人道主義がある。しかし哲学的には明確に区別されている。粟田賢三・古在由重編『岩波哲学小辞典』には、ヒューマニズムとは「人間尊重、人間解放を基調とする態度・思想」であり、「人間主義とも訳される」そうである。「資本主義による人間の自己疎外からの人間性の回復をめざすプロレタリア階級の運動は現代におけるヒューマニズムを代表する（社会主義的ヒューマニズム）」。

他方、人道主義とは、「全人類に共通であるべき普遍的な理念、人間性」つまり「人道」を「理想とすると同時に、この理念を実現するために人道的な手段を固守しようとする立場」であり、「暴力とたたかうための暴力をも否定する無抵抗主義、戦争に反対するための武装行為をも否定する平和主義はこれに属する」と解説されている。

つまり人道主義とは「人道」という理念あるいは人間としての「あるべき姿」に近づけようとする考えとその実現のための運動である。またヒューマニズムあるいは人間主義とは、現実に人間性を抑圧する圧力をはね返し、あるいは打倒して人間性を回復しようという思想であり、それを実現するための運動のことである。人道主義は観念論であるが、現代のヒューマニズムは「自然主義」（フォイエルバッハ）あるいは「唯物論的世界観」に立脚していると言えるであろう。

厳密な意味でのヒューマニストとして、現在、高く評価されている歴史上の人物は決して多くはないが、世界あるいは日本において、現在、人道主義者と評価され尊敬された歴史上の人物を探し出すのはそれほど困難ではない。

「奴隷解放」で有名な、アメリカ合衆国第一六代大統領アブラハム・リンカーン、アフリカで黒人の医療に尽くしたシュバイツァー、インドの独立と民族の誇りの回復に生涯を捧げたマハトマ・ガンジー、赤十字社の創始者であるアンリ・デュナン、クリミア戦争で敵味方を問わず救護に努めたフローレンス・ナイチンゲールなどは特に有名である。最近ではマザー・テレサやノーベル平和賞を授与されたパキスタンの少女マララ・ユスフザイ（当時一七歳）などがいる。

日本の歴史上にも、キリスト者の内村鑑三・新島譲・新渡戸稲造、大正デモクラシーの吉野作造などがいる。野口英世は、アフリカで黄熱病の研究に没頭した。現在でも、東南アジアや中近東・アフリカなどで難民救済に精励している日本人は少なくはない。

私はこのような人々の誠実で真摯な「人道を理想とし、その実現のために」自らの生涯を捧げている人々を尊い存在として受けとめ尊敬する。しかしこれらの人々は今日に至るもなお人間性を奪われた「人間」をその「束縛から解放」することはできていない。今もなおアメリカ合衆国から「黒人差別」はなくなっていない。シュバイツァーにしても、ガンジーにしてもその崇高な思想と生涯を捧げた活動には敬服するが、歴史上で果たしたことは、それぞれの意志（あるいは願い）とは異なるが、帝国主義の拡大やその緻密化をもたらしたのではなかったか？世界の独占資本が搾取や収奪を意のままにする道を整備しただけではなかったか？

一例として、アブラハム・リンカーン（一八〇九〜六五年）をあげておこう。

アメリカ合衆国史上は言うまでもなく、世界的な偉人としてあまりにも有名である。少年少女を対象にした世界中の「偉人伝」のなかには必ず収められている。アメリカ合衆国において、リンカーンは初代大統領ジョージ・ワシントンと並び称されている。特に一八六三年「奴隷解放宣言」を発し、四〇〇万人に上る黒人奴隷が解放され、少なくとも法的には平等になった。また南北戦争（一八六一〜六五年）の真っ只中、一八六三年のゲチスバーグにおける演説は、民主政治を端的に言い表したことばとして世界的にあまりにも有名である。

「人民の、人民による、人民のための政治」

というあのことばである。

私はリンカーンの人道的な考え方と生き方を疑うつもりは毛頭ない。しかし一九世紀後半のアメリカ合衆国の歴史のなかにリンカーンを位置づけてみたとき、それほど単純ではない。

一九世紀半ば、アメリカ合衆国は、イギリス、フランスなどから大幅に遅れてようやく東海岸北部（ボストンの繊維工業など）から産業革命期に入った。アメリカ合衆国にも産業資本家が誕生し始めたのである。彼らはすでに産業革命を成し遂げていたイギリスやフランスの安い工業製品が自国に流入することをよろこばなかった。また、誕生して間もない産業資本家たちは、イギリスに追いつけ追い越せとばかりに、機械制大工業の発展を急いだ。そのために大量の工場労働者を必要としたのである。

ところが、バージニア州以南のアメリカ南部では黒人奴隷を使った綿花の大農場経営が行われていた。この農場主たちは、綿花をイギリスやフランスに輸出し、工業製品は輸入すればよいと考えていた。もっと端的に言えば、綿花を買ってもらうために工業製品は輸入すべきだと考えていた。黒人奴隷・労働者問題、貿易問題などで北部の産業資本家とは利害が真っ向から対立したのである。

このような南北対立のなかで、正確に言えば、産業資本家と大農場経営者との対立のなかで、アブラハム・リンカーンは北部の産業資本家に支持されて第一六代大統領に当選したのである。そんななかで行われた「奴隷解放宣言」は、決して黒人奴隷たちの人間性を尊重したものにはなり得ない。有り体に言えば、リンカーンの考えや生き方が崇高であったことは認めても、産業資本家にとっては工場労働者を確保するための黒人奴隷の解放（黒人を農場主から切り離す）だったのである。

このときからすでに一五〇年も経過しているにもかかわらず、今なおアメリカ合衆国のなかに「黒人差別」が根強く残っていることも頷けるではないか。しかもアメリカの白人の多くは、この破廉恥な現実に気づいていないかの如くである。アメリカ人とアメリカ合衆国が世界で最も人権を尊重していると思い込み、他国、特に中国や「北朝鮮」を「人権無視」、「人権侵害」の国と誹謗中傷しているのだからあきれ果てるではないか！

これはほんの一例に過ぎない。世界中には、このような史実・事実は枚挙に暇《いとま》がない。日本でもそんな史実・事実を列挙することに苦労はしない。現在もそうなのである。

個人の崇高な思いや良心およびそれに基づく言動が、必ずしもそのようには結実しない例として、金子みすゞをあげておこう。あの「みんなちがって、みんないい」の金子みすゞである。

みなさんが、金子みすゞの名に接したのはいつごろだっただろうか？　それはどんなきっかけだっただろうか？　最近、再び金子みすゞが脚光を浴びているという。二〇一一年三月一一日の東日本大震災と東京電力・福島第一原発事故後のことである。金子みすゞの詩やことばに慰められたり、勇気づけられたりしているそうである。

私は金子みすゞについて基本的に何も知らない。そこで、二〇一一年六月二六日付「読売新聞」の「万物の心と同化した叙情」という見出しの記事を参考にしながら、私の意見を述べておきたい。

私が金子みすゞの名に接したのは、一九八〇年代だった。それは当時の文部省が、学校教育の中心に「個性重視の原則」を掲げたとき、それをより広く正当化するのに、この金子みすゞを引き合いに出していたときだったことはすでに述べた。

金子みすゞは、一九〇三年、山口県の生まれ。西條八十に「若き童謡詩人の巨星」と賞賛されたが、一九三〇年、わずか二六歳の若さで自殺した。

「戦後政治の総決算」を掲げて登場した中曽根康弘内閣は、一九八四〜八七年の首相直属の「臨時教育審議会（臨教審）」を設け、アメリカのレーガン大統領、イギリスのサッチャー首相に学び、「新自由主義」を教育に導入しようとした。この核になった理念が「個性重視の原則」である。その狙いは、戦後、日教組などが中心になって推し進めていた「落ちこぼれのない」、「落としこぼしのない」教育をも一つの重要な目標とした「戦後民主教育」を破壊し、エリート教育を導入しようとすることであった。理数科に優れた子、オリンピックでメダリストになれるような運動神経の優れた子、音楽的才能に恵まれた子などを効率的に育成しようとしたのである。斎藤貴男著『教育改革と新自由主義』は、教育課程審議会会長をも務めたことがある三浦朱門（二〇一七年没）にインタビューしたときのことを報告している。三浦朱門は次のように答えたという。

「できん者はできんままでけっこう。戦後五〇年、落ちこぼれの底辺を上げることばかりに注いできた労力を、これからはできる者を限りなく伸ばすことに振り向ける。百人に一人でいい、やがて彼らが国を引っ張っていきます。限りなくできない非才・無才には、せめて実直な精神だけを養っておいてもらえばいいんです」

中曽根内閣の「エリート教育」を赤裸々に述べている。「戦後民主教育」の核心点であった「全人的成長あるいは育成」を投げ捨てようというのである。このような「個性重視の原則」を貫く教育を正当化するために、金子みすゞを引っ張り出してきたのである。金子みすゞの思いとは全くかけ離れたものだと私は思うのだが、どうだろうか？

権力者・支配者なる者は、このような個人の崇高な思いや良心をいとも簡単に自分のために勝手に利用するのである。自然科学者がすばらしい発明・発見をする。その科学者も多くは裕福になるであろう。

しかしこの発明・発見の本当の意味での恩恵を受けるのは、これらの成果を独占する独占資本であることも紛れもない事実である。

「一般庶民も恩恵にあずかるではないか」という声が聞こえる。私はそれを否定はしない。しかしそれはあくまでも結果である。科学者の大変な努力による発明・発見の成果を独占する独占資本は、儲ける（利潤の追求）ためにその成果を使う（消費する）のであって、一般庶民に恩恵を授けるためにその結果を活用しているわけではないことくらい充分におわかりであろう。

二一世紀現在の世界は、打ち続く戦争や内戦で犠牲者が増加するだけでなく、ふるさとを追われた飢餓難民などが増加の一途を辿っている。地雷による身体障害者は後を絶たない。核兵器は依然として人類を何度も全滅させるだけの膨大な量が貯蔵されている。

日本においては、一九九八年から生活苦を中心に年間の自殺者が連続一四年間も三万人を超えていた（二〇一一年まで）。これはベトナム戦争の年間犠牲者の三倍以上である。少なくとも日本の近現代史上、年間に三万人もの自殺者を出したことはこれまでになかった。一九二九年、世界大恐慌の荒波に見舞われた昭和恐慌（一九三〇年）のときの自殺者が一万三九四二人で、それまでの最高であったという。一九三〇年といえば、関東軍が引き起こした満州事変の前年である。このことを考えれば、現在は全人口が増加しているとは言え、日本近現代史上最悪の時代だと言わなければならない。

一般には「先生」と呼ばれている教育労働者もまた、すでに見たように「死と隣り合わせ」で日々の「教育」業務に追い回されている。

それにもかかわらず、独占資本は、政府の手篤い保護政策に守られて純利益を大幅に伸ばし、大株主は言うに及ばず、大企業の経営者たちは、年間数億円の所得を得ている。日産自動車のゴーン前会長などは、年間所得八億円超（今日ではそんな少額ではないことが暴露されている）で「世界レベルから見ればなんと言うことはない」とうそぶいていた。

人道主義者たちは、「人道尊重」という崇高な理念と生涯を通じた献身的な活動にもかかわらず、人間主義社会を創造することはできていないだけでなく、ますます人間を虐げる資本主義経済の延命に歯止めすらかけることができていない。人道主義には何かが欠けているのではないだろうか？

二一世紀の日本国については、「民主国家」、「法治国家」、「平和国家」、「福祉国家」などさまざまに解釈されている。しかし私たちの生活の土台である経済の仕組みが資本主義経済（帝国主義段階）であることに異議を挟む人はいないであろう。この点は、戦前・戦中と戦後で何ら変化してはいない。世界には中国やキューバのような、いわゆる「社会主義国」が存在するが、これは別に論じなければならない。

みなさんは、そもそも資本主義社会をどのように理解しているのであろうか。資本家主義社会でさえなく、資本が主人公の社会であるというのである。

つまり現在の世界は人間主義社会ではないということである。人間が主人公ではないということである。

では、資本主義社会とはいかなる社会なのか？そしてそこで生きかつ生活している私たちはいかなる存在なのか？

資本主義社会は、その土台を資本主義経済に支えられて、詳細に見れば多くの階層があるが、大まかに言えば、極少数の資本家階級と圧倒的多数の労働者階級によって成り立っている社会である。したがって資本主義社会においては、資本家階級でなければ、あとはほとんど労働者階級なのである。かく言う私も労働者であり、生徒たちのほとんども労働者の卵あるいはヒヨコなのである。しかしこれは、人間的に表現したのであって、あるがままの資本主義社会は「賃労働と資本」の社会なのである。人間不在の、資本が主人公の社会なのである。人間的に表現した労働者も有り体に言えば、賃労働あるいは労働力商品として存在しているのである。

以下、資本主義社会における労働者とはいかなる存在かを確認しよう。

それは、生産手段を持たず、したがって自らの諸能力＝労働力を資本家（経営者）に売り渡す以外に生きる術を持たない存在である。資本家（経営者）は、貨幣で人間の諸能力＝労働力を商品として買い取る（労働者にとっては賃金）のである。つまり資本主義社会においては、人間の諸能力は労働力商品として売買されるのである。資本家は労働者からその諸能力を労働力商品として買っているのだが、人間の諸能力は身体あるいは人格とは分化できない。したがって人間＝労働者丸ごと資本家に商品として買い取られることになる。

つまり資本主義社会では、私たち人間＝労働者は労働力商品としてのみ存在することが許されているのである。飢餓難民も戦争難民もその多くは資本主義社会のなかで生み出されたのである。なお資本家と経営者は厳密には区別しなければならないが、ここにおける理論の展開では煩雑にならないように同じように扱うことをご了承願いたい。

人間の諸能力＝労働力が機械や道具と同じように商品として売買されている（古代奴隷制との違いは別に論じなければならない）。つまり私たち人間は資本主義的生産関係のなかでは人間性を根本から奪われているのである。物（商品）としての存在に貶められているのである。だからこそ労働者は、自らがこのような存在に貶められていることを自覚し、そのような己を自ら解放しなければならない。まさに労働者は自らをそしてまた全ての人間を（だから敵対関係にある資本家をも）人間的に解放する主体なのである。

私たちは労働者なのである。そして労働者は、人道主義者となって他を救済したり、支援するような高邁な存在ではないことに目覚めるべきである。自らを資本の束縛から解放しなければならないのが私たち労働者なのである。飢餓難民や戦争難民あるいは生活困窮者は、私たち労働者が連帯すべき仲間なのである。

資本主義社会における人間＝労働者を、このように厳格に分析し、認識しただけではなく、労働者階級の組織化に自らとりくんだのは、ほかならぬカール・マルクス（一八一八〜八三年）であった。そして生涯その盟友であったフリードリッヒ・エンゲルス（一八二〇〜九五年）であった。すなわち私が〈本物のヒューマニズム〉と認識するのは、カール・マルクスのマルクス主義である。

その内容について以下述べていきたい。誤解を恐れるので最初にお断りしておくが、以下述べることがマルクス主義だというわけではない。あくまでも私がマルクスやエンゲルスの諸労作から学びとった内容を述べようとするものである。マルクス主義そのものの真髄に迫りたいと思う方は、どうぞ自らマルクスやエンゲルスの諸労作に挑戦していただきたい。さらにもう一点お断りしておくが、私が言う「マルクス主義」とは、カール・マルクスのマルクス主義であって、スターリン（スターリン主義）や毛沢《マオツォー》東《トン》（マオイズム）の「マルクス主義」ではない。もちろん日本共産党の「マルクス主義」でもない。

ドイツ・ブルジョアジーと青年ヘーゲル派＝ヘーゲル左派のモーゼス・ヘス、ヘルウェークなどが同盟して、一八四二年からケルンで発刊された「ライン新聞」に掲載された「木材盗伐取締法にかんする討論」という論文のなかで若きマルクスは、政治の上では、木材（物）が人格化され、人間が木材（物）の犠牲になる（あるいは物に支配される）という倒錯現象を暴き出し弾劾している。

このような物の人格化、人間の物化という倒錯現象をマルクスは自らの生涯をかけて解明し、人間＝労働者の歴史的任務を明らかにしていったのである。

マルクスは市民革命によって実現した「人間の政治的解放」について「一大進歩である」と評価しつつも、

「この政治的解放の限界は、人間がある枠から真に解放されていなくとも国家はそれから解放されうるという点に、つまり人間は自由人でなくても国家は自由国家であり得るという点に、直ちに現れてくる」と述べ、『ユダヤ人問題によせて』（一八四三年）のなかで「人間の人間的解放」にまで高められなければならない必要性を導き出した。しかしそれは誰（主体）が、いかにして（解放の構造）実現するのか？

ヨーロッパにおいて、イギリス・フランスの後塵を拝していたドイツの解放を論じつつマルクスは、

「ドイツでは、あらゆる種類の隷属をうちやぶることなしには、いかなる種類の隷属もうちやぶることができない。根本的なドイツは、根本から革命することなしには、革命をなしえない」

「ドイツ人の解放は人間の解放である」

と、このような「革命」の普遍性を明らかにした。

その上でマルクスはかの有名なことばを発する。

「この解放の頭脳は哲学であり、その心臓はプロレタリアートである。哲学はプロレタリアートを止《し》揚《よう》することなしには実現されず、プロレタリアートは哲学を実現することなしには止揚されえない」

（『ヘーゲル法哲学批判序説』一八四三年）と。

マルクスによる「解放」の「心臓」としてのプロレタリアートの発見である。これはマルクスの学問的追究の結果としての「発見」であるとともに、フランスに移住して、プロレタリア階級の労働運動に直接接し、また、エンゲルスの『イギリスにおける労働者階級の状態』にも大きな刺激を受けたと思われる。

マルクスは労働者（プロレタリア）がいかなる社会的・歴史的存在なのかということに関する分析・追究に邁進する。マルクス哲学を貫きつつその次元から現実問題（経済学）へとその探究の矛先を向けたのである。『経済学・哲学草稿』（一八四三〜四四年）の第一草稿「〔四〕〔疎外された労働〕」論である。私が、マルクス主義こそ〈本物のヒューマニズム〉である、と言う核心点の一つはこの部分である。

まず「疎外」とは何か？　マルクスが発明したことば（概念）ではない。ヘーゲル（一七七〇〜一八三

一年）のことばである。中世の神学などで用いられていたことばを哲学用語に転用させたそうである。「よそよそしい、別なものになる」ことを意味することばである。「外化《がいか》」とも言う。

『岩波哲学小辞典』によれば、ヘーゲル哲学体系では、「イデー（理念）が自然となり、ついで自然を止揚して精神としての自己に帰還する」となるが、この「イデーが自然となる」ことを「疎外」と言っているのである。つまり、キリスト教では、人間はもとより万物は神が創造した、と捉える。神が自然や人間を創り出すことが「疎外」である。「神とは別のもの、よそよそしいもの」ということである。

このヘーゲルに対してフォイエルバッハ（一八〇四〜七二年）は、

「神が人間を創造したのではなく、人間が神を創造したのだ」

「宗教や神は人間が自己の願望の対象として理想化したもので幻想に過ぎない」

と、ヘーゲルを一八〇度ひっくり返した。神が主体ではなく、人間（感性的人間）が主体だと主張したのである。ヘーゲル観念論に対するフォイエルバッハ唯物論の誕生である。

私はこの理論に接したとき、大きな感動を覚えた。何やらスカッとしたのを覚えている。

マルクスとエンゲルスはさらにこれを深化させた。人間が神を創造せざるを得なかった物質的根拠を明らかにしようとしたのである。つまり「人間はなぜ神を創造しなければならなかったのか？」を追究しようとしたのである。その極限の根拠こそが「疎外された労働」なのである。

人間は、自ら生きるとともに、子孫を産み育てるために自らの労働力を発揮して自然に働きかけ、必要な生活手段や生産手段を取得し消費する。つまり、人間から疎外された労働、言い換えれば人間主体から発現された労働力は、その生産物として再び人間にもどってきて労働力を再生産するのみならず、ほかの人間（子孫）をも産み育てる。この人間（主体）

と自然（対象＝客体）との円環構造の運動が正常に繰り返されることによって、人間の社会と歴史は発展してきたはずである。しかし現実はそうではない。

マルクスは、一九世紀前半、産業資本主義段階における生産関係（人間関係）を、経済学の祖であるイギリスのアダム・スミス（一七二三〜九〇年、主著は一七七六年の『諸国民の富』）以来の国民経済学（誕生したばかりの資本主義経済に関する理論のこと）の諸前提を受け入れつつ経済学的に分析したのである。そしてマルクスは、国民経済学の問題点を明らかにしてひっくり返したのである。

このことについてマルクスは、その著『経済学・哲学草稿』の「〔四〕〔疎外された労働〕」の第二段落以下に次のように述べている。この項の引用は全て、岩波文庫版の「〔四〕〔疎外された労働〕」からである。そのページ数も示した。傍点および〔 〕部分は全て岩波文庫版のままである。

「国民経済学は私有財産という事実から出発する。だが国民経済学はわれわれに、この事実を解明してくれない。国民経済学は、私有財産が現実のなかでたどってゆく物質的過程を、一般的で抽象的な諸公式でとらえる。その場合これらの公式は、国民経済学にとって法則として通用するのである。国民経済学は、これらの法則を概念的に把握（物事の本質的な特徴をとらえる思考形式――引用者が『岩波哲学小辞典』から挿入）しない。すなわちそれは、これらの法則がどのようにして私有財産の本質から生まれてくるかを確証しないのである。国民経済学は、労働と資本、資本と土地とが分離される根拠について、なんらの解明もわれわれに与えない。（中略）国民経済学を動かしている唯一の車輪は、所有欲であり、所有欲にかられている人たちのあいだの戦いであり、競争である」（p85）

「したがってわれわれは、いまや私有財産、所有欲、労働と資本と土地所有との分離、〔という三者〕のあいだの本質的連関を、また交換と競争、人間の価値と価値低下、独占と競争などの本質的関連を、さらにこうした一切の疎外と貨幣制度との本質的関連を

概念的に把握しなければならない」（p85・86）

と追究すべき課題を明らかにしているのである。しかもその方法論として、

「国民経済学者が説明しようと思うときにするように、ある架空の原始状態にわが身をおくようなことは、われわれはしない。このような原始状態は、なにごとをも説明しない」（p86）

そして、

「われわれは、国民経済学上の現に存在する事実から出発する」（p86）

と歴史的制約や階級関係の外に置いた説明を峻厳に拒否し、目の前に存在する事実から出発することを宣言しているのである。この部分の方法論については、同じくマルクス著『経済学批判序説』（一八五七年に書かれたらしい）の「三　経済学の方法」を参照されることをお勧めする。私が本書の第四部第一章で堀尾輝久著『教育入門』を検討した部分で、その方法論について展開した批判的見解は、このようなマルクスの課題への立ち向かい方に学んだのである。

一九世紀前半の労働者の現実を、マルクスは次のように捉えている。

「労働者は、彼が富をより多く生産すればするほど、彼の生産の力と範囲とがより増大すればするほど、それだけますます貧しくなる。労働者は商品をより多くつくればつくるほど、それだけますます彼はより安価な商品となる。事物世界の価値増大にぴったり比例して、人間世界の価値低下がひどくなる。労働はたんに商品だけを生産するのではない。労働は自分自身と労働者とを商品として生産する。しかもそれらを、労働が一般に商品を生産するのと同じ関係のなかで生産するのである。

さらにこの事実は、労働が生産する対象、つまり労働の生産物が、ひとつの疎遠な存在として、生産者から独立した力として、労働に対立するということを表現するものにほかならない。労働の生産物は、対象のなかに固定化された、事物化された労働であり、労働の対象化である。労働（力――引用者挿入。以下同じ）の実現は労働の対象化である。国民経済

（資本主義経済――引用者挿入）的状態のなかでは労働（力）のこの実現が労働者の現実性（人間性――引用者挿入。以下同じ）剥奪として現われ、対象化が対象の喪失および対象への隷属として、〔対象の〕獲得が疎外として、外化として現われる（この段階ではマルクスはまだ労働と労働力を区別していない――引用者）」（p86・87）と。

私がこの部分を理解するのは大変であった。しかしマルクスがもっと具体的に展開している次の部分と併せて読むと、単に理解できるだけではなく、資本家階級に怒りさえ湧いてくる。

「労働（力）の実現は、労働者が餓死するに至るまで現実性（人間性）を剥奪されるほど、それほど激しい〔労働者の〕現実性（人間性）剥奪として現われる。対象化は、労働者が生活上もっとも必要な諸対象だけではなく、労働の諸対象としてもっとも必要なものまで奪いさられるほど、それほど激しい対象の喪失として現われる。（中略）対象の獲得は、労働者がより多く対象を生産すればするほど、彼の占有できるものがますます少なくなり、そしてますます彼の生産物すなわち資本の支配下におちいっていくほど、それほど激しい疎外として現われる」（p87）

「国民経済」と呼ばれている資本主義経済（産業資本主義段階）のもとで、労働者が自らの労働力を発揮して労働するということは、「餓死に至るまで現実性（人間性）が剥奪される」ということだと言うのである。

産業革命のころの、労働者の悲惨な状態については、中学校の歴史学習のなかでさえ学ぶ。死んだ父親を葬る費用がなくて、遺骸をそのままにしていることや、五、六歳の幼児たちが、工場で酷使されることをはじめ、「低賃金、長時間労働」で酷使される労働者の悲惨な状態について学んだはずである。それはヨーロッパだけのことではない。日本においても、紡績工場の女工や炭鉱労働者など「死と隣り合わせの労働」を強制されたことを学んだはずである。世界記憶遺産に登録された、福岡県・山本作兵衛の

『筑豊炭坑絵巻』などは、日本における近代産業勃興期の炭鉱労働者がいかに過酷な労働に従事し搾取されていたかの事実を、絵と文で余すところなく告発しているではないか！

このように悲惨な状態に貶められた労働者を「救済の対象」と認識して、救いの手を最初に差し伸べたのは、サン・シモン（一七六〇～一八二五年）、フーリエ（一七七二～一八三七年）、ロバート・オーエン（一七七一～一八五八年）らであった。彼らは、「理想社会の実現のための現実社会の分析が科学的でなく、（中略）資本家の良心と教育や慈善によって直ちに実現しようとする立場」に立っていたのである。この思想はエンゲルスが、その著『空想より科学へ―社会主義の発展―』（一八八年、フランス語版）によって「空想的社会主義」と批判的に規定した。

しかし空想的社会主義のような考え方は、形を変えて今日でも跋扈《ばっこ》していると思うのである。かつて日本の民主党政権が好んで主張した「セーフティネット」という考え方も、もちろん詳細に分析しなければならないが、根本は労働者や「身体障害者」などのいわゆる「弱者」を「救済の対象」と捉えていることに変わりはないと思われる。

資本主義経済の帝国主義段階の今日、民間企業労働者の過労死の続出、教育労働者の過労死や過労自殺・精神疾患の増大、リストラされ路頭に迷う失業者の群、そして日本の自殺者年間三万人超という状況が一四年間（一九九八～二〇一一年）も続いた現実。それ以後も今日に至るまで毎年自殺者は二万人を超えている。二〇一〇年になって明るみに出た、高齢者のミイラ化した遺体が続々と発見されるなど、一五〇年余も前のマルクスの叙述は、まるで今日の労働者の現実を予見していたかのようではないか！

なぜこのようになるのか？　マルクスはその構造と根拠を「疎外された労働」のなかで明らかにしているのである。その内容を私が受けとめ得た限りで次にまとめておきたい。

その第一は、「生産物からの疎外」ということである。労働者と労働者が生産した生産物との間に生じる疎外関係である。

資本制生産においては、労働者の労働が生産した生産物が労働者に戻ってこない。それどころかその生産物は、労働者には無縁なものとして労働者に対立する。言い換えれば、資本制生産においては、人間労働は「対象（生産物）の喪失」を結果するのである。これが「生産物からの疎外」である。労働者は、自分が生産した物を自分の所有物にはできないのである。仮にそれを自分の所有物にしたらたちどころに窃盗罪に問われることになる！

それだけではない。労働者が自らの労働力を発揮して生産した生産物は、労働者に敵対する。労働者をますます搾取する資本（家）を強大なものにする。労働者は自らを締めつける敵対物をますます強大なものにする。このような構造のなかで生み出された最悪の生産物が原子爆弾・核兵器だと言えるのではないか！　原子爆弾も核兵器も、資本家にその労働力を買い取られている労働者が生産した物である。

その第二は、「疎外された労働」、「労働の自己疎外」ということである。労働者と労働行為（労働力の実現・発揮）の間に生じる疎外関係である。

階級社会（原始共産制後の社会）においては、生産的労働そのものが破壊され、「疎外された労働」となる。階級社会においては、労働する人の労働が、自分のための労働ではなくなるのである。自分には疎遠な労働なのである。全部か一部は他人のための労働なのである。その最も極限的な姿が、資本制生産様式のもとでの労働である。

労働者階級とは、マルクス・エンゲルス共著の『共産党宣言』には次のように規定されている。すなわち、「自分のものとしての生産手段を持たず、生きるためにその労働力を売ることを余儀なくされている、近代賃金労働者」の階級のことである。したがって労働者は、自分の労働力を売り渡した資本家や経営者に強制されて嫌々ながら働かざるを得ない。つまり労働者が自らの労働力を発現する労働は、資本制生産関係に組み込まれた労働であり、資本の自己増殖（俗っぽく表現すれば、資本家を儲けさせる）のために強制される労働である。労働者の労働は、自らの労働力を発現（疎外あるいは外化）して、自らが必要とする生産物を生産するのではない。他人のために働かされるのである（強制労働）。したがって労働者の労働は「人間労働の自己疎外＝自己喪失」となる。労働者は自らが働くことに意義を見出せない、喜びを感じ得ないのみならず、苦痛をすら感じるのである。

労働者の「疎外された労働」（原因）は、労働者を「生産物から疎外」し（結果）、人間の人間らしい生活、人間の社会生活の本質的形態が疎外されるに至った。マルクスはこれを「種族生活の自己疎外」あるいは「類的存在からの疎外」と呼んだ。労働者と人間の類的本質の間に生じる疎外関係である。これが第三である。

人間の社会生活の本質は、生産的生活と精神的生活とが根源的に統一されている種族生活である。生産的生活は人間相互の協力や助け合いで成り立ち、生産的生活そのものが歓びであり、充足感を感じるものである。にもかかわらず労働者にとって、疎外された社会関係における生産的生活は、他人のための労働を強制され、自己を喪失し、個人生活＝私的生活において自己を感じる「私人と公人とへの分裂」という疎外された生活を強制される。本来の人間的な生産的生活が、自己目的化された後者（公人として）の手段にまで貶められるのである。

しかも労働者が自己を感じる個人生活＝私的生活も、どの程度現実的なものなのか？　労働者がそのように観念しているだけではないのか？　個人的生活＝私的生活もまた資本（家）の運動のなかに組み込まれているのではないのか？

第四は、「人間の人間からの疎外」ということである。労働者と他の人間との間に応じる疎外関係である。生産物は労働者が生産したものであるにもかかわらず、労働者の所有物にはならないどころか、労働者に対立する。労働者が働けば働くほどこの対立物は巨大化する。このことは生産物が労働者以外の他者に所有されるということを示している。この他者こそ、『共産党宣言』の冒頭部分に規定されている「社会的生産手段の所有者であり、賃金労働者の雇用主である」ブルジョアジー＝資本家（階級）である。つまり労働者が生産した生産物は資本家の所有物となる。この結果必然的に、生産者＝労働者と所有者＝資本家との対立が生じる。人間と人間との関係が、生産者（労働者）と所有者（資本家）に分裂し対立関係になるのである。これをマルクスは「人間の人間からの疎外」と呼んだ。言い換えれば、階級対立の関係である。

マルクスは、「〔四〕〔疎外された労働〕」の最後に労働者の労働について次のようにまとめている。

「これまでわれわれは、労働によって自然を獲得する労働者について、獲得が疎外として現われ、自己活動が他人のための活動そしてまた他人の活動として、生命の躍動が生命の犠牲として、対象の生産が疎遠な力、疎遠な人間のもとへの対象の喪失として現われることを見てきた」と。

親が実子に対して死に至るまでの暴力を振るったり、食事を与えず餓死させたり、労働者が過労死や過労自殺に追い込まれるという日本の現実を見るとき、マルクスの「疎外された労働」という分析と提起は、今日の日本をはじめとする全世界の人間社会の歪んだ現実の本質的な根拠を一五〇年も前に明らかにしているのだと思わないだろうか。

しかし、どのようにして労働者の労働は「疎外された労働」に貶められてしまったのであろうか？この点についてマルクスは現実的・歴史的に追究している。ここではその具体的・歴史的展開（資本の根源的蓄積過程など）は割愛するが、カール・マルクスのマルクス主義が〈本物のヒューマニズム〉であると私が認識する根拠として、その核心点の一つだけは明らかにしておかなければならないと思う。

それは生産手段を持たない（生産手段を奪われた、

マルクスは「生産手段から自由になった」と表現している）労働者は、自らの労働力を売る以外に生きる術を持たないということである。労働者が資本家に売り渡した（資本家が労働力商品とした買い取った）労働力を資本家はどのように消費（活用）するのであろうか？

$$G - W \begin{cases} A \\ Pm \end{cases} \cdots P \cdots W' - G'$$

右の図式は生産過程の図式である。G（ゲルト）は貨幣、W（バーレ）は商品、Pm（プロダクション・ミッテル）は生産手段（土地、建物＝工場、原材料など）、A（アルバイト・クラフト）は労働力＝労働者、・・・P・・・は直接的生産過程を示している。

　つまり、貨幣＝資本（G）の所有者である資本家は、それを生産手段（Pm）や労働力（A）と交換する。この場合等価交換（——実線で表示）である。その価格は、そのときどきの商品＝労働市場の状況で決まる。こうして生産手段や労働力を手に入れた資本家は、これを直接的生産過程（・・・P・・・）に投入し、それらの使用価値を消費して新たな生産物＝商品（W'）を獲得し（労働者が生産したにもかかわらず労働者の獲得物にはならない）、貨幣＝資本（G'）と交換する。この場合も等価交換（——実線で表示）である。したがって資本家にとっては、G'＞Gでなければならない。

　この直接的生産過程（・・・P・・・）のからくりをマルクスは暴露したのである。資本家は、商品＝労働市場において等価（値）交換で労働力を手に入れる。しかし直接的生産過程（・・・P・・・）においては、買い取った労働力の使用価値を消費（活用）する。価値と使用価値の違いである。この部分の詳細は割愛するが、価値は商品＝労働市場で決まる相対的・量的価値である。ノート一冊＝一〇〇円というように数量で表されるのである。これに対して使用価値は絶対的・質的価値で、数量では計られない。

資本家は、労働時間を延長したり、機械化を進めたりしながら、労働力のさまざまな質的能力をより一層発揮させるなどして、労働力に新たな価値を生産させるのである。

ついでながら労組の指導部（かつての総評なども）は、「賃金は労働の対価である」と言う。したがって賃金闘争などで「同一労働同一賃金」、「労働に見合った賃金を」などと主張する。しかしこれは誤りである。すでに見たように資本家は商品＝労働市場において、労働力を商品としてそのときどきの価格で購入するのである。つまり賃金はそのときの買い取り価格なのである。「労働力の価格＝賃金」なのである。賃金は現実には労働の後に支払われるから、労働の量（労働時間で計る）に応じて後払いされているように見えるが、理論的には今見たように先払いなのである。労働力の価格である賃金は、労働力が資本家に商品＝労働市場で買われたときに決定しているのである。

さて、以上見てきたように、生産手段を持たない労働者は、自らの労働力を資本家に売ることなしには生きていけない。そして資本（家）のために労働することを強制されるのである。自己の意志などは完全に喪失しているのである。経済学的には労働者は人間ではなく、労働力商品なのである。物化されているのである。「差別」だとか「人権侵害」などという相対的な、あるいは人間の枠内のことばや「哀れだ」とか「可哀相」などという感情のレベルでは表現できないほどに人格あるいは人間性を否定されているのである。資本の自己増殖あるいは資本家の利益のための道具・手段にまで貶められているのである。だからこのような労働者をマルクスは「賃金奴隷」と呼んでいる。

さらにマルクスは次に進む。だからこそ労働者は、このような現状を変革することなしには人間（性）を回復することはできない。したがって労働者階級こそは「変革の主体」だということを科学的・経済学的そして哲学的に解明したのである。労働者は決して「救済」の対象ではないのみならず「救済」の主体でもない。人道主義の問題点が見えるではないか！　また「救済・政治的解放」などでは解放されないのである。「セーフティネット」、「社会保障制度」などとは次元の異なる問題なのである。労働者が、その社会的・歴史的存在の意義を自覚することによって自らを解放する主体へと高めなければならないのである。

他方、資本家はどういう存在なのか？

マルクスは、資本家もまた貨幣に自己の本質を疎外されることによって、資本制生産関係あるいは資本主義社会に安住している「疎外された存在」であることを明らかにしている。そのような彼らであるにもかかわらず、資本制生産関係のなかで安住できているがゆえに「変革の主体」たり得ない。労働者階級にとっては打倒の対象なのだ。しかしカール・マルクスのマルクス主義が〈本物のヒューマニズム〉だと私が認識する核心点は次にある。すなわち「労働者階級の解放は、やがてまた同時に資本家階級をも含めた全ての人間の人間的解放となる」ことを明らかにしたことである。労働者階級はまさに全ての人間の人間的解放の主体なのである。

次に当然にも「それはいかにして可能か？」が課題となる。マルクスはこの点についても生涯をかけて追究している。しかしこの稿の主題は、ここまでであるからその点は割愛する。ただ一つだけ紹介しておきたいマルクスとエンゲルスのことばがある。二人の共著である『共産党宣言』で結びのことばとして、全世界の労働者（プロレタリア）に呼びかけられたことばである。それは、

「万国のプロレタリア団結せよ！」

という力強いことばである。

私たち労働者は、今こそこのマルクスとエンゲルスの力強い呼びかけをしっかりと受けとめ、これに応えるべきではないのか！　物化されている労働者が、そこからの解放の主体となり、しかもそのたたかいが、敵対してきた資本家階級をも含めた全ての人間の人間的解放となる。まさにこれこそが〈本物

のヒューマニズム〉ではないか！　私はこの点に、比較するもののない感銘を受けたのである。そして私自身が以上述べてきたような意味において労働者であることを確認するとともに、自らを「解放の主体」へと強化し、高めることを決意して生きてきたのである。

ただし、誤解しないでいただきたい。私は公立中学校で教鞭を執って、カール・マルクスのマルクス主義を教授したわけではない。これはあくまでも私の生き方の問題なのである。

みなさんはどのように生きるか？

第二章▼近代公教育とは何か？

第四部は「近代公教育とは何か？」を探究する過程であった。そして第五部の第一章（〈本物のヒューマニズム〉）は、これから述べることの理論的土台（武器）であるカール・マルクスのマルクス主義の核心部分であった。

次に解明すべき課題は、近代公教育とは何か？――現在の学校教育の本質解明である。この本質さえつかみとっておれば「無責任な私」、「全て私の無能さが原因」などと悩んで、自殺することはなくなる。現職の若く真面目な教職員を、一刻も早くこのような悩み、苦しみから解放したい。

結論を急ぎたい。第四部を読んだ方はすでにおわかりであろう。教育とは、その時代の支配者（階級）が、自分に都合のよいように、被支配者（階級）を躾けることである。したがって教育とは、人間が、支配者階級と被支配者階級に分断された階級社会（歴史時代）のなかで、支配階級がつくり出した制度のなかの一つである。

生産力が微弱であったがゆえに、まだ人間が階級として分裂できなかった（働かずにおれる人間を生み出す余裕がなかった）原始時代（前史時代）には、子育ては当然あったが、教育はなかったのである。つまり教育は支配階級によってつくられ、したがって教育する権限は一貫して支配者（階級）が握っているのである。

第四部で検討したように、二〇世紀後半、「戦後民主教育」と呼ばれた時代の「国民教育」論者のように、教育の原型を「子育て」に見出したり、近代公教育（現在の教育）には、被支配者階級（労働者や一般大衆のこと）から見ると良い面と悪い面の二面があるなどという「教育の二面性」論などは、人類史上一度もなかったことなのであり、現在もないのである。教育とは徹頭徹尾、支配者（階級）のものなのである。

吉本二郎監修『教育実践用語辞典』には「教育という仕事は、個人あるいは特定の機関が、一定の理想や価値を志向して、未発達の青少年に、働きかけて社会の維持・発展のために行う目的的な活動である」と定義づけられている。

また『広辞苑』には、教育とは「教え育てること。人を教えて知能をつけること。人間に他から意図をもって働きかけ、望ましい姿に変化させ、価値を実現する活動」と定義している。

現在の日本は資本主義社会である。資本主義経済（帝国主義段階）がその土台となっている社会ということである。

佐藤優著『いま生きる「資本論」』には、「資本主義が成立するためには労働力商品が必要」で、その実現のためには「労働者の『二つの自由』が必要」、「一つは身分的に解放されているという自由、（中略）どんな職業を選んでもいいし、移動することもできる自由。それからもう一つは、生産手段からの自由。すなわち自分自身の土地や労働用具や原材料などを持っていないということ。この二重の自由があるから、自分の労働力を売って」生きなければならない、と述べられている。

堀江貴文著『すべての教育は「洗脳」である』には そのものズバリ、この書物のタイトルが教育の「本質」を示している。「すべての教育は『洗脳』だ」と言うのである。そして近代公教育における学校は「国策『洗脳機関』」であり、「常識を植えつけるためにある」のであって、「常識」とは「主観の入りまくった、その時代、その国、その組織の中でしか通用しない決まりごと」だそうである。そして「その常識によって」育てようとしている人間とは、「一言でいえば、従順な家畜」だと言っている。資本主義社会である今日においては、学校は「『使いやすい労働者』を大量生産する工場」と定義し、「人間を工業製品にたとえることに不快感を覚える人もいるかも知れない。ただ、学校と工場が似ているのは、実は当然のことなのだ。そもそも学校は、工場の誕生と連動して作り出された機関」、「子どもという『原材料』を使って、『産業社会に適応した大人』を大量生産する『工場』の一つ」であり、もう一点学校は「国民のナショナリズムを育むための格好の教育機関」だと述べている。

堀江貴文さんのこのような主張には大筋で賛成であるが、この書物の副題が「21世紀の脱・学校論」とあるように、堀江さんは、学校や近代公教育から逃げている。実際、堀江さんの生き方も問題に立ち向かうのではなく、その対象を批判して逃げているように見える。私にはずるい生き方に見えるのだがどうだろうか？　堀江さんは公教育をあまりに原則主義的に捉えすぎている。公教育はそれほど単純ではないが、その点はここでは触れない。

以上、公教育や学校に関する「本質」を追究した考え方を紹介した。労働者の存在なしには資本主義経済は成り立たないことは了解していただけたであろう。資本主義社会の主人公は労働者なのである。しかしそれは人間としての労働者ではなく、労働力商品としての労働者なのである。すでに見てきたように「疎外された」（人間性を剝奪された）存在なのである。

ところが資本主義経済が誕生する以前の社会、つまり前近代社会においては、正確な意味の労働者は基本的に存在していなかったのである。前近代社会の土台は農本主義あるいは重商主義だった。日本の場合であれば、江戸時代を考えればよい。農民や商人はいても工場労働者は基本的に存在しない（マニュファクチュア＝工場制手工業の工場労働者は存在したが、まだ少数であるので割愛）。このようななから工場労働者が生まれるのであるが、詳細は別稿に譲る。それに重大な役割を果たしたのが近代公教育だったのである。農民や商人を労働者につくりかえたのである。このように、

「社会が要請する教育を、統合的に編成し、学校を設けて特定の教育機能を担わせるとき、近代国家の関与する国民教育が始まる」（『教育実践用語辞典』）のである。近代公教育の誕生である。

近い将来「労働力商品」となる人間を生み出す（生産する）のは夫婦（父母）である。しかしそのままでは自然児である。それを「労働力商品」にふさわしくつくりかえる（教育する。躾ける。堀江さんのことばを借りれば「洗脳」する）のが近代公教育であり、そのための機関（工場＝教育現場）が学校であり、そこで仕事に携わるのが「教師」、「先生」と呼ばれる教育労働者である。

資本主義経済が成り立ち発展する、その担い手にふさわしく、青少年を一定の枠にはめ込むのが教育労働者の仕事である。子どもたちを「労働力商品」に仕立てているのである。近代公教育に携わる「教師」の仕事は、「崇高」でも「聖職」でもないのである。しかも支配者（直接的には文科省や教育委員会）に指示された教育内容（教育関係法や「学習指導要領」）に縛られ、その枠内で仕事をせざるを得ないよう義務づけられているのである。「責任」を感じたり、「能力不足」を悩む必要はないのである。「責任」は全て文科省、教育委員会にあり、「能力」は教員採用試験に合格しているのであるから充分認められているのである。悩むことなどない。「責任」を感じて自殺するなどということは、自分を「責任」を持てる存在だと思っている自惚れである。なお、教師＝教育労働者という存在については次項で詳細に述べる。

要するに近代公教育（その大部分は現在、日々実践されている学校教育）は、今日の支配階級である資本家階級のための営為であり、その意を体した政府（直接的には文科省）が教育政策を打ち出して、それに沿う学校教育が行われているのである。

くどいがもう一度言う。近代公教育はその誕生（日本では、一八七二年「学制」発布）から今日まで一貫して資本家階級のための営為である。子どもたちや保護者の要請に応えるための教育ではないのである。だから子どもたちも「疎外された」存在なのである。

東京経済大学教授・鈴木直著『マルクス思想の核心―21世紀の社会理論のために―』には次のように述べられている。すなわち、

「勉強に追い立てられる子供たちは勉学内容を自分とは無縁なもの、将来の生活のための単なる手段と感じるようになる。それはやがて自分自身をランク付けし、脅かす外的強制と化していく。そこでは勉学行為そのものがみずからとは疎遠なものになる。勉強しているときは不幸を感じ、勉強から解放されたときだけ一時の開放感を覚える。このような勉強は自らの自然な欲求から自分を切り離し、自由な創造行為がもたらす喜びを奪い去る。そして最後に、こうした勉強の仕方が友人たちとの関係をも疎遠にし、あらゆる人間関係を手段化していく」

と。最近多くなったという「学校嫌い」、「不登校」、「ひきこもり」などは、近代公教育の本質に根ざしているのである。ある意味でこれらの子どもたちは正常なのである。

この部分は、すでに述べた「疎外された労働」の「四つの疎外」と併せて読んでいただきたい。

「戦後民主教育」と呼ばれたころの二〇世紀後半に「国民教育」論者が主張していた、「教育の二面性」などはない。この部分を、当時の文部省検定済教科書である『中学社会科・歴史的分野』（大阪書籍、一九八七年）にはかなり曖昧だが次のように叙述している。言い換えればかなり誤魔化して定義しているということである。一読してわかるように、内容がわかりにくいのである。

「政府は、国民の自立のためには、国民に実用の学問にもとづく広い知識をあたえることが必要とかんがえ、一八七二（明治五）年、学制を定めて、すべ

ての国民に小学校教育をうけさせようとしました」

ここでいう「政府」とは言うまでもなく明治政府であるが、明治政府の考えた「国民の自立」、「実用の学問にもとづく広い知識」とは何なのか？　教科書は具体的に述べていないので、私たちが分析しなければならない。誤魔化しの一つである。明治政府の究極の目標は「富国強兵・殖産興業」、「欧米に追いつけ、追い越せ」であったことには異論はないであろう。教科書に記述されている順に、生徒たちは一八七二年の「学制」発布を前にこのスローガンを学ぶ。それだけではない。「新しい身分制度」、「領土の確定」、「地租改正」も「学制」発布を学ぶ以前に学んでいる。

明治初頭、当時日本の総人口の大半を占めていたのは農民であった。明治政府の下で江戸時代の「身分制度」は廃止され、農民たちは就農に縛られることなく、農村に縛られることもなくなった。つまり、農民たち（したがって全ての国民）は「職業選択の自由」、「移転の自由」を手に入れたのである。その上これまでは自給自足の生活が基本であり、貨幣をほとんど持たない農民に明治政府は「地租改正」を強制し、年貢米の納入ではなく、金納を強制したのである。農民たちが農地を売る以外に地租を払えなくしたのである。農民たちが「生産手段からの自由」をも手に入れざるを得ないよう追い込んだのである。

こうして明治政府は農民を農地・農業から追い出すだけでなく、大地主をさらに肥大させ、工場用地をも獲得したのである。江戸時代には農民であった多くの人たちが、すでに紹介した佐藤優さんが引用しているようにマルクスの言う「二つの自由」を手に入れたのである。明治政府は、かつての農民たちを労働者にならざるを得ないよう追い込んだのである。

そこで明治政府は、宙に浮いた農民たちを労働者として一人前になるように教育してあげる、というのが「国民の自立」であり、その内容が、近代産業（機械制大工業）に、したがって資本家に必要な「実用の学問にもとづく広い知識」を授けてあげましょう、というのである。「国民の自立」、「実用の学問にもとづく広い知識」などは、新たに誕生した資本家（階級）が近代産業育成・確立のために必要な労働者育成のための手段である学校教育の教育内容なのである。

つまり明治政府は、農民を労働者につくりかえるために自ら「マッチ・ポンプ」を演じたのである。「四民平等」や「地租改正」が「マッチ」であり、「学制」発布、つまり「近代公教育」の創設が「ポンプ」である。

紹介した中学校社会科・歴史的分野の内容は、先に明治政府の目標である「富国強兵・殖産興業」を学ばせて、その後からそれとは切り離して近代公教育の誕生を学ぶよう配列しているから非常にわかりにくい。したがってこの部分で、「富国強兵・殖産興業」を関連づけて、近代公教育の目的を捉え返すように学習する（教師はこのように指導する）とよくわかる。もう一度、「地租改正」、「富国強兵・殖産興業」は何のための政策・スローガンなのかと戻って考えるのである。

近代公教育の誕生のころはそうだったかも知れないが、「民主主義」が高度化した戦後七十有余年の今日の公教育はもっと違うのではないか？と考えている人もいるかも知れない。確かに違う。日本を例にとれば、明治初頭には全人口の八〇％を占めていた農民も、今やわずかに五％程度に減少してしまっている。しかも「少子高齢化」が進んでいる。今や日本の資本家階級は、搾取の対象である労働力＝労働者の減少に危機感を抱いている。労働力の確保に懸命なのである。ついに外国人を労働力として呼び込むことにした。他方、安倍首相は「生涯教育」、「一億総活躍社会」、「女性が輝く社会」などと国民をおだてながら資本家階級が労働力不足に悩んでいることを受けて、「愛国心」を涵養するとともに、高齢者も家庭の母親も職場に引っ張り出そうと躍起になっている。学校では「道徳」を正式の教科に格上げして評価することにした。「お年寄りを大切に」、「女性も一人前に」とでも教え込むのであろうか？

このような変化はあるが、資本主義経済の原則を守る教育は何も変わってはいないのである。

くどいが最後にもう一度。

近代公教育とは、資本家階級のための営為であり、制度であり、機関（学校）である。その意を体した文科省の教育政策に沿って、学校教育は運営されている。「教師」あるいは「先生」と呼ばれる教育労働者は、その担い手の一つのコマに過ぎない。「責任を感じなければならない」ほど、あるいは自分の「能力を疑わなければならない」ほど人間（高邁な存在）として扱われているのではない。「それはあんまりだ！」とがっかりしそうな人は、次もすぐに読もう！

第三章▼教師は労働者である

私は元中学校教諭である。したがって私は前章で述べたように「二つの自由」を獲得している労働者である。しかし教職員（以後わかりやすく「教師」とする）の多くは自らを「労働者」とは認識していない。労働者とは、道路工事の現場や建築現場などで肉体労働に従事している人たちだと思っている教師が多いようである。日教組の「教師の倫理綱領」（一九五二年、日教組第九回大会決定）の第八項には「教師は労働者である」と確認しているが、もはやこのようなことは忘れ去られているかの如くである。まして保護者や一般社会人の多くは「教師＝労働者」と認識しているわけではない。それは「教師」、「教員」、「先生」、「教育公務員」などであろう。すでに見てきたように「聖職者」ととらえる党派もあるほどである。

しかし教師は労働者、教育労働者なのである。第四部第一章で若干触れたが、教育労働者の経済学的基礎づけをここで改めて追究しておきたい。

一般的に教育労働者は、生産手段を持たない。したがって自らの能力（知識・技能・技術など）を教育資本家に売る（その代金として賃金を受け取る）以外に生きる術がない。なかには農家出身（農地を所有している）や僧侶（寺院）あるいは神職（神社）を兼ねている教師などがいないわけではない。しかしこれは非常に特殊な例で、極めて少数であるから検討の対象からは除外する。

生産手段を持たない教育労働者が、自らの能力＝労働力を販売する相手は、私立学校の場合は教育資本家（学校法人など）であり、国公立学校の場合は、国家（文科省）や地方公共団体（教育委員会）である。幼稚園や保育園の場合も基本的に同じであるが、煩雑になるから、ここでは問題を単純化するために公立学校に絞って経済学的基礎づけを確認しておきたい。

　教育労働者の労働力を買い取った地方公共団体（直接的には都道府県教育委員会や政令市教育委員会。以下、教委）は、この労働力をいかに消費（活用）するかについての権限を完全に掌握したことになる。教委は、基本的に文科省の教育政策にしたがって教育労働者の労働力を消費（教育サービスの提供）する。この教育サービスを商品として子どもに教育を受けさせようと思っている（現実には小・中学校は義務化されている）保護者に販売する。保護者は納税という形でこの教育サービスを商品として買う。公立学校の教育は、経済学的にはこのような構造で成り立っているのである。

　したがって教育労働者は、自らの労働力を直接的には教委のために消費＝発揮させられているのである。経済学的な構造においては、工場労働者が、資本家のために商品および剰余価値を生産する構造と同じである。

　しかし教育労働者は、工場労働者のように何らかの商品を生産しているわけではない。教育労働者の、教育サービス商品は、このサービスを子どもたちが受け取る（消費する＝授業を受ける）と同時に消える。教育労働者の知識や技能が子どもたちに十全か否かは別として移転するのである。こうして教委は、教育労働者のサービス労働を媒介にして子どもたちを思い通りの人間＝労働者に教育する（躾ける）のである。

　一見、教育労働者が子どもたちを育てているように思えるが、経済学的にはそうではない。教委が教委の思うように育てるのである。つまり、資本家の意を体した文科省の教育政策に沿って、教委が子どもたちを資本家の要求する労働者に躾けているのである。

しかし教育労働には、工場労働者の労働などと異なる特殊性がある。工場労働者などの労働は、生み出される生産物＝商品に固定化（対象化）される。このことをマルクスは「死んだ労働」と呼んでいる。したがって今まさに労働過程に投げ込まれている労働は「生きた労働」である。

ところが教育労働の場合は、教育を行うこと、単純に言えば授業を行うことが労働である。その対象は無機質な機械や原材料ではなく、生きた人間＝子どもたちである。生命があり、感情を持ち、成長する子どもたちである。教育労働者と子どもたちの精神的交流によって授業＝教育は成り立つ。したがって「教える者が教えられる」という関係でもある。

教育労働者を経済学的に認識することを基礎にするとは言っても、それだけではない側面が教育労働にはある。したがって教育労働者たちはややもすると、自分の労働＝授業などによって子どもたちをいかようにも育てることができると錯覚してしまう。そうであるがゆえに逆に、子どもたちが思うように育たないときには「全て私の責任です」というように捉えてしまいがちになる。これはどちらも誤りである。

現在は資本主義経済（帝国主義段階）の時代である。資本家階級が支配階級である社会なのである。この社会を「民主主義社会」、そのような国家を「民主国家」と言うのである。公立学校の教職員は、教委に雇用された「教育公務員」と呼ばれる教育労働者なのである。この絶対的な枠組を片時も忘れてはならない。現職教師たちは、このような存在であることを、日々実感しているはずではないか！　学校制度は六・三・三・四制と決められ、指導内容は「学習指導要領」とそれに基づく「文科省検定済教科書」にしばられているではないか！　労務管理はますます強化され、今や教育現場には「教職員評価制度」まで強行され、教職員間の競争を強制されているではないか！　「教育の自由」、「理想の教育」などはどこにもないのである。

しかし同時に、このような学校制度・内容と現実の間には空隙《くうげき》がある。教育現場の最前線にいる教育労働者の創意工夫によっては、自らの思いを子どもたちに伝えることが全くできないわけではない。だからこそかつて日教組は「自主編成運動」、「朱筆運動」などを展開してきた。「学習指導要領」には盛られていない教材を投げ入れたり、教科書に問題がある部分に赤い傍線を引くなどの運動である。平和教育はその典型であろう。だからこそかつての文部省や地教委・管理職は平和教育を目の仇にして潰してきたではないか！

最近ＴＴ（ティーム・ティーチング）だとか、授業の見回りなど、管理職が直接・間接に授業を監視することが多くなったと聞いている。それでも多くの授業では、子どもたちと一人の教師による授業が多いであろう。自分の想いを子どもたちに伝える機会は結構あるはずである。教育労働者たる者、そのような機会を活用しない手はない。子どもたちが理解できるように、感動するように、常日頃から教育労働者は自らの教育内容・技術を錬磨しなければならない。そのために本書の第二・三部、および巻末に紹介している私家版の拙著などを役立てていただければ幸いである。しかしこのような教育労働の特殊性だけに頼ってはいけない。同時に文科省や教委の教育制度・内容の改悪、労務管理の強化などを打破するたたかい、教育労働者は一致団結してたたかいぬくべきではないか！

公立学校で「先生」と呼ばれる教育労働者は、教委に雇用されているのである。好むと好まざるとにかかわらず、あるいは主観的にどのように解釈しようとも己の教育力＝労働力を教委に売り渡しているのである。教育活動に真剣にとりくめばとりくむほど、文科省・教委＝資本家階級を利するだけである。それは「先生」と呼ばれる教育労働者の理想や願いに反して、生まれながらにして持って生まれた子どもたちの優れた才能を摘みとってしまっているかも知れないのである。子どもたちを間違いなく勉強嫌いにしてしまっているのである。近代公教育における教育労働とはそのような活動なのである。

「先生」と呼ばれる教育労働者のみなさん！　教育労働とは、このように「崇高な行為」、「聖職」などではないことはもちろん、むしろ子どもたちをダメな存在にしてしまっている行為であり、職業なのである。

「不登校」、「ひきこもり」、「学校嫌い」、「勉強嫌い」、「学級崩壊」、「授業崩壊」、「いじめ」が増大する深淵の根拠は近代公教育の本質のなかにこそ潜んでいるのである。無自覚のうちに「教師」・「先生」はそれを助長しているのである。

教育労働者のみなさん！

目覚めようではないか！

「先生」、「教師」はそんなに立派な存在ではないのだ！　哀れなそして醜い存在なのだ！　逃げるのではなく、それをのりこえることをこそ考えようではないか！　しかしそのためにはどう生きるかは、ここでの課題ではない。別に考えよう。最後まで読んでいただきたい。

以上の叙述のなかで私は、「教育サービス」、「教育サービス商品」などということばを用いてきた。ところがこの「サービス」ということばは、意図的であるか否かによらず大変誤解あるいは曲解されやすい。したがってそれを未然に防ぐために一言しておきたい。

金田一京助監修の『明解国語辞典』（三省堂、一九五二年改訂一版）には

「①奉公、奉仕　②給仕（のしぶり）　③応接（のしぶり）　④接待」

というように「サービス」の意味を解説している。国語的意味はまさにその通りであろう。したがって、「教育労働はサービス労働である」と言うと、「教育活動は奉仕活動である」、「教育（教師）はサービス業である」というような意味に理解されがちである。

しかしそうではない。まして関根眞一さんのように『教師はサービス業です』と言うと二重の誤りになるが、ここでは触れない。次の内容を理解していただければおわかりいただけるであろう。

私は今例示した「教育サービス」の誤用のような意味で「サービス」を用いているのではない。経済学上のカテゴリーとして用いているのである。

すなわち、「サービス労働」とは、物質的生産物を生産する労働ではなく、諸々のサービスを提供する労働のことである。したがって教育労働以外には、運輸・通信・行政（公務）・医療などの労働を指す。これらの労働それ自体は、物質的生産物を生産し、直接、資本（家）の利潤増大に資するという労働ではない。何かを媒介に、あるいはあらためて資本（家）によって企業的に組織されることによって、資本（家）の利潤増大に資するような労働のことである。

したがってサービス労働は「総資本＝総労働」という経済学本質論（マルクス『資本論』）のレベルでは捨象されている。ただし、運輸労働は、何も物質的生産物は生産しないが、流通過程に延長された生産過程として扱われる。また商業労働は、商品価値の実現に関わるのであって、サービス労働ではない。したがってサービス労働は、「諸資本＝諸労働」という段階論あるいは現実論（情勢分析）のレベルで分析・解明される。俳優（役者）や歌手・プロスポーツ選手などの労働（パフォーマンスなどと格好よく表現されるが）も企業的に組織された段階で資本（家）の利潤増大に資する労働となる。

第四章▼生徒たちは労働者の卵

第二部で述べたように、一九五〇年代後半から一九六〇年代前半の「高度経済成長期」真っ只中において、労働力不足に追い込まれた企業経営者は、中学校や高校の卒業生たちを「金の卵」と呼んで、その争奪戦を繰り広げた。いわゆる「集団就職」である。

企業経営者＝資本家たちにとって貴重な存在であったがゆえに「金の卵」と呼んだのであろうが、それは決して貴重な人間あるいは人格として尊重したわけではない。まさに労働力という商品として貴重であったわけである。あるいは企業家＝資本家のためには「お金になる卵」という意味だったかも知れない。

当時の商品＝労働市場は、かなり偏った売り手市場で、労働力の価値＝価格が高騰していたのである。そんななかで企業経営者たちは、より安く労働力を得るために、斜陽著しい旧産炭地や農山村などに目をつけたのだ。

二〇一九年の今日、「少子高齢化」社会と言われる。公益財団法人矢野恒太記念会編集・発行の『表とグラフでみる日本のすがた２０１８』によれば、日本の総人口は二〇一〇年の一億二八〇六万人をピークにすでに減少期に入った。二〇一八年一月二二日に召集された国会における安倍首相の施政方針演説によれば、日本は「国難」のときらしい。一九六〇年代の「高度経済成長期」とは異なるが、またまた企業経営者＝資本家は労働力不足に困っているということである。安倍政権がいかなる対策でこれを乗り切ろうとしているかを考慮しながら、以下を読んでいただきたい。

「高度経済成長期」当時の池田勇人首相（一九六〇年七月～六四年一一月）が「所得倍増」論をぶち上げたが、それはかなり偏った売り手市場である商品＝労働市場を背景にしていたのである。

労働力の価値＝価格は、商品＝労働市場における需要（買い手＝資本家）と供給（売り手＝労働者）の関係で決まる。そして児童・生徒たちの大部分は近い将来この商品＝労働市場に投げ込まれることになる。そのような意味で児童・生徒は労働者の卵であり、学校教育によって、ひよこから鶏＝労働者へと「成長」させられるのである。つまり「先生」と呼ばれる教育労働者の思いや願いとは異なるであろうが、その労働力を発現（消費）する教育活動（教育サービス）の対象である児童・生徒は、労働者の卵あるいはひよこなのである。私は現職のころ、常にこのことを肝に銘じて生徒に相対していた。誤解しないでいただきたい。私はこのような現状を肯定しているわけではない。このような現実として認識しているということである。

今日では、中学校卒業生のほとんどが高校やそれに準ずる学校に進学する。中学校卒業ですぐに労働者になる生徒は少ない。しかしそれは時間の問題であって、三年後（高卒）あるいは七年後（大卒）にはほとんど労働者になるのである。にもかかわらず、「教師」自身にそのような自覚がないがゆえに、近代公教育を受けた労働者にさえその自覚が薄い。一刻も早く労働者が労働者としての自覚に目覚めなければならない。だからといって私は生徒たちに、

「君たちはやがて労働者になる」

「君たちの労働は疎外される」

などと伝えたわけではない。こんな授業をして、管理職や保護者に知られたら、直ちに「偏向教育」と睨まれる。生徒たちが労働者として生きていくことを想い描きながら指導してきたということである。つまり、〈本物のヒューマニズム〉と、私が受けとめ

たカール・マルクスのマルクス主義に導かれたのは私であって、生徒たちにマルクス主義の授業を行ったわけではない。

私は、公立中学校に三八年間務めた社会科担当教諭であった。「社会科」学習指導においては、文部省の意図とは異なるが、社会科学としてのものの見方・考え方を指導するように努めてきた。

三年生で学習する「公民的分野」においては、特に労働問題などについて丁寧に指導してきたつもりである。労働三法や労働三権などについては、いざというときに役立つよう指導してきたと思っている。今から振り返ってみれば、「労働者派遣法」などについては指導しなかったことが悔やまれる。私自身の社会科学習指導については、『社会科は暗記ものか?―社会科学的思考を育てるために―』にまとめ近いうちに出版する予定である。参考にしていただけると幸いである。

何度か言ったように、私も労働者である。この自己認識は教職に就いたときから一貫している。そして生徒たちもそのほとんどが私と同じように労働者になる。生徒たちはやがて私の仲間になるのである。今や農民さえも自営業としての農家（農地や農機具などの生産手段を所有している農業経営者であり、労働者ではない）ではなく農場労働者や植物（野菜）栽培工場の労働者になる時代である。就業人口のうち労働者の占める割合はますます増大しつつある。

多くの制約のなかではあるが、「先生」と呼ばれた教育労働者である私は、たとえ少数ではあっても、この生徒たちのなかから労働者階級を解放するたたかいに立ち上がる人物が育つことを期待しつつ、その基礎になるような知識や考え方を可能な限り伝えたいと思って教育活動にとりくんできた。

もちろんこのような近代公教育の制度のなかだけでそんな成果が生まれるはずがない。それ以後は生徒たちが考えることである。しかしそれに少しでも役立つ考え方や知識を伝えておきたかったのである。あるいは資本主義経済のなかで洗脳され、培われたものの見方・考え方をひっくり返すような基礎・基本を伝えておきたかったのである。

私は授業中に「おまけ」、「付録」などと言いながら、教科書には記載されてはいない知識や考え方を伝えてきた。また、資本家階級や支配者の立場から叙述されている教科書の内容については、「この部分は一面的だ」、「この部分は間違い」などと指摘した上で、社会科学的な考え方に基づく事実・真実を伝えてきた。教育労働者にはこんなことができると思うのである。そして支配階級はそんなことは先刻ご承知である。だからこそ近代公教育においては、資本家階級の意を体した政府・文科省は、教育内容に関する統制や教育労働者に対する労務管理をより一層強化しようとするのである。あるいは、政府や管理職に従順に従うように、場合によっては教育労働者が政府・教委の教育政策を率先して遂行することに「よろこび」を感じるようにつくりかえようとする。自民党政権の下、文科省によって強行され、教育現場を混乱させ、教育労働者を超多忙に追い込んでいる今日の「教育改革」はまさにこのようなものではないのか！

教育労働者は常にこのような攻撃とたたかい、はねのけていかなければならない。もちろん、このたたかいは一人でできるものではない。一人でやっても意味がないのみならず危険ですらある。私がそのように受けとめている〈本物のヒューマニズム〉を打ち立てたマルクスとエンゲルスは、一七〇年以上も前に『共産党宣言』の最後で

「万国のプロレタリア団結せよ！」

と力強く私たちに呼びかけている。教育労働者は、万国の全ての労働者と手を取り合って、〈本物のヒューマニズム〉を実現するたたかいに立ち上がるべきである。しかしこれはこの稿の主題ではない。

他方、教室では、決定的な制約のなかではあるが、それでもなお「おまけ」、「付録」を言えるように創意工夫するのは当然である。そうしないと己の教育

できない。

活動に〈本物のヒューマニズム〉を貫き通すことは

教育環境はますます厳しくなりつつある。私はあえて言う。「私の責任」、「無能な私」などと悩む余裕はない。私たち教育労働者は、「責任」がとれるほど、「能力」を発現できるほど、高邁な存在である（人間として存在する）ことを許されてはいない。文科省・地教委そして管理職から煽られている同僚との教育実践をめぐる競争などは無視して、同僚と手を取り合って、やがてほとんどの生徒たちも参加してくる労働者階級の団結を取り戻し、一層その質を高め、力強く着実に進もう！

参考文献

『上野村史』和田康光著、筑豊之実業社、一九三〇年
『経済学批判序説』マルクス著、武田隆夫他訳、岩波文庫、一九五六年
『共産党宣言』マルクス・エンゲルス著、塩田庄兵衛訳、角川文庫、一九五九年
『暮らしの中のことわざ辞典』折井英治編、集英社、一九六二年
『変わりゆく筑豊—石炭問題の解明—』高橋正雄編、光文館、一九六二年
『経済学・哲学草稿』マルクス著、城塚登・田中吉六訳、岩波文庫、一九六四年
『空想より科学へ—社会主義の発展—』エンゲルス著、岩波文庫、大内兵衛訳、一九六六年
『教育実践用語辞典』吉本二郎監修、全国教育図書、一九六七年
『中学社会—歴史的分野—』時野谷勝他、大阪書籍、一九六七年
『津野　民俗資料緊急調査報告書』星野重一発行、田川郷土研究会、一九六七年
『詩文集「学校が村が沈む」—思い出は沈まない—』津野中学校、一九七〇年
『青春の門—筑豊篇　上・下—』五木寛之著、講談社文庫、一九七二年
『筑豊炭坑絵巻』山本作兵衛著、葦書房、一九七三年
『ユダヤ人問題によせて／ヘーゲル法哲学批判序説』マルクス著、城塚登訳、岩波文庫、一九七四年
『資料日本現代教育史』宮原誠一他編、三省堂、一九七四年
『日本史資料』家永三郎監修、東京法令出版、一九七四年
『筑豊炭坑絵巻』上・下、山本作兵衛、葦書房（ぱぴるす文庫）、一九七七年
『教育を追う　③問われる教師像』毎日新聞社、一九七七年
『君たちはどう生きるか』吉野源三郎著、岩波文庫、一九八二年
『最新　家庭の医学百科』主婦と生活社編・発行、一九八三年
『ピーター・パン・シンドローム—なぜ、彼らは大人になれないのか—』ダン・カイリー著、小此木啓吾訳、祥伝社、一九八四年
『モラトリアム人間の時代』小此木啓吾著、中公文庫、一九八六年
『福岡県地名大辞典』川添昭二他責任編集、角川書店、一九八八年

『教育入門』堀尾輝久著、岩波新書、一九八九年
『岩波哲学小辞典』粟田賢三・古在由重編、岩波書店、一九七九年
『海軍参謀』吉田俊雄著、文春文庫、一九九二年
『朝日現代用語　知恵蔵』朝日新聞社、一九九三年
『日本20世紀館』五十嵐仁他編、小学館、一九九九年
『公共哲学』1・2、佐々木毅・金泰昌編、東京大学出版会、二〇〇一年
『子どもたちのライフハザード』瀧井宏臣著、岩波新書、二〇〇四年
『教育改革と新自由主義』斎藤貴男著、寺子屋新書、二〇〇四年
『ゆとり教育から個性浪費社会へ』岩木秀夫著、ちくま新書、二〇〇四年
『コンクリートから子どもたちへ』鈴木寛・寺脇研著、講談社、二〇一〇年
『福岡県謎解き散歩』半田隆夫・堂前亮平編著、新人物文庫、二〇一一年
『子どもと生きる教師の一日』家本芳郎著、高文研、二〇一〇年
『歴史を考えるヒント』網野善彦著、新潮文庫、二〇一二年
『年表　昭和・平成史』中村政則・森武麿編、岩波ブックレット、二〇一二年
『教師はサービス業です―学校が変わる「苦情対応術」―』関根眞一著、中公新書クラレ、二〇一五年
『すべての教育は「洗脳」である―21世紀の脱・学校論―』堀江貴文著、光文社新書、二〇一七年
『マルクス思想の核心―21世紀の社会理論のために―』鈴木直著、NHK出版、二〇一六年
『池上彰特別授業『君たちはどう生きるか』』池上彰著、NHK出版、二〇一七年
『いま生きる「資本論」』佐藤優著、新潮文庫、二〇一七年
『『君たちはどう生きるか』集中講義―こう読めば100倍おもしろい―』浅羽通明著、幻冬舎新書、二〇一八年
『民主主義』文部省著、角川ソフィア文庫、二〇一八年
『表とグラフでみる日本のすがた2018』公益財団法人矢野恒太記念会、二〇一八年
『教育格差―階層・地域・学歴―』松岡亮二著、ちくま新書、二〇一九年

おわりに

とにかく私の教職体験と「体験的『公教育』論」をまとめた。そして何度か読み返してみた。矛盾だらけである。試行錯誤の連続である。研鑽不足である。人道主義者から見れば、決して真摯な教育者には見えないであろう。しかし私は、人道主義者とは異なる次元で真摯に教職を務めてきたつもりである。管理職には安易に妥協せず、生徒はもちろん保護者にも同僚にも真剣に向き合ってきたつもりである。日教組運動にも真剣にとりくんできたつもりである。

私の三八年間の教職体験はある意味でたたかいの連続であった。対象とのたたかいであると同時に、自分とのたたかいであった。改めて強調しておかなければならない。私の教職活動（第二、三部）は矛盾だらけである。矛盾の連続である。しかしそれが私のあるがままの「教師」としての姿であった。何度も言ってきたように「教師」は教育労働者である。雇用主である教育委員会や一般的には現場監督あるいは工場長に該当する校長などの管理職とは対立してきた。

私が教育実践に真剣にとりくめばとりくむほど、教育委員会・文部省およびその背後にいる資本家階級に利するだけである。生徒たちを、私の理想や願いとは似ても似つかぬより高度な労働力商品としてつくりかえるだけである。

使用を義務づけられている教科書には、社会科学的には納得できない内容が随所にある。そのように伝授したくはない内容を伝授するよう強制される。このように望んでもいない内容で固められた卒業生たちは「労働者の卵」なのである。それを承知で熱心に指導してきたつもりである。矛盾だらけにならざるを得ないではないか！　教育労働者を含めた労働者の労働そのものが矛盾で成り立っているのである。

私は、それなりの年齢に達したとき、まるで管理職であるかのように同僚たちに声高に要求もしてきた。

「年度はじめにはなるべく年休（年次有給休暇）をとるな！」

「服装に気をつけろ！」

「飲酒運転などもってのほかだ！」

などなど。そうしないと教育労働者としては生きていけないからである。

教育現場では、教育労働者たちは管理職はもとより、「教職員評価制度」が導入された今日では保護者や地域の人たちからさえ、二四時間・三六五日監視されているのである。にもかかわらず「教師」の多くは、自分たちが雇用主に雇われ、人権などはもとより人間性さえ剥奪されている弱い存在の労働者であることを認めようとしない。あるいはそれに無自覚である。肉体労働ではなく、頭脳《あたま》をつかう「偉い先生様」だと思っている人さえいる。この考え方およびこれに基づく傲慢《ごうまん》な行動は危険なのである。「教師」を辞めさせられる危険性を孕んでいるのである。だから管理職に注意される前にケチをつけられないようにしておこう、と呼びかけたのである。管理職でないことはもちろん、管理職にはなりたくもない私が、「管理職」が言うようなことを言って同僚に注意を喚起しなければならなかったこともまた矛盾である。

もう一点、強調しておきたい。私が自分の教職体験と「体験的『公教育』論」を書き残そうと思い立ったのは、現在の教育現場の「教師」たちの悲惨な現状にあった。

＊超多忙とストレスに悩まされて精神を患う教職員の激増

＊公教育の将来に失望して「定年」前に退職する若年退職者の激増
＊多忙ななか、病院にも行けずに過労死する教職員の増加
＊公教育にも、同僚にも、そして自分にも絶望した若き教職員の自殺の増加

などなど。

しかし教師のみなさん、諦めるな！　カール・マルクスのマルクス主義の光を当てれば、この原因はたちどころに明らかになる。しかも教職員の自殺を防ぎ、精神を患う教職員の悩みを解消するのである。これはいかなる精神科医よりも優れていると私は確信する。教育現場がこのように悲惨な状態になる政治的・経済的・社会的・歴史的根拠を明らかにすることさえできればストレスや悩みにはならないはずであるのみならず、飛躍するバネにすらなる。

私が〈本物のヒューマニズム〉と受けとめるカール・マルクスの「マルクス主義」に導かれた私は、教育現場でストレスを感じたことはなかった。常にたたかう姿勢を保つことができていた。それをこの書籍の中で明らかにし、みなさんに訴えたつもりである。

マルクスは、教育については多くを語ってはいない。しかし「人間とは何か？」、「人間はいかにあるべきか？」を追究したマルクスの哲学から

「近代公教育とは何か？」
「教師＝教育労働者とはいかなる存在なのか？」

などが見えてくるはずである。そうなればさらに

「何をなすべきか？」

も見えてくるはずである。日々の苦悩はストレスではなく、飛躍のバネになるはずである。

最後にもう一度呼びかける。

＊「教師」は、「専門職だ」、「聖職だ」と気取るのはやめよう！

＊自分の意志とは無関係に、「教師」は子どもたちの可能性を摘みとっているかも知れないことに目を向けよう！

＊自分の意志とは裏腹に「教師」は、子どもたちを勉強嫌いに追い込んでいるかも知れないことに目を向けよう！

＊思い切って、「教師」という高みから跳び下りよう！

＊そして「教師」から教育労働者へ脱皮しよう！

そうすれば、そこから見えてくるものがある。今まで見えなかったもの（こと）が見えてくる。道が拓けるのである。学ばなければならないことが見えてくる。お勉強としてではなく、主体化すべきことが見えてくる。日々の生活に貫徹しなければならないことが見えてくる。真の意味で忙しくなる。しかし消耗する忙しさではない。有意義な忙しさである。学んだり、論議したりする時間も生み出される！　しかしこれ自体は決して生やさしくはない。それだけ私たちが資本主義の汚物にまみれているからである。この汚物をそのままにしていては道は拓けない。この汚物をふるい落とそうと苦闘している仲間はいる！「無責任な私」、「私の無能さ」と悩み抜いている「教師」はその仲間になれる。「無責任な私」、「私の無能さ」という考え方は、資本主義経済のなかで、したがって近代公教育のなかで身につけてしまった汚物なのだから。諦めることなくこんな仲間と手を繋ぎ、全身に染みついた汚物を洗い流そう！

二〇二〇年二月九日

岩山《いわやま》　治《おさむ》

【緊急追記】

「神戸市立東須磨小学校の教諭4人が同僚の男性教諭（25）にいじめを繰り返していた問題」について市教委は、「30歳代の男性教諭2人について、懲戒免職にする方向で」、また「残り2人と現校長、前校長の4人も懲戒処分を検討している」と、二〇二〇年二月二一日付「読売新聞」（朝刊・夕刊）で報じられた。

この問題の原因は調査報告書には、「加害教諭らの個人的資質が大きい」と指摘され、政府・文科省の「教育改革」との関係には一言も触れられていないようだ。またしても責任は教育現場に押しつけられて、真実の原因は解明されないままに終止符が打たれそうである。兵庫県教組および神戸支部は、これまで何をしてきたのか？　東須磨小学校には分会はないのか？　分会がしっかりしておれば起きない問題であり、たとえ起きても早期に解決できるはずである。今、この問題にどう立ち向かっているのか？「加害教諭4人」のなかに「新しい職」という名の中間管理職の教諭はいないのか？　被害教諭は日教組組合員ではないのか？　このようなことは一切明らかにされてはいない。日教組本部は、組織の総力を挙げてこの解決にとりくむべきではないのか？　もう川土手には土筆が頭を出しているというのに、教育現場の真冬日はまだまだ続きそうだ。教師たちたちよ、目を覚まそう！

JASRAC 出 2002415-001

岩山　治（いわやま・おさむ）　＊ペンネーム
1939年，韓国・釜山で生まれる。
1941年，2歳のとき，父の転職に伴い中国（中華民国）安徽《アンフォイ》省蚌埠《バンブー》に転居。
1944年，仕事のある父を中国に残し，家族とともに内地（福岡県）に帰還。
1962年，福岡学芸大学（現・福岡教育大学）中学課程（社会科）を卒業。
　福岡県内公立中学校に助教諭の身分で赴任。翌年，教諭として正式採用。
2000年，公立中学校教諭を定年（60歳）退職。

【編著書】


『一敗戦・被爆70年そして新たな戦争の危機一今こそ「反戦平和教育」を！』

『生徒たちを愛して元気にしなやかに―「学級通信」・「学年通信」づくりで生徒・保護者・同僚たちなどとの豊かな対話を！―』

『教師は子どもたちに己を語ろう！』

『小・中学生に宿題なんか出さなくても』

『福岡都心部の校庭の四季』
＊上記私家版（いずれも1冊税込1100円）をご購読下さる方は，花乱社までご連絡下さい。

【刊行予定】

『社会科は暗記ものか？一社会科学的思考を育てるために一』
『万国の労働者 カール・マルクスに学ぼう！一私のマルクス主義学習ノート一』
『福岡の清流・室見川の素描一わが散歩道 Ⅰ一』（仮）
『玄界灘に浮かぶ島々をめぐる小さな旅』（仮）

「教育労働者《きょういくろうどうしゃ》」という生《い》き方《かた》
自分《じぶん》を守《まも》り子《こ》どもたちを守《まも》るために
❖
2020年3月23日　第1刷発行
❖
著　者　岩山　治
発行者　別府大悟
発行所　合同会社花乱社
　　　　〒810-0001 福岡市中央区天神5-5-8-5D
　　　　電話 092(781)7550　FAX 092(781)7555
印刷・製本　亜細亜印刷株式会社
［定価はカバーに表示］
ISBN978-4-910038-13-1